DOUTRINA E TEOLOGIA DE
UMBANDA
SAGRADA

A RELIGIÃO DOS MISTÉRIOS
UM HINO DE AMOR À VIDA

Rubens Saraceni

DOUTRINA E TEOLOGIA DE
UMBANDA
SAGRADA

A RELIGIÃO DOS MISTÉRIOS
UM HINO DE AMOR À VIDA

© 2025, Madras Editora Ltda.

Editor:
Wagner Veneziani Costa (*in memoriam*)

Produção e Capa:
Equipe Técnica Madras

Revisão:
Ana Lúcia Sesso
Augusto do Nascimento

CIP-BRASIL. CATALOGAÇÃO-NA-FONTE
SINDICATO NACIONAL DOS EDITORES DE LIVRO, RJ

S245d
Saraceni, Rubens, 1951-
Doutrina e teologia de umbanda sagrada : a religião dos mistérios um hino de amor a vida / Rubens Saraceni. - São Paulo : Madras, 2025.
18ed
 Inclui bibliografia
ISBN 978-85-370-0192-9

1. Umbanda. I. Título.

07-0301. CDD: 299.672
 CDU: 299.6
29.01.07 02.01.07
000328

Proibida a reprodução total ou parcial desta obra, de qualquer forma ou por qualquer meio eletrônico, mecânico, inclusive por meio de processos xerográficos, incluindo ainda o uso da internet, sem a permissão expressa da Madras Editora, na pessoa de seu editor (Lei nº 9.610, de 19.2.98).

Todos os direitos desta edição reservados pela

MADRAS EDITORA LTDA.
Rua Paulo Gonçalves, 88 — Santana
CEP: 02403-020 — São Paulo/SP
Tel.: (11) 2281-5555 – (11) 98128-7754
www.madras.com.br

Este símbolo representa o amor e a fé irradiados o tempo todo, pela Umbanda, aos seus adeptos e seguidores em todos os níveis vibratórios e planos de vida.

Nota do Autor:
O termo "Teologia de Umbanda" é de propriedade e de uso exclusivos do Colégio de Umbanda Sagrada, que possui sua patente, só podendo usá-lo quem tiver autorização ou fizer parte de sua estrutura de ensino religioso.

Índice

1 Abertura 13
  1.1 Colégio de Umbanda Sagrada Pai Benedito de Aruanda 13
  1.2 Juramento de Fé do Estudante de Teologia de Umbanda Sagrada .. 14
  1.3 Teologia de Umbanda — Abertura 15
  1.4 A Formação Teológica do Sacerdote de Umbanda Sagrada 17
  1.5 Umbanda: Uma Religião com seus Próprios Fundamentos 17
  1.6 Religião e Religiosidade 18

2 Diferenças: Umbanda, Candomblé e Kardecismo 19
  2.1 Umbanda / Candomblé 20
  2.2 Umbanda / Kardecismo 21
  2.3 Umbanda (As Quatro Correntes de Umbanda) 22

3 História da Umbanda 25
  3.1 Caboclo das Sete Encruzilhadas Fala aos Umbandistas 25
  3.2 A Umbanda 26
  3.3 Sobre a Umbanda 27

4 Mediunidade 30
  4.1 Mediunidade — O Enigma Humano 30
  4.2 O Médium na Umbanda Sagrada 31
  4.3 Fé: Os Cuidados e Cautelas com a Religiosidade das Pessoas 33
  4.4 O Médium — Mediunidade 35
  4.5 Os Mistérios da Mediunidade 38
  4.6 A Importância da Educação Mediúnica — Mitos e Preconceitos 38
  4.7 Comentário sobre o Campo Mediúnico do Médium 40
  4.8 O Autoconhecimento 44
  4.9 Os Polos Positivo e Negativo das Pessoas 45
  4.10 Evolução e Regressão 46

5 Divindades 49
5.1 Deus e o Seu Espírito Vivo 49
5.2 As Divindades de Deus 50
5.3 Os Tronos de Deus 52

6 Irradiações 56
6.1 As Irradiações Divinas e suas Manifestações
nos Vários Planos da Vida 56
6.2 Irradiações e Correntes Eletromagnéticas 58
6.3 Ondas Vibratórias, a Base da Criação Divina 62

7 Introdução da Gênese e Fatores 67
7.1 Os Fatores de Deus e a Androgenesia de Umbanda 67
7.2 O que são os Fatores de Deus? 68
7.3 Os Fatores de Deus 69
7.4 A Androgenesia Umbandista 75
7.5 A Fatoração dos Seres 76
7.6 Os Fatores de Deus e os Seres 77
7.7 A Energia Divina 77
7.8 Comentário sobre a Hereditariedade Divina dos Seres ... 81
7.9 Os Fatores de Deus e as Sete Estruturas Básicas 82
7.10 Os Fatores de Deus e os Aspectos dos Orixás 83
7.11 A Hereditariedade e o Caráter Divino dos Orixás 86

8 A Gênese da Umbanda Sagrada 88
8.1 "Gênese Divina da Umbanda Sagrada" 81

9 Gênese do Ser, Sete Planos da Vida 90
9.1 Os Fatores e as Ondas Fatorais 90
9.2 Primeiro Plano da Vida — O Plano Fatoral 92
9.3 Segundo Plano da Vida — O Plano Virginal ou Essencial ... 94
9.4 Terceiro Plano da Vida — O Plano Elemental ou Energético ... 96
9.5 Quarto Plano da Vida — Plano ou Estágio Dual da Evolução ... 97
9.6 Quinto Plano da Vida — O Plano Encantado 101
9.7 Sexto Plano da Vida — Plano Natural ou Estágio do
Desenvolvimento da Consciência Plena 104
9.8 Sétimo Plano da Vida — O Plano Celestial 106
9.9 A Expansão da Vida nas Dimensões Planetárias 108

10 Gênese do Planeta 112
10.1 A Gênese do Planeta Terra 112
10.2 A Gênese do Universo e das Dimensões Paralelas 121
10.3 A Escala Vibratória Divina 124
10.4 A Gênese dos Seres 127
10.5 O Entrecruzamento das Irradiações 129
10.6 As Hierarquias do Trono da Geração 138
10.7 Como Surgem e Como se Formam as Hierarquias Divinas ... 139

11 Teogonia 148
   11.1 Oxalá 148
   11.2 Os Mecanismos da Fé 148
   11.3 Oiá-Tempo 150
   11.4 O Trono do Tempo no Ritual de Umbanda Sagrada 151
   11.5 Oxum 152
   11.6 Oxumaré 152
   11.7 Oxóssi 154
   11.8 Obá 155
   11.9 Xangô 157
   11.10 O Sentido da Justiça 159
   11.11 Iansã 160
   11.12 Ogum 162
   11.13 Egunitá 163
   11.14 Obaluaê 165
   11.15 Nanã 168
   11.16 Iemanjá 169
   11.17 Omolu 171
   11.18 O Magnetismo dos orixás 172

12 As Sete Linhas de Umbanda 175

13 As Cores dos orixás 178

14 Orixás de Frente, Ancestral e Ajunto 181

15 Chacras 182

16 Mistérios de Umbanda 186
   16.1 Íncubos e Súcubos 186
   16.2 O Vampirismo Energético 186
   16.3 O Mistério dos Cordões Energéticos 187
   16.4 O Mistério das Fontes Mentais Geradoras e Ativadoras 191
   16.5 Os Mistérios das Fontes Naturais Geradoras de Energia e das Correntes Eletromagnéticas 195
   16.6 O Mistério das Fontes Vivas Geradoras de Energias 197
   16.7 Cilco Reencarnacionista: O despertar da Conciência 199

17. Formas Plasmadas 204
   17.1 O Plasma Energético que Forma o Corpo Plasmado do Espírito 204
   17.2 As Formas Plasmadas 206
   17.3 As Vestimentas Energéticas que Cobrem os Corpos dos Espíritos 207
   17.4 Vestimentas Simbólicas 208
   17.5 O Mistério das Formas Plasmadas 209

18. Pontos de Força e Oferendas 211
  18.1 Os Orixás e a Natureza 211
  18.2 Os Pontos de Força da Natureza 212
  18.3 Os Santuários Naturais 213
  18.4 Ritual de Umbanda e os Antigos Cultos
  às Forças Regentes da Natureza 214
  18.5 Os Sacrifícios ou Oferendas 217
  18.6 O Sentido das Oferendas 218
  18.7 As Consagrações de Materiais Condensadores de Axé 219

19. Templo, Centro, Tenda ou Terreiro 220
  19.1 Os Espaços Religiosos 220
  19.2 Os Altares 221
  19.3 As Imagens 222
  19.4 Os Templos 222
  19.5 Androlatria 223
  19.6 Idolatria e Iconolatria 224
  19.7 Iconoclastia 224

20. Magia 226
  20.1 O Que é Magia 226
  20.2 Elementos de Magia 227
  20.3 Os Símbolos Mágicos 228
  20.4 Magia: Transmissão 232
  20.5 Magia: Ativação 234
  20.6 Magia: Deveres e Obrigações 234
  20.7 As Mandalas de Força dos Orixás 234
  20.8 Magia Cabalística ou Pontos Riscados 234
  20.9 Os Pontos Riscados na Umbanda 235
  20.10 As Escritas Mágicas do Passado 236
  20.11 Orixás, os Senhores da Magia Divina 237
  20.12 Os Espaços Mágicos 237

21 Tronos: Símbolos Sagrados e Pontos de Forças Mentais 242
  21.1 Tronos Regentes 253
    Trono Critalino 255
    Trono Mineral 255
    Trono Vegetal 255
    Trono Telúrico 255
    Trono Eólico 255
    Trono Ígneo 255
    Trono Aquático 256
  21.2 Tronos Multidimensionais 257
  21.3 Tronos Localizados 261
  21.4 Tronos Minerais 269

Trono Oxum das Cachoeiras 275
Trono Mineral Oxum das Fontes.. 277
Trono Mineral Oxum do Ouro 277
Trono Mineral Oxum da Prata.. 277
Trono Mineral Oxum do Ar 277
Trono Mineral Oxum das Pedras... 278
Trono Mineral Oxum do Coração 278
21.5 Tronos Cristalinos.. 282
21.6 Tronos Energéticos 293
21.7 Tronos Elementais 295
21.8 Tronos Espirituais ou Espiritualizados 302
21.9 Tronos Espirituais Positivos 308
21.10 Tronos Neutros 314
21.11 Tronos Negativos 317
22. O Sacerdócio de Umbanda Sagrada 328
22.1 Os Sacramentos da Umbanda 330
23. Definições e Terminologia 334
Bibliografia 344

1
Abertura

1.1 Colégio de Umbanda Sagrada Pai Benedito de Aruanda

O *Colégio de Umbanda Sagrada Pai Benedito de Aruanda* é uma instituição de ensino religioso umbandista e tem como meta a formação teológica, sacerdotal e magística dos médiuns.

Ele foi fundado em 13 de maio de 1999 pelo médium escritor Umbandista *Rubens Saraceni,* cujas obras didáticas fornecem toda uma gama de conhecimentos recebidos dos Mestres da Luz, fundamentais a uma "Teologia de Umbanda".

Um dos seus objetivos é a formação teológica de pessoas que, após seus estudos, estarão habilitadas a multiplicar grupos de estudos nos Templos de Umbanda ou de pessoas interessadas em conhecer melhor a religião umbandista.

O *Colégio de Umbanda Sagrada Pai Benedito de Aruanda* não tem uma única base física (sede), pois onde houver um dos seus Mestres instrutores, habilitado a abrir um grupo de estudos teológicos fundamentado nas obras dos Mestres da Luz, lá estará ele, secundando e dando sustentação a estas iniciativas tão necessárias à religião umbandista.

É também uma instituição de ensino religioso umbandista filiada ao *Superior Órgão de Umbanda do Estado de São Paulo* (SOUESP), e é reconhecida por ele como uma iniciativa muito positiva dentro da religião, tendo recebido tanto do seu atual presidente quanto de toda sua diretoria executiva todo o apoio indispensável para concretizar-se e tornar-se uma instituição de ensino religioso e um modelo a ser seguido por quantos desejarem criar instituições análogas dentro da Umbanda.

Esse *Colégio* é uma concretização dos estímulos enviados pela espiritualidade no sentido de criarmos instituições de ensino religioso voltadas ao aprimoramento dos conhecimentos e ao aperfeiçoamento teológico das pessoas interessadas pela Umbanda.

1.2 Juramento de Fé do Estudante de Teologia de Umbanda Sagrada

Eu creio na existência de um Deus único, onipotente, onisciente, oniquerente e onipresente.

Eu creio na existência dos sagrados orixás, as divindades de Deus às quais Ele confiou as suas qualidades Divinas e que são os seres superiores responsáveis pela concretização de sua infinita obra colocada à disposição de todos os seres, de todas as criaturas e de todas as espécies que Ele criou.

Eu creio que cada um dos sagrados orixás é uma divindade unigênita (única gerada por Deus) dotada do poder Divino de transmitir sua qualidade e caráter Divino aos seres, às criaturas e às espécies. Este fato que os distingue como auxiliares diretos do Criador do Universo e Divinos pais dos seres, denominados seus filhos: regentes das criaturas, denominados seus animais, e das espécies, denominados seus vegetais, suas plantas e suas folhas.

Eu creio na existência de uma essência viva e Divina ou corpo etérico de Deus, por meio do qual se manifestam tanto suas divindades quanto os espíritos que incorporam nas sessões religiosas umbandistas. Corpo Divino também é chamado de espírito santo de Deus por outras crenças religiosas.

Eu creio na imortalidade dos espíritos e na capacidade de se comunicarem com os encarnados.

Eu creio na capacidade dos espíritos de atuarem sobre os encarnados e de influenciá-los positiva ou negativamente.

Eu creio na existência da incorporação mediúnica e no benefício que os espíritos luzeiros, incorporados pelos sagrados orixás às suas hierarquias espirituais humanas, trazem a todos os encarnados quando incorporam em seus mediadores umbandistas.

Eu creio na evolução dos espíritos e no aperfeiçoamento consciencial que a religião Umbanda proporciona a todos os seus fiéis, adeptos e seguidores.

Eu creio na existência de múltiplas faculdades mediúnicas e esforçar-me-ei no estudo e no entendimento delas, pois só assim poderei ensiná-las e auxiliar quem possuir algumas delas e estiver necessitando da ajuda para ordená-las e fazer o bom uso delas, tanto em seu próprio benefício quanto de seus semelhantes.

Eu creio na existência de uma evolução contínua de toda a criação Divina e creio que só por intermédio do estudo, da dedicação e do aprendizado poderei ser útil a essa evolução.

Eu creio que, por ter sido gerado por Deus e por ter sido qualificado por uma de suas divindades, sou um ser de origem Divina e dotado de múltiplas faculdades, as quais desenvolverei e aperfeiçoarei, pois, assim, serei útil ao meu Criador, ao meu Orixá e Pai Ancestral, aos meus semelhantes, meus irmãos e a toda a criação Divina, da qual sou parte e sou beneficiário.

Eu creio em Deus, em suas divindades, nos senhores orixás, e creio em mim mesmo, pois também sou um ser de origem Divina e sou dotado de inteligência, de raciocínio e da razão para poder diferenciar o bom do ruim, o certo do errado, o justo do injusto, o Divino do profano e o Divino do humano.

Amém!

1.3 Teologia de Umbanda — Abertura

A Umbanda é uma religião nova, espiritualista e magista.

Baseia-se no culto às divindades e trabalhos espirituais, sem deixar de cultuar a Deus que para os umbandistas é o Princípio de todas as coisas.

Alguns acham que a Umbanda é multimilenar e que houve uma renovação nas suas práticas. Outros acham que é uma religião nova, cultuando os orixás em sua concepção africana, tendo incorporado o espiritismo, a magia, o sincretismo e a simbologia.

A Ciência Divina diz que a Umbanda é uma religião nova, fundamentada no culto aos orixás africanos, agora renovados e com novas feições Divinas e humanas, aberto a todos, pois antes esses orixás eram cultuados de forma fechada e só os iniciados podiam cultuá-los e reverenciá-los. Os babalaôs, que detinham o poder mágico, eram os donos da religião e quando morriam só um iniciado poderia substituí-los, mantendo os conhecimentos ocultos.

Com a vinda para o Brasil, esse conhecimento secreto começou a se perder ou a se misturar com o de outros povos (sincretismo).

A mesma divindade sustenta a fé de diferentes povos e culturas, e por vontade superior o resultado foi o aparecimento gradativo de uma nova religião fundamentada no culto às divindades naturais, mas de forma aberta a todos.

O que antes era "propriedade" dos babalaôs foi transmitido para pessoas dotadas de forte mediunidade, que passaram a incorporar espíritos os quais impunham a seus médiuns condições que achavam ideais para realizar todo um trabalho espiritual em favor dos encarnados. Surgiram, então, práticas parecidas, pertencentes a religiões diferentes.

As tradições religiosas dos diversos povos começaram a incorporar elementos pertencentes a outras tradições.

Esta mistura de tradições e o enfraquecimento consequente de todas, visavam a criar as condições para uma unificação religiosa sob o manto da Umbanda; então os terreiros de uma determinada nação passaram a evocar divindades pertencentes a outras nações.

Os pais-de-santo passaram a "fazer" seus filhos, que abriam seu próprio terreiro e, desta forma, foi se multiplicando a nova religião que visava a alcançar o maior número de pessoas no menor espaço de tempo possível.

Este crescimento espantoso assoberbou muitos líderes umbandistas, impedindo a irmanação dos terreiros e a unidade religiosa que desse sustentação doutrinária à Umbanda para que ela ocupasse seu espaço como religião brasileira.

Há a necessidade de uma consciência "religiosa" e não de "terreiro".

Por falta dessa consciência, a Umbanda perdeu espaço para as seitas neocristãs.

A falta de uma Teologia, de uma doutrina única e de um acompanhamento dos novos dirigentes de Tendas de Umbanda resultou em erros imensos e em condutas pessoais que não tinham nada a ver com o que era pregado pela espiritualidade, e isso abriu espaço para que adversários religiosos emitissem críticas e acusações contra a Umbanda.

Muitas pessoas, ainda despreparadas, mal instruídas e até incapazes de dirigir um Templo, abriram suas tendas, criando a sua própria Umbanda, e deram vazão a seus emocionais desequilibrados e seus vícios religiosos, pois não aceitavam a condição de liderados e almejavam ser líderes, bajulados ou temidos. Então muitos abandonaram a Umbanda, depurando-a.

É uma questão de tempo para que os atuais e remanescentes dirigentes da Umbanda realizem um trabalho de base, de doutrinação de seus liderados, instruindo-os e ensinando-os a preparar bons médiuns e bons dirigentes de tendas. E, então, a Umbanda conquistará seu verdadeiro espaço religioso, pois o tipo de trabalho desenvolvido por ela só os verdadeiros umbandistas podem feito, porque são os herdeiros naturais dos sagrados orixás.

Mas, para que este trabalho seja feito, todos os umbandistas devem falar uma só língua.

Por isso, este curso desenvolverá um Tratado Teológico que, se devidamente incorporado ao conhecimento já disseminado no meio umbandista, ajudará muito nesta uniformização das práticas rituais das tendas e na formação de uma consciência de Umbanda.

1.4 A Formação Teológica do Sacerdote de Umbanda Sagrada

Todo sacerdote precisa receber uma preparação muito boa para que possa exercer todas as múltiplas funções que este cargo religioso exige e também para que possa discutir sua religião com sabedoria e com conhecimentos fundamentais acerca do seu universo religioso.

Por isso, é necessário que todo sacerdote umbandista desenvolva uma consciência voltada para o aprendizado permanente. Fato este que beneficiará a religião como um todo, pois permitirá um aprimoramento ritualístico e uma renovação dos conceitos subtraídos de fontes religiosas não umbandistas, mas incorporadas para suprir as lacunas conceituais, filosóficas e teológicas ainda existentes, tais como: batismos, matrimônios e funerais.

Conceitos filosóficos, teológicos e doutrinários mais profundos só surgirão com o amadurecimento da própria religião e quando todos os umbandistas desenvolverem uma consciência religiosa verdadeiramente de Umbanda e totalmente calcada em conceitos próprios, fundamentada na existência de um Deus único (Olorum) e na sua manifestação através de suas divindades (os sagrados orixás ou Tronos de Deus).

1.5 Umbanda: Uma Religião com seus Próprios Fundamentos

Toda religião tem na sua teologia os conhecimentos superiores que a define, que a amolda e a caracteriza, individualizando-a entre tantas outras religiões.

A Umbanda reúne num mesmo espaço (a tenda) o culto às divindades naturais regentes do planeta (os orixás) e as práticas religiosas realizadas pelos espíritos que incorporam nos médiuns e dão consultas, orientações, esclarecem, cortam magias negras, afastam obsessores, desmancham trabalhos feitos (despachos), desenvolvem a mediunidade de pessoas possuidoras desse dom, falam em nome dos orixás (das divindades), são manifestadores de mistérios e de dons, etc.

Os guias de Umbanda Sagrada são espíritos altamente preparados para assumir a guarda de seus filhos-médiuns, assim como trazem ordem de trabalhos espirituais e magísticos, concedida pelos orixás regentes das sete linhas de forças planetárias.

Nem todos os guias de Umbanda são "guias de lei" (espíritos já assentados à direita ou à esquerda dos senhores orixás), mas os que ainda não alcançaram o grau de "guias de lei" assentam-se à direita ou à esquerda de um "guia de lei" e incorporam usando o nome simbólico que o distingue e o individualiza, pois é o chefe de toda uma corrente espiritual ou linha de trabalho de Umbanda Sagrada.

Um "guia de lei" de Umbanda é um atrator natural de espíritos e tanto os acolhe em sua linha de trabalho quanto os doutrina e os assenta, dando-lhes condições para iniciarem um trabalho junto aos seus afins encarnados.

Os fundamentos da Umbanda são:
• Aceleração da evolução do ser por meio de ensinamentos doutrinários, mediúnicos, religiosos e espiritualistas;
• Auxílio religioso e magístico;
• Culto aos Sagrados orixás;
• Integração do ser às hierarquias Divinas;
• Esgotamento e transmutação do carma do ser;

Como religião, a Umbanda oferece a seus fiéis tudo o que as outras oferecem e até um pouco mais. Como "via evolutiva", reconduz às hierarquias naturais regidas pelos orixás os seus filhos naturais que foram afastados de seus domínios, pois foram conduzidos para o estágio humano da evolução.

1.6 Religião e Religiosidade

O ser humano é, por natureza, um ser religioso que, na ausência de uma religião, tende a sentir-se vazio, desmotivado e fragilizado e, por isso, muitas vezes, se entrega a vícios que o depreciam.

A religiosidade refreia os instintos e desperta nas pessoas a reflexão, pois as induz a pensar nas consequências de seus atos antes de cometê-los. Com isso, o comportamento tempestuoso e instintivo é refreado e a razão se impõe sobre a emoção.

Religiosidade significa a vivenciação dos princípios Divinos que regem a criação desde que Deus deu origem a tudo.

A verdadeira religiosidade é o cultivo da fé em Deus, amor à Sua criação Divina, respeito com as criaturas e um sentimento de fraternidade com seus semelhantes, não importando a raça, a cor ou a religião que seguem.

Religiosidade é a vivenciação equilibrada de todos os momentos de nossa vida.

Religião é a viga mestra de toda uma estrutura destinada a direcionar os seres e congregá-los em torno de uma Divindade acolhedora, amantíssima e irradiadora das qualidades de Deus Pai, e tem o poder de redimir os seres que se conduzirem segundo sua pregação, porque esse é o objetivo do Divino Criador, que dá sustentação a todos, por meio de Suas Divindades "humanizadas".

2
Diferenças: Umbanda, Candomblé e Kardecismo

Sabemos que Umbanda não é Candomblé nem Kardecismo.

A confusão é grande, pois Candomblé é religião de culto aos orixás e Kardecismo é religião de trabalho com os espíritos, ambos calcados no fenômeno Mediunidade.

Encontramos na Umbanda aspectos das duas, assim como de tantas outras, para um observador mais atento, mas o fato de ter algo em comum não quer dizer que podemos adotar por livre e espontânea vontade as práticas e filosofias religiosas delas, trazendo-as para dentro de nosso terreiro, pois a Umbanda possui filosofia e práticas próprias que são observadas e trazidas à luz por intermédio dos espíritos guias. Sim, nós também cultuamos os orixás, mas de forma diferente do ancestral culto africano, pois os vemos sob outro ponto de vista. Se fosse para ser igual não haveria de se fundar outra religião, simplesmente o adotaríamos.

Logo, quando surgir uma dúvida, antes de recorrer ao que é tão funcional dentro do âmbito dos "Cultos de Nação", espere. Consulte e tenha fé, que seus guias terão as soluções, dentro e segundo nossas práticas.

Quanto ao Kardecismo, a maioria de nós, umbandistas, tem recorrido à sua vasta literatura para se esclarecer quanto ao "mundo dos espíritos". O movimento kardecista esmiuçou e foi a fundo no estudo do fenômeno Mediunidade, o que nos vale como ponto em comum. Já a maneira de trabalhar mediunicamente dentro da Umbanda é única, pois ela vai além do "passe e doutrina". Os guias de Umbanda têm extrema afinidade e conhecimento das manipulações de elementos da natureza e processos magísticos, motivo pelo qual possuem toda uma variedade de recursos, como o uso do fumo, das velas, pontos riscados, ponteiros, otás, pedras e cristais, guias, banhos, defumações, etc.

O que, muitas vezes, é visto como um "atraso religioso", na verdade "esconde" toda uma riqueza jamais imaginada pelo "leigo crítico".

2.1 Umbanda / Candomblé

Da África: Ao contrário do que muitos podem pensar, a religião na terra-mãe dos escravos aqui aportados era e ainda é muito rica e bem diversificada, pois o enorme continente "negro" era todo dividido em nações (tribos ou povos) e cada uma tinha seu culto voltado para uma ou mais divindades diferenciadas.

Para mantê-los sob controle, os senhores de engenho costumavam misturar na mesma senzala negros de várias nações, em sua maioria inimigas, tornando-os vulneráveis, uma vez que não se entendiam e muito menos se uniam contra seus "donos". A rivalidade na África era tão grande que dispensava maior trabalho, uma vez que os povos africanos se escravizavam uns aos outros e vendiam seus prisioneiros de guerra a troco de armas e ferramentas. Depois, eles eram revendidos a peso de ouro aqui nas Américas.

Para minorar a condição deles, foi-lhes concedida a licença para que pudessem fazer seus toques ou batuques.

Logo os batuques se transformaram em culto religioso aos orixás (que predominaram na Bahia) e Voduns (aparecem no Maranhão com a Casa das Minas). Este culto não podia ser como na África, onde cada povo cultuava um panteão. Então se tocava para todos eles, quando se manifestam e deixavam no corpo e na alma de seus filhos os seus axés de amor, coragem e esperança.

Enquanto incorporados, não falavam nada, apenas se faziam sentir. Suas mensagens vinham por intermédio do jogo de búzios. De Ifá, o mistério da revelação.

Assim sintetizando todo um trabalho complexo surgiu o Candomblé, e os orixás foram trazidos à nossa terra.

Diferenças entre Umbanda e Candomblé

Mais simples é começarmos dizendo o que há em comum entre a Umbanda e o Candomblé, que é a incorporação mediúnica e o culto aos orixás, estes já renovados pela Umbanda.

Quanto às práticas e rituais, são diferentes; enquanto na Umbanda as consultas são feitas através dos espíritos de Caboclos, Pretos-Velhos, Baianos, Exus etc., no Candomblé as consultas são feitas através do "jogo de búzios" ou "Ifá", não aceitando a comunicação de espíritos (eguns), sendo portanto vetada sua incorporação.

Esta é a principal diferença, visto que as outras mais são pertinentes à atuação das "entidades guias" em seus trabalhos na Umbanda e aos rituais internos do Candomblé.

2.2 Umbanda / Kardecismo

O Kardecismo é um trabalho iniciado na França com *Allan Kardec* (Hippolyte Leon Denizard Rivail), que codificou a doutrina espírita em cinco volumes, a saber: *O Livro dos Espíritos* (abril de 1857); *O Livro dos Médiuns* (janeiro de 1861); *O Evangelho Segundo o Espiritismo* (abril de 1864); *O Céu e o Inferno* (agosto de 1865); *A Gênese* (janeiro de 1868).

No Brasil, o Kardecismo adquiriu maior notoriedade por meio da obra de *Chico Xavier* (mais de quatrocentos livros psicografados).

No Espiritismo Kardecista, existe todo um trabalho social, voltado para a comunidade. Dentro do aspecto religioso, podemos afirmar que procuram seguir a mensagem de Cristo, segundo a visão espírita.

Numerosíssimo hoje no Brasil, boa parte de seus esforços na doutrinação de encarnados e desencarnados e passes mediúnicos, creem na reencarnação e buscam na "lei do carma" a causa, em nossos atos passados, para a situação em que cada um de nós se encontra hoje, segundo nosso merecimento.

Diferenças entre Umbanda e Kardecismo

A diferença entre a Umbanda e o Kardecismo é que a primeira é um trabalho de resgate das religiões e tradições naturais, assentado na mediunidade de incorporação e com origem nos próprios orixás, os quais aparecem de forma renovada, como Divindades de Deus, presentes em tudo e em todos os lugares e, por isso, vistos como "Forças de Deus na Natureza", tendo nos seres encantados e nos espíritos sua manifestação mediúnica. A Umbanda tem muitas faces e facetas, englobando em si muitos aspectos. E um dos que mais chamam a atenção é sua atuação no campo da Magia, visando a combater o mal que a muitos aflige, por conta da magia negativa manipulada pelo baixo astral.

A Umbanda, assim como o Kardecismo, tem em suas práticas um trabalho caritativo e isento de cobranças de ordem material.

2.3 Umbanda
(As Quatro Correntes de Umbanda)

Se a Umbanda é uma religião nova, seus valores religiosos fundamentais são ancestrais e foram herdados de culturas religiosas anteriores ao Cristianismo.

A Umbanda tem na sua base de formação os cultos afros, os cultos nativos, a doutrina espírita kardecista, a religião católica e um pouco da religião oriental (budismo e hinduísmo) e também da magia, pois é uma religião magística por excelência, o que a distingue e a honra, porque dentro dos seus templos a magia negativa é combatida e anulada pelos espíritos que neles se manifestam incorporando nos seus médiuns.

Dos elementos formadores das bases da Umbanda surgiram as suas principais correntes religiosas, as quais interpretamos assim:

1ª Corrente — Formada pelos espíritos nativos que aqui viviam antes da chegada dos estrangeiros conquistadores.

Esses espíritos já conheciam o fenômeno da mediunidade de incorporação, pois o xamanismo multimilenar já era praticado pelos seus pajés em suas cerimônias. Eles já acreditavam na imortalidade do espírito, na existência do mundo sobrenatural e na capacidade de os "mortos" interferirem na vida dos encarnados. Também acreditavam na existência de divindades associadas a aspectos da natureza e da criação Divina. Tinham um panteão ao qual temiam, respeitavam e recorriam sempre que se sentiam ameaçados pela natureza, pelos inimigos ou pelo mundo sobrenatural. Também acreditavam na existência de espíritos malignos e de demônios infernais, mas sem a elaboração da religião cristã que aqui se estabeleceu.

2ª Corrente — Os cultos de nação africana, sem contato com os nativos brasileiros, tinham essas mesmas crenças, só que mais elaboradas e muito bem definidas. Seus sacerdotes praticavam rituais e magias para equilibrar as influências do mundo sobrenatural sobre o mundo terreno e também para equilibrar as pessoas.

Acreditavam na imortalidade dos espíritos e no poder deles sobre os encarnados, chegando mesmo a criar um culto para eles (o culto de egungum dos povos nigerianos).

Também cultuavam os ancestrais por meio de ritos elaboradíssimos e que perduram até hoje, pois são um dos pilares de suas crenças religiosas.

Sua cultura era transmitida oralmente de pai para filho, na forma de lendas, preservando conhecimentos muito antigos, como a criação do mundo, dos homens e até eventos análogos ao dilúvio bíblico.

A Umbanda herdou dos cultos de nação afro o seu vasto panteão Divino e tem no culto às divindades de Deus um dos seus fundamentos religiosos, tendo desenvolvido rituais próprios de religamento do encarnado com sua divindade regente.

O panteão Divino dos cultos afros era pontificado por um Ser Supremo e povoado por divindades que são os executores e manifestadores Dele junto aos seres humanos, assim como são Seus auxiliares Divinos que O ajudaram na concretização do mundo material, demonstrando-nos que, de forma simples, tinham uma noção exata, ainda que limitada por fatores culturais, da forma como se nos mostra Deus e Seu universo Divino.

3ª Corrente — Formada pelos kardecistas de mesa, que incorporavam espíritos de índios, de ex-escravos negros, de orientais, etc. Criaram a corrente denominada "Umbanda Branca", nos moldes espíritas, mas na qual aceitavam a manifestação de Caboclos, Pretos-Velhos e Crianças.

Esta corrente pode ser descrita como um meio-termo entre o espiritismo, os cultos nativos e os afros, pois se fundamenta na doutrina cristã, mas cultua valores religiosos herdados dos índios e negros.

Não abre seus cultos com cantos e atabaques, mas sim com orações a Jesus Cristo.

As suas sessões são mais próximas das kardecistas que das umbandistas genuínas, que usam cantos, palmas e atabaques.

Seus membros se identificam como "Espíritas de Umbanda".

4ª Corrente — A magia é comum a toda a humanidade e as pessoas recorrem a ela sempre que se sentem ameaçadas por fatores desconhecidos ou pelo mundo sobrenatural, principalmente pelas atuações de espíritos malignos e por processos de magia negra ou negativa.

Dentro da Umbanda, o uso da magia branca ou magia positiva se disseminou de forma tão abrangente que se tornou parte da religião, sendo impossível separar os trabalhos religiosos espirituais puros dos trabalhos espirituais mágicos.

Muitas pessoas desconhecem a magia pura e recorrem à magia classificada como magia religiosa. Mas esta nada mais é que a fusão da religião com a magia.

Estas são as principais correntes religiosas e doutrinárias que formam as bases da Umbanda. E isso sem falarmos do sincretismo religioso, pelo qual a religião católica nos forneceu as suas imagens que, colocadas em nossos altares, facilitaram o processo de transição de católicos para a Umbanda.

A estrutura religiosa espiritual da Umbanda já está pronta e só falta ser estruturada aqui, no plano material, para dar-lhe uma feição uniforme, quando seus valores religiosos e seus fundamentos Divinos serão definitivos, deixando de mudar ao sabor das suas correntes mais expressivas.

Os mensageiros espirituais nos alertam que esta estruturação deve ser feita de forma lenta e muito bem pensada.

Nós temos certeza de que no futuro a Umbanda terá uma feição religiosa muito bem definida, pois suas correntes formadoras se unificarão e se uniformizarão, fortalecendo a Umbanda como religião.

3
História da Umbanda

3.1 Caboclo das Sete Encruzilhadas Fala aos Umbandistas

Filhos na fé em Oxalá, saudações desse humilde caboclo a todos vocês, aos quais peço as bênçãos do nosso Pai Maior, que é Deus!

Recebam esta religião como uma "Revelação Divina" porque é o que ela é.

Saibam todos que não fui o único fundador da Umbanda no Brasil, mas tão somente um dos muitos espíritos aos quais foi confiada a missão de desvincular tanto do Espiritismo quanto do Candomblé as manifestações de Umbanda Sagrada.

A miscelânea de manifestações espirituais no início do século XX era tão intensa que, ou concretizávamos logo a nascente religião, ou mais adiante tal tarefa seria impossível.

Se é memorável a minha manifestação em meu médium Zélio Fernandino de Morais, no entanto muitos outros mentores espirituais da Umbanda já se manifestavam em seus médiuns realizando um trabalho meritório nas mais distantes localidades desse imenso país chamado Brasil, sede espiritual de todo o astral da religião de Umbanda.

Se fui privilegiado ao desvincular publicamente a Umbanda do Espiritismo e do Candomblé, no entanto não sou o único a ser aclamado, pois muitos mentores espirituais já vinham fazendo isto discretamente com seus médiuns, que um dia dançavam para os orixás e noutro trabalhavam com os amáveis pais-pretos, aos quais incorporavam para que eles dessem consultas num canto dos barracões onde se realizavam os cultos ancestrais.

Minhas reverências aos amados pais-Pretos-Velhos, detentores de méritos Divinos diante dos sagrados orixás, as nossas divindades de Deus!

Mas havia também a manifestação dos temidos pajés, que são os nossos amados pais da terra, que possuíam seus médiuns de forma estabanada, bravios e carrancudos, como são até hoje. Eles já atraíam aos seus trabalhos pessoas das mais diversas classes sociais, pois realizavam milagres com seus maracás, suas rezas indígenas e suas receitas infalíveis.

Minhas reverências aos nossos amados pais da terra, detentores de méritos Divinos diante dos sagrados orixás, as nossas divindades de Deus!

Havia, também, a manifestação dos temidos senhores da "quimbanda", os nossos respeitados irmãos Exus, que também incorporavam em seus médiuns e fascinavam quem os via e ouvia, pois eram, são e sempre serão incisivamente "humanos".

Minhas reverências aos nossos queridos, amados e respeitados Exus de Lei da Umbanda Sagrada, detentores de méritos diante de Deus, da sua Lei Maior e da sua Justiça Divina, já que são os esgotadores naturais de carmas individuais dentro do Ritual de Umbanda Sagrada.

Também havia muitas outras manifestações espirituais, tais como as dos mestres do catimbó, dos xangôs, das mesas, etc., que aconteciam mais no norte e nordeste do País, e que acontecem até hoje, pois prestam um inestimável trabalho de espiritualização de pessoas carentes de todos os níveis sociais e culturais.

Minhas reverências aos mestres e rezadores, detentores de méritos Divinos diante dos sagrados orixás, as nossas divindades de Deus!

3.2 A Umbanda

A Umbanda é fundamentada pelos espíritos incorporantes que conquistam a mente e o coração das pessoas, por meio do auxílio espiritual.

Por vontade dos seus mentores, a Umbanda incorporou os nomes iorubás das divindades, sua teogonia (conjunto de divindades de um povo), sua teofania (aparição ou revelação da divindade), sua cosmogonia (teoria da fundação do mundo) e sua androgenesia (ciência que estuda o desenvolvimento físico e moral da espécie humana), unificando todo o universo religioso umbandista.

Temos na Umbanda conhecimentos herdados das muitas nações africanas, os quais podemos verificar até nos nomes das linhas de trabalhos dos Pretos-Velhos: Congo, Angola, Guiné, Keto, Cambinda, Conga, Mina...

Temos também o conhecimento religioso dos índios.

Erês — na maioria são seres encantados, manipuladores naturais de energias elementares. Têm o poder de mexer com a psique dos médiuns e descontraí-los, aliviando seus subconscientes dos problemas do dia a dia.

Exu — abre caminho para que este universo magístico se manifeste com segurança.

Diversidade de nomes — um Orixá sendo cultuado por diversos nomes. Mas tudo tem sua origem no mistério Trono de Deus!

Sete Tronos de Deus (Mistérios de Deus)
- Trono da Fé;
- Trono do Amor;
- Trono do Conhecimento;
- Trono da Justiça;
- Trono da Lei;
- Trono da Evolução;
- Trono da Geração.

A cada renovação religiosa e surgimento de uma nova religião, os sete Tronos Divinos renovam os nomes dos membros de suas hierarquias, porque aquelas que alcançaram um grau e um poder multidimensional tanto podem ascender para graus celestiais (extraplanetários) quanto podem optar pela humanização do seu mistério individual e fundar uma nova religião na dimensão humana, como podem optar por espiritualizar-se e trazer consigo sua hierarquia pessoal, cujos membros encarnarão e acelerarão a evolução humana.

Humanizar-se é dar feições humanas às suas qualidades Divinas.

Espiritualizar-se é nascer para a carne e ascender em espírito aos níveis excelsos da faixa vibratória celestial, na qual atuará com o Luminar da Humanidade.

3.3 Sobre a Umbanda

A Umbanda é uma religião nova, com cerca de um século de existência.

Ela é sincrética e absorveu conceitos, posturas e preceitos cristãos, indígenas e afros, pois estas três culturas religiosas estão na sua base teológica e são visíveis ao bom observador.

Uma data é o marco inicial da Umbanda: a manifestação do **Senhor Caboclo das Sete Encruzilhadas** no médium **Zélio Fernandino de Morais** ocorrida no ano de 1908, diferenciando-a do espiritismo e dos cultos de nação Candomblé de então.

A Umbanda tem suas raízes nas religiões indígenas, africanas e cristã, mas incorporou conhecimentos religiosos universais pertencentes a muitas outras religiões.

Umbanda é o sinônimo de prática religiosa e magística caritativa e não tem a cobrança pecuniária como uma de suas práticas usuais. Porém, é lícito o chamamento dos médiuns e das pessoas que frequentam seus templos no sentido de contribuírem para a manutenção deles ou para a realização de eventos de cunho religioso ou assistencial aos mais necessitados.

A Umbanda não recorre aos sacrifícios de animais para assentamento de orixás e não tem nessa prática legítima e tradicional do Candomblé um dos seus recursos ofertatórios às divindades, pois recorre às oferendas de flores, frutos, alimentos e velas quando as reverencia.

A Umbanda não aceita a tese defendida por alguns adeptos dos cultos de nação que diz que só com a catulagem de cabeça e só com o sacrifício de animais é possível as feituras de cabeça (coroação do médium) e o assentamento dos orixás, pois, para a Umbanda, a fé é o mecanismo íntimo que ativa Deus, suas divindades e os guias espirituais em benefício dos médiuns e dos frequentadores dos seus templos.

A fé é o principal fundamento religioso da Umbanda e suas práticas ofertatórias isentas de sacrifícios de animais são uma reverência aos orixás e aos guias espirituais, recomendando-as aos seus fiéis, pois são mecanismos estimuladores do respeito e da união religiosa com as divindades e os espíritos da natureza ou que se servem dela para auxiliarem os encarnados.

A Umbanda não é uma seita, e sim uma religião, ainda meio difusa devido à aceitação maciça de médiuns cujas formações religiosas se processaram em outras religiões e cujos usos e costumes vão sendo diluídos muito lentamente para não melindrar os conceitos e as posturas religiosas dos seus novos adeptos, adquiridos fora da Umbanda, mas respeitados por ela.

A Umbanda não apressa o desenvolvimento doutrinário dos seus fiéis, pois tem no tempo e na espiritualidade dois ótimos recursos para conquistar o coração e a mente dos seus fiéis.

A Umbanda tem na mediunidade de incorporação a sua maior fonte de adeptos, pois a mediunidade independe da crença religiosa das pessoas e, como a maioria das religiões condena os médiuns ou segrega-os, taxando-os de pessoas possessas ou desequilibradas, então a Umbanda não tem que se preocupar, pois sempre será procurada pelas pessoas possuidoras de faculdades mediúnicas, principalmente a de incorporação.

A Umbanda tem de preparar muito bem os seus sacerdotes para que estes acolham em seus templos todas as pessoas possuidoras de faculdades mediúnicas e as auxiliem no desenvolvimento delas, preparando-as para que futuramente se tornem, também elas, os seus futuros sacerdotes.

A Umbanda tem na mediunidade de incorporação o seu principal mecanismo de práticas religiosa, pois, com seus médiuns bem preparados, assiste seus fiéis, auxilia na resolução de problemas graves ou corriqueiros, todos tratados com a mesma preocupação e dedicação espiritual e sacerdotal.

A Umbanda é uma religião espírita e espiritualista. Espírita porque está, em parte, fundamentada na manifestação dos espíritos guias. E espiritualista porque incorporou conceitos e práticas espiritualistas (referentes ao mundo espiritual), tais como magias espirituais e religiosas, cultos aos ancestrais Divinos, culto religioso aos espíritos superiores da natureza, culto aos ancestrais Divinos, culto religioso aos espíritos superiores da natureza, culto aos espíritos elevados ou ascencionados e que retornam como guias-chefes, para auxiliar a evolução das pessoas que frequentam os templos de Umbanda.

A Umbanda, por ser sincrética, não alimenta em seu seio segregacionismo religioso de nenhuma espécie e vê as outras religiões como legítimas representantes de Deus. E vê todas como ótimas vias evolutivas criadas por Ele para acelerarem a evolução da humanidade.

A Umbanda não adota práticas agressivas de conversão religiosa, pois acha estes procedimentos uma violência consciencial contra as pessoas, preferindo somente auxiliar quem adentrar em seus templos. O tempo e o auxílio espiritual desinteressado ou livre de segundas intenções têm sido os maiores atrativos dos fiéis umbandistas.

A Umbanda crê que sacerdotes que exigem a conversão ou batismo obrigatório de quem os procura (pois só assim poderão ser auxiliados por eles e por Deus) com certeza são movidos por segundas intenções e, mais dia menos dia, as colocarão para quem se converteu para serem auxiliados por eles. (Veja famosos pastores mercantilistas eletrônicos ou alguns supostos sarcedotes de cultos que vivem dos boris e dos ebós que recomendam incisivamente aos seus fiéis, tornando-os totalmente dependentes dessas práticas caso queiram algum auxílio espiritual ou religioso.)

A Umbanda prega que os espíritos elevados (os seus espíritos guias) são dotados de faculdades e poderes superiores ao senso comum dos encarnados e tem neles um dos seus recursos religiosos e magísticos, recorrendo a eles em suas sessões de trabalho e tendo neles um dos seus fundamentos religiosos.

A Umbanda prega que as divindades de Deus (os orixás) são seres Divinos dotados de faculdades e poderes superiores aos dos espíritos e tem nelas um dos seus fundamentos religiosos, recomendando o culto a elas e a prática de oferendas como uma das formas de reverenciá-las, já que são indissociadas da natureza terrestre ou Divina de tudo o que Deus criou.

A Umbanda prega a existência de um Deus único e tem nessa sua crença o seu maior fundamento religioso, ao qual não dispensa em nenhum momento nos seus cultos religiosos e, mesmo que reverencie as divindades, os espíritos da natureza e os espíritos ascencionados (os guias-chefes), não os dissocia D'Ele, o nosso Pai Maior e nosso Divino Criador.

4
Mediunidade

A mediunidade é a qualidade de toda pessoa que é médium. As faculdades mediúnicas têm muitas formas de aflorar e costumam processar-se de diferentes formas.

Mediunidade é sinônimo de sacerdócio espiritual. Temos nela um elo de comunicação com um plano da vida que é invisível à maioria e só uns poucos clarividentes podem vê-lo e descrevê-lo.

A mediunidade de inspiração e a de incorporação são as mais comuns, e suas práticas são tão antigas que sua origem se perde no tempo.

Mediunidade, nos dias atuais, já faz parte do dia a dia das pessoas e não é mais o tabu de alguns séculos atrás, quando médiuns eram torturados, presos ou queimados nas fogueiras da Inquisição, que os julgava bruxos, feiticeiros ou seres possuídos pelo "demônio".

Hoje, mediunidade é só uma forma de acelerar a evolução espiritual, tanto dos médiuns quanto dos espíritos.

4.1 Mediunidade — o Enigma Humano

Mediunidade é a faculdade que uma pessoa possui e que, se desenvolvida ordenadamente, poderá servir de meio de comunicação entre os dois planos da vida: o espiritual e o material.

A mediunidade sempre existiu como canal de comunicação entre os dois planos da vida (profetas, pitonisas, oráculos...).

A mediunidade e a magia caminham juntas com a religiosidade. Então, ou é aceita pelas religiões estabelecidas ou é combatida acirradamente (inquisição, conversão obrigatória), taxando qualquer tipo de mediunidade como manifestações demoníacas.

Em grego, *daimon* significa espírito. Mais tarde esse significado foi alterado e *daimon* passou a ser demônio ou seres infernais.

Em alguns cultos evangélicos, pessoas começaram a incorporar de forma desordenada espíritos que profetizavam, faziam previsões e comunicavam-se em línguas antigas e eram louvados como "manifestações do Espírito Santo, Deus", manifestações estas que acontece em todos os cantos do mundo e são bem ordenadas no Espiritismo, na Umbanda e no Candomblé.

O "Espírito Santo de Deus" não incorpora em nenhuma pessoa, pois é em si o próprio magnetismo e energia Divina existente em todas as pessoas e que, em muitas delas, serve de meio para que as incorporações aconteçam.

4.2 O Médium na Umbanda Sagrada

O médium de Umbanda é o ponto chave do Ritual de Umbanda no plano material.

Por isso, o médium iniciante deve merecer dos filhos-de-fé mais antigos toda a atenção, carinho, paciência e respeito quando adentram o espaço interno das tendas, pois é mais um filho da Umbanda que é "dado" à sua luz.

Do lado espiritual, todo o apoio lhe é dado, pois os espíritos guias sabem que este é o período em que mais frágil se sente um ser que traz a mediunidade.

Para o médium iniciante este é o período de transição em que todos os seus valores religiosos anteriores pouco valem, pois outros valores lhe estão sendo apresentados. É, portanto, um período extremamente delicado.

Alguns milhões de pessoas, com um potencial mediúnico magnífico, já foram perdidos para outras religiões porque os dirigentes de tendas de Umbanda não deram a devida atenção ao "fator médium" do Ritual da Umbanda, assim como não atentaram para o fato de que aqueles filhos, que lhes são enviados pelo plano espiritual, no lado material dependem fundamentalmente deles.

É chegado o momento de todos os dirigentes espirituais imprimirem aos seus trabalhos mais uma vertente da Umbanda Sagrada: a doutrinação em massa das pessoas que afluem às tendas nos dias de trabalho, pois muitas ainda não possuem a menor noção do que seja a própria religião: a Umbanda.

Muitos umbandistas, movidos de nobres e dignificantes intenções, buscam em línguas estrangeiras a explicação do termo "Umbanda". Alguns chegam a mergulhar no passado ancestral em busca do real significado desta palavra.

Nada a opor de nossa parte, mas melhor fariam e mais louvável aos olhos dos orixás seriam seus esforços, caso já tivessem atinado com o verdadeiro sentido do termo "Umbanda".

Umbanda significa: o sacerdócio em si mesmo no médium que sabe lidar tanto com os espíritos quanto com a natureza humana. Umbanda é o portador das qualidades, atributos e atribuições que lhe são conferidos pelos senhores da natureza: os orixás! Umbanda é o veículo de comunicação entre os espíritos e os encarnados, e só um Umbanda está apto a incorporar tanto os do Alto quanto os do Embaixo, assim como os do Meio, pois ele é, em si mesmo, um templo.

Umbanda é sinônimo de poder ativo, de curador, de conselheiro, de intermediador, de filho-de-fé, de sacerdote. Umbanda é a religiosidade do religioso; é o sacerdote atuante, que traz em si todos os recursos dos templos de tijolos, pedras ou concreto armado; Umbanda é o mais belo dos templos, onde Deus mais aprecia estar: no íntimo do ser humano.

Umbanda provém de "m'banda", o sacerdote, o curador.

Umbanda é o sacerdócio na mais completa acepção da palavra, pois coloca o médium na posição de "doador" das qualidades de seus orixás que, impossibilitados de falarem diretamente ao povo, falam a partir de seus templos humanos: os seus filhos-de-fé.

Por isso, os pais e mães espirituais devem olhar para todos os que lhes chegam, não como seres perturbados, mas como médiuns necessitando de auxílio para ordenarem as manifestações dos espíritos que fazem parte de sua linha de forças espirituais.

Mostrem-lhes que, se Orixá é um "Santo", é mais do que isto: Orixá é a natureza Divina manifestando-se de forma humana, para os espíritos humanos.

Esclareçam aos filhos recém-chegados, que se sentem incomodados, que isto não é nada de ruim, pois há todo um santuário aprisionado em seus íntimos que está tentando explodir por meio de sua mediunidade magnífica.

Conversem demoradamente com eles e procurem mostrar-lhes que Umbanda não é a panaceia para todos os males do corpo e da matéria, mas sim o aflorar da espiritualização sufocada por milênios e milênios de ignorância e descaso com as coisas do espírito.

Expliquem-lhes que devem preservar sua coroa (cabeça), pois é nela que a luz dos orixás lhes chega e os liberta dos vícios da carne e do materialismo brutal. E que, como templos vivos, devem manter limpo seu íntimo, pois nesse íntimo há uma centelha Divina animada pelo Fogo Divino que a tudo purifica e que o purificará sempre que entregar sua coroa ao seu Orixá.

Ensinem aos médiuns que eles trazem em si mesmos um templo já santificado, que nele se assentam os orixás sagrados e que por intermédio desse templo muitas vozes podem falar e ser ouvidas, porque Umbanda provém de Embanda: sacerdote.

E o médium é um sacerdote, um Embanda, um Umbanda.

4.3 Fé: Os Cuidados e Cautelas com a Religiosidade das Pessoas

Psique: alma; manifestação dos centros nervosos; modo de ser e de reagir; caráter (do grego *psiche*), segundo o dicionário *O Globo*.

Saibam todos que a fé é um dos sete sentidos da vida e sua irradiação estimula nas pessoas os sentimentos de crenças, de confiabilidade, de esperança, de resignação, de tolerância e de fraternidade.

Isto é positivo e as pessoas sentem-se fortes o suficiente para resistirem às provações da vida, ao duro aprendizado da realidade do plano material e conseguem manter-se em equilíbrio mental, mesmo quando submetidas a enormes pressões sociais, calamidades ou doenças.

Através da irradiação da fé, Deus nos chega o tempo todo como resignação, paciência e perseverança, sustentando-nos nos momentos mais difíceis de nossa vida.

Por isso, Deus, além de nos enviar continuamente Sua irradiação estimuladora da fé, também estimula as pessoas no sentido de se congregarem em torno das religiões, pois umas estimulam as outras e criam uma corrente de solidariedade, fraternidade, companheirismo e irmanação, cujo resultado mais eloquente é o refreamento dos instintos e o despertar de uma consciência humanística e universalista.

Saibam que a religiosidade é muito importante na vida de um ser porque desenvolve no seu íntimo os sentimentos de nobreza, caridade, confiança, perseverança, paciência, resignação, humildade, submissão, respeito, amor e fé.

Logo, devemos estimular a fé nas pessoas quando ainda são crianças, quando é mais fácil amoldarmos sua natureza, sua emotividade, seu caráter, seus anseios e sua psique.

Sim, principalmente a psique de uma criança deve ser amoldada e um limite lhe deve ser imposto, pois só assim ela nunca exteriorizará certas reações subconscientes, pois sua mente e consciência refrearão, ainda no nascedouro, certas fobias, neuroses, cacoetes emocionais, distorções morais e de caráter, assim como conseguirá estabelecer um padrão de julgamento do que deve fazer e do que não só não deve fazer, mas também que deve combater ou refrear seus instintos.

Assim tem sido e assim sempre será porque assim foi estabelecido por Deus, e só desse jeito a unidade na criação é mantida e limites são impostos a tudo e a todos.

Ou a vida manifesta-se e processa-se num padrão tolerável e aceitável por todos como "normal", ou tudo torna-se caótico, incompreensível e incontrolável, degenerando mentes, consciências, instintos e emoções.

Portanto, a educação religiosa deve ser iniciada cedo, e com crianças, pois toda a sua psique será amoldada quando ainda estiver aberta à absorção do padrão religioso que regulará todos os seus sentimentos.

Então precisamos ter cuidado e muito bom senso ao ensinarmos Deus a uma criança, senão sua psique codificará certas colocações como sinais despertadores de medo ou como símbolos indecifráveis ou incompreensíveis.

Não devemos negar a existência das regiões astrais sombrias, onde a Lei Maior recolhe todos os espíritos que extrapolam os limites estabelecidos como normais.

Também devemos ensinar que só espíritos desequilibrados são recolhidos a essas regiões escuras do mundo espiritual porque a psique deles degenerou-se e está atuando sobre eles por meio de sinais invertidos.

Saibam que estes sinais invertidos que a psique envia à mente têm o poder de condensar energias muito sutis que, se estiver em um encarnado, a induz a proceder de forma negativa, levando-a a mentir, roubar, matar, vingar-se, ser cruel, insensível, egoísta, mesquinha, invejosa, etc., ou a leva às fobias, às neuroses, às psicoses, etc. Saibam que os sinais corretos da psique atuam no sentido de fortalecer a natureza, a moral, o caráter e fé de um ser. Já os seus sinais invertidos atuam em sentido inverso e as consequências são o surgimento desses sentimentos negativos que citamos.

Então, como a religiosidade de um ser desenvolve-se em sua alma ou psique, se inculcarmos na mente de uma criança (o cérebro imaterial) muitos sinais invertidos, com o tempo ela desenvolverá uma resistência aos assuntos religiosos, irá se afastar do convívio com pessoas ligadas às coisas da fé e buscará uma aproximação com outras, cujos sinais que lhe enviarão serão interpretados como agradáveis. Tal como os órgãos físicos reagem com a carícia, a psique reage ante o elogio sincero: com satisfação.

Portanto, uma educação religiosa deve ser agradável, elucidativa, criativa, positiva e aceitável pela psique do ser.

Saibam que o mesmo sentimento de fé, crença, confiança, esperança, resignação e humildade, se for invertido, despertará no ser o ateísmo, a descrença, a desconfiança, o desespero, a revolta e a maldade.

Nós sabemos que espíritos com os quais nos antipatizamos em outras encarnações, e que passaram a nos odiar, costumam atormentar-nos e desequilibrar-nos, pois assim se sentem vingados. Mas uma boa instrução religiosa, uma religiosidade correta e uma firme fé em Deus é a melhor proteção contra quedas vibratórias mentais, reações emocionais, negativismo psíquico e fugas da realidade da vida.

Além disso, um bom tratamento espiritual, ministrado por médiuns competentes, afastará esses espíritos negativados e possuídos pelo desejo de vingança, pois esses médiuns, a par do esclarecimento do que está acontecendo espiritualmente, irão ativar divindades responsáveis pelo esgotamento acelerado dos carmas grupais ou individuais.

Cuidado ao lidar com a religiosidade de quem os procura, pois vocês não sabem como foi que ele a adquiriu, nem quais os desequilíbrios psíquicos que ela lhes causou assim que foi ministrada. Esses desequilíbrios, às vezes, demoram para aflorar e se tornar um comportamento incontrolável, pois o ser em questão internalizou, via ensino religioso, demônios abstratos exteriores, que antes só existiam na mente de quem o educou religiosamente.

Muitos sacerdotes, ao educar seus fiéis, em vez de conduzi-los a Deus, envia-os ao encontro de seus "demônios íntimos", adormecidos pela Lei Maior que regula a reencarnação e adormece, para esta vida na carne, os desequilíbrios surgidos em outras vidas e ainda não superados.

- Karma é a resultante de procedimento errôneo no trato dos sentimentos íntimos, pessoais ou alheios.
- Resgatar um karma não é sofrer, mas sim aprender a lidar com sentimentos, reequilibrar-se emocionalmente, reparar débitos com fé, amor e caridade.
- Fé em Deus e em suas Divindades.
- Amor a Deus, à vida e aos nossos semelhantes.
- Caridade para si, seus semelhantes e para toda a criação Divina, pois o simples ato de dar água e alimento a um animal faminto ou regar e adubar uma planta também é um ato de caridade.

Conclusão: Ao lidar com os sentimentos e as dificuldades daqueles que os procuram, tenham sensibilidade e percepção para identificar os espíritos que os atormentam e tentem localizar no íntimo deles os fantasmas do passado que acordaram, assim como os "demônios" do presente que internalizaram e se incorporaram ao dia a dia, confundindo a religiosidade deles.

4.4 O Médium — Mediunidade

O médium é o elo mais frágil de uma corrente espiritual porque muitas das suas dificuldades materiais ou desequilíbrios emocionais interferem no seu desenvolvimento mediúnico ou suas práticas espirituais.

As dificuldades materiais são: o desemprego, dívidas, insatisfação com o atual emprego, dificuldades nos negócios, doenças familiares, etc. Os desequilíbrios emocionais são: discórdias familiares, rebeldia, imaturidade para entender sua mediunidade, incapacidade para lidar com os aspectos mediúnicos de sua religiosidade, gênio agressivo, não atenção à sua mediunidade, que afeta seu sistema nevoso, impetuosidade, desarmonia doméstica, não assimilação das orientações doutrinárias, fobias, etc.

As dificuldades materiais são temporárias e, assim que o médium superá-las, recuperará seu entusiasmo e desejo de ser útil aos seus semelhantes.

Já os desequilíbrios emocionais são de difícil solução porque, em certos aspectos, as pessoas não se apercebem da existência deles, e até acham que é implicância dos outros, quando os alertam para que se trabalhem e se aperfeiçoem nos campos nos quais eles são mais visíveis. Aí, existem aqueles que, caso insistamos nos alertas, se revoltam e começam a vibrar ódio ou antipatia por quem só os está alertando porque quer vê-los bem e em harmonia com a vibração da corrente sustentadora dos trabalhos espirituais.

Normalmente, o médium novo vai sendo modelado pelo comportamento dos mais velhos. Mas, por possuir sua natureza íntima, também vai modelando-a segundo o novo em sua vida que lhe está sendo mostrado.

A partir dessas duas "modelagens" aflorará um médium equilibrado e capaz de manter sua individualidade e integrá-la naturalmente à corrente a que pertence.

Mas em muitos casos a formação religiosa anterior do médium trabalha contra ele, que não faz nada para assumir uma postura mais condizente com sua nova condição religiosa, pouco contemplativa e bastante ativa, pois não está indo ao seu centro só para rezar, e sim para "trabalhar".

O médium tem dificuldade em entender que todo o seu psiquismo precisa ser trabalhado lentamente e ir adaptando-se à sua nova condição: a de membro ativo de uma corrente espiritual.

E mesmo os espíritos que irão atuar por meio do novo médium terão de se adaptar à corrente que os recebeu e os aceitou como seus novos membros.

É comum surgirem insatisfações de todos os lados, pois o novo tem dificuldade em submeter-se ao mais velho, tanto quanto este tem dificuldade em lidar com quem não se "enquadra" automaticamente numa postura e comportamento já sedimentado no tempo e tido como norma de conduta dentro do espaço religioso construído a duras penas e sustentado com muito esforço pela corrente espiritual e pelos médiuns mais antigos, os quais há anos estão sustentando com amor e dedicação integral todo um trabalho em benefício da coletividade.

Alguns médiuns novos se intimidam e bloqueiam seu próprio desenvolvimento mediúnico e sua efetiva integração ao corpo mediúnico da casa, ou tentam impor dentro delas distúrbios comportamentais e seus vícios emocionais, também se desarmonizando e bloqueando o aflorar natural de suas faculdades mediúnicas.

Temos também o caso de médiuns experientes, mas que não adquiriram maturidade, e que, por isso mesmo, tentam impor aos mais novos sua vasta experiência, esquecendo-se de que ela é só sua, e não pode ser passada integralmente ao médium novo, pois este só conseguirá internalizar e incorporar as experiências espirituais que vier a vivenciar em si ou por meio de si mesmo.

Temos também o caso dos médiuns que já realizaram outras práticas místicas, iniciáticas ou espiritualistas e, em vez de guardá-las para si até incorporarem novas práticas, já aprovadas e comprovadamente eficazes pelo espiritismo de Umbanda, tentam remodelá-las, ou seja, tentam adaptar as práticas de Umbanda às suas práticas espiritualistas anteriores.

Com isso, criam uma miscelânea que só na cabeça deles está ordenada, se é que está! Mas, para os que os acolhem, tudo parece confuso.

Então o médium já desenvolvido, que por alguma razão trocou de centro, tem de entender que mudou o campo onde aplicava seus valores e entrou em outro no qual eles não têm a mesma prioridade nas aplicações que lhes deu quem os desenvolveu.

O correto, neste caso, é o médium incorporar os novos valores e suas aplicações e enriquecer ainda mais suas práticas espirituais, pois sempre terá em si mesmo os seus antigos valores espirituais. O errado não é só não absorver os novos valores da casa que o acolheu, adaptando-se às suas normas comportamentais, mas também tentar impor os seus a quem já está com seus valores "assentados".

Recomendamos a quem está entrando em uma casa, que primeiro a conheça e às suas práticas espirituais, assim como absorve-as e integre-as às suas e só depois de aceito e integrado plenamente às correntes mediúnica e espiritual, aí sim, ofereça seus valores para apreciação. E se forem aceitos como positivos e fortalecedores das práticas já realizadas antes de sua chegada, então serão absorvidos e integrados naturalmente às práticas da casa que o acolheu.

Uma outra recomendação que fazemos aos médiuns, tanto aos novos quanto aos mais antigos, é que vigiem seus pensamentos em relação a tudo e a todos, pois a espiritualidade os ouve e seu próprio mentor aplicará corretivos religiosos, caso o médium vibre antipatia por seus irmãos de fé; caso fique "fuxicando" pelas costas de alguém de quem não gosta; caso fique vaidoso, soberbo, etc. Se um mentor, que é um espírito de alta evolução, se digna incorporar num corpo físico, às vezes cheio de toxinas nocivas ao seu sutilíssimo corpo energético, com certeza não aceitará incorporar em um médium cujo mental é um depósito de pensamentos negativos. E aí a solução é o mentor lançar mão de um recurso extremo e confiar seu médium a um espírito pouco evoluído, para que este cuide dele, pois ainda suporta a vibração de pensamentos negativos. Mas, em último caso, o mentor recolhe-se à sua faixa vibratória na luz e confia o seu médium à Lei Maior e à Justiça Divina, que o assumirá efetivamente, e daí em diante o médium só irá incorporar espíritos afins com seu padrão vibratório e moral. E quase sempre são "eguns" fora da Lei que atuam nesses médiuns ou são quiumbas, obsessores, zombeteiros, perseguidores, vingativos, etc., que levarão o médium a um tormento ou ao descrédito. E não raro, após este recolhimento do mentor, o médium que foi reprovado entra numa fase de descrença e desencanto com sua mediunidade, afastando-se dos centros. Então vai procurar auxílio em alguma outra religião em que qualquer contato com o mundo espiritual é condenado.

Portanto, recomendamos aos médiuns: vigiem-se e procurem conhecer-se. Descubram se estão integrados à corrente mediúnica que os acolheu e se foram aceitos pela corrente espiritual do centro que frequentam.

Seja um médium consciente de seus deveres, pois mediunidade é sinônimo de sacerdócio e trabalho espiritual, é sinônimo de atuação dos espíritos santificados no respeito e fé em Deus e no amor à humanidade, pela qual continuam a trabalhar mesmo vivendo no mundo dos espíritos.

O médium, inconscientemente, pode ser o elemento de desagregação de correntes de trabalhos espirituais, caso não domine seus instintos, sua intolerância com a "deficiência" alheia, sua incapacidade de entender como um sacerdócio a sua mediunidade, e insista num comportamento desrespeitoso e numa postura anti-religiosa.

Mediunidade é sacerdócio e caso não se consiga ser um "grande" médium ao menos deve-se tentar ser um ótimo exemplo de religioso, pois Deus recompensa com Seu Divino e amoroso amparo religioso.

4.5 Os Mistérios da Mediunidade

Os mistérios de Deus são Divinos e têm o poder único emanado por Ele para atuar por intermédio das pessoas.

Todo mistério é emanado por Deus e manifesta-se nas pessoas como dons do espírito.

Os médiuns, além de manifestarem seus próprios dons, possuem a faculdade de manifestarem os dons dos espíritos que neles incorporam e por meio deles auxiliam muitas pessoas.

Médium é a pessoa que possui a faculdade que possibilita a um espírito vibrando num grau magnético ocupar o seu corpo físico, que vibra em outro grau magnético, pois só em graus magnéticos diferentes dois corpos podem compartilhar de um mesmo espaço, sem se desequilibrarem emocionalmente.

A mediunidade é um dom e deve ser lapidada até tornar-se pura e só refletir os dons dos espíritos superiores ou dos espíritos ordenados pela Lei, que rege esta faculdade paranormal.

As religiões são uma forma de ordenação das faculdades e dos dons das pessoas.

Os profetas eram médiuns, pois prediziam o futuro, davam alertas, porque eram intuídos por espíritos superiores e eles não são melhores do que os atuais médiuns, pois estes têm maior entendimento e não afirmam que falam com Deus, ou que Ele está falando através de suas bocas.

O médium consciente de suas faculdades mediúnicas deve ter bom senso para não se desvirtuar, julgando-se especial ou melhor que seu irmão.

Os médiuns devem ser bem lapidados e preparados para lidar com forças poderosíssimas e poderes emanados por Deus, mas confiados às Divindades.

4.6 A Importância da Educação Mediúnica — Mitos e Preconceitos

A educação mediúnica é muito importante, pois só se reeducando internamente um médium alcança níveis vibratórios mentais e conscienciais que lhe facultam os níveis espirituais superiores, a sintonização mental com seu mestre individual, a neutralização de possíveis vícios antagônicos com as práticas religiosas e a compreensão ou percepção do que está acontecendo à sua volta, mas que não está visível, assim como do que está acontecendo dentro de seu campo mediúnico.

Quando bem educado mediunicamente, sua sensitividade é capaz de identificar presenças positivas, ou negativas que adentrem seus campos vibratórios mentais e espirituais.

Mitos

Os mitos sempre têm um pouco de verdade e um pouco de fantasia.

É comum dizer que quem desenvolve sua mediunidade torna-se mais capaz do que quem não a desenvolve.

Isto é uma verdade se quem a desenvolveu também compreendeu os compromissos que assumiu. Mas é pura fantasia se ele nada entendeu e logo começou a enfiar os pés pelas mãos, uma vez que ele adquiriu um poder relativo; no entanto começa a se chocar com um poder absoluto, que é a Lei de Ação e Reação. Assim, sua suposta superioridade logo o lança em um sensível abismo consciencial.

Portanto, em se tratando de mediunidade, todo cuidado é pouco e toda precaução não é suficiente, se não estiver presente uma forte dose de humildade e compreensão de que a sua mediunidade não é um fim em si mesmo, mas sim e tão somente um meio de evoluir espiritualmente.

Preconceitos

Muitos são os preconceitos quanto à educação mediúnica. Muitas pessoas temem certas inverdades divulgadas por desconhecedores das religiões espiritualistas.

Vamos a algumas colocações frequentes que circulam no meio religioso:

• A mediunidade é uma provação.

A mediunidade não é uma provação, mas somente a exteriorização de um dom que aflorou no ser e que, se bem desenvolvida, irá acelerar sua evolução espiritual.

• A mediunidade é uma punição cármica.

Não é uma punição cármica, mas sim um ótimo recurso que a Lei nos facilitou para nos harmonizarmos com nossas ligações ancestrais.

• A mediunidade escraviza os médiuns.

Não escraviza o médium, apenas exige dele uma conduta de acordo com o que esperam os espíritos que por meio dele atuam no plano material, pois de nada adianta alguém ser médium e não assumir conscientemente sua mediunidade e suas responsabilidades.

Para concluir, podemos dizer que a mediunidade, por ser um dom, tem de ser praticada com fé, amor e caridade. Só assim nos mostramos dignos do Senhor de Todos os Dons: nosso Divino Criador!

4.7. Comentário sobre o Campo Mediúnico do Médium

Todos sabemos que um ser humano, uma planta, um mineral e os animais não racionais possuem uma aura que os envolve, protegendo-os do meio exterior. Assim como sabemos que esta aura também é refletora da energia interior dos corpos. Nos seres vivos, é a refletora dos sentimentos e dos padrões energéticos e magnéticos e está intimamente relacionada com o campo emocional.

O campo mediúnico inicia-se no corpo elementar básico e expande-se uniformemente ao redor dele por aproximadamente trinta a setenta centímetros, no máximo. Este campo mediúnico ou eletromagnético é comum a todos, independentemente de sua formação cultural ou religiosa. E aqui nos limitaremos só aos seres humanos.

O fato é que este campo eletromagnético tem sua sede no mental, flui através da "coroa" ou chacra coronário, iniciando-se ao seu redor e derramando-se em torno do corpo elemental básico. "Elemental" porque é elemento puro, e básico porque é o primeiro "corpo" que o ser humano teve formado num estágio anterior, onde evoluiu.

O campo mediúnico abre-se para o plano espiritual e é por meio dele que são estabelecidas ligações magnéticas com o mundo espiritual.

Este campo interpenetra outras dimensões, mas o médium não as sente ou é sentido por quem vive nelas. O mesmo acontece com os espíritos em relação ao plano material: atravessam paredes, corpos, etc., sem alterar suas estruturas espirituais ou as estruturas físicas dos objetos tocados por eles.

"No Universo, tudo vibra e tudo é vibração."

Logo, se tudo o que existe no plano material obedece ao padrão vibratório "atômico", no plano espiritual o padrão vibratório é o "etérico", de éter ou energias sutis a níveis suprafísicos.

Em cada padrão vibratório específico, tudo se mostra regido pelas mesmas leis que sustentam as formas no plano material: agregados energéticos que, por magnetismos específicos, dão formação às massas ou corpos físicos.

Na dimensão onde vivem os espíritos, um magnetismo semelhante ao existente no plano material também existe e sustenta tudo o que nela possa existir. A única diferença está no relacionamento energético e na mudança do padrão vibratório, tanto dos seres quanto das formas, que são plasmadas a partir do éter.

Assim explicado, então saibam que todos nós temos um campo mediúnico que se abre para muitas dimensões da vida e que as interpenetra, ainda que disto não nos apercebamos, pois nosso percepcional espiritual está graduado, no mínimo para captar as vibrações exclusivas da dimensão material e no máximo para captar vibrações da sua dimensão espiritual e humana.

Mas este campo mediúnico interpenetra as dimensões ígnea, aquática, telúrica, eólica, cristalina, mineral, vegetal, etc. Se desenvolvermos conscientemente nosso rústico percepcional, então podemos captar as energias etéreas que existem nelas e nos chegam de forma sutil.

Este campo mediúnico que, à falta de uma melhor definição, preferimos chamar de "campo eletromagnético", é justamente a nossa tela refletora onde as ligações invisíveis costumam acontecer.

É nesse campo pessoal dos seres que se alojam focos vibratórios ou acúmulos energéticos que refletem na aura e a rompem, alcançando o corpo energético ou mesmo o físico, afetando a saúde. Se em um primeiro momento os padrões vibratórios são diferentes, no entanto, tudo o que nele se alojou vai pouco a pouco sendo induzido pelo nosso magnetismo a adequar-se ao nosso padrão pessoal. Aí começa a ser internalizado por magnetismo.

Isto é comum nos casos de obsessão espiritual, quando um ser não afim conosco aloja-se em nosso campo eletromagnético ou mediúnico.

O padrão vibratório do intruso é outro e só passamos a ser incomodados quando ele adequa seu padrão ao nosso. Então suas vibrações mentais, conscientes ou não, interferem no nosso mental através de nosso emocional, conduzindo-nos a desequilíbrios energéticos profundos.

Estas interferências, se muito duradouras ou intensas, costumam nos desequilibrar de tal forma que passamos a ter duas personalidades antagônicas num mesmo ser e num mesmo espaço mediúnico.

E, como nosso corpo físico reage a estes estímulos vibrados pelo intruso alojado em nosso campo eletromagnético, então começamos a sentir desequilíbrios (dores) no próprio corpo físico. São as doenças não diagnosticadas pelos médicos.

Os "passes" ministrados por médiuns magnetizadores e doadores de energias têm como função descarregar este campo dos acúmulos de energias negativas nele formados no decorrer do tempo.

É por isso que os passes magnéticos são fundamentais num tratamento espiritual, pois os mentores curadores precisam ter em seus pacientes este campo totalmente limpo, quando então começam a operar no corpo energético, onde realizam cirurgias corretivas ou desobstrutoras, chegando mesmo a retirar "tumores" formados unicamente por energias negativas internalizadas pelo corpo energético.

Só depois de equilibrarem o campo eletromagnético e o corpo energético dos seres é que os mentores curadores atuam no corpo físico de seus pacientes encarnados, que a eles recorrem porque realizam curas maravilhosas.

É fundamental que saibam disso, pois só assim entenderão o porquê dos passes realizados em todos os centros espíritas ou de Umbanda: é para fazer a limpeza dos campos mediúnicos de seus frequentadores.

Porém, enquanto nos centros espíritas usa-se o passe magnético, nos centros de Umbanda também se recorre aos passes energéticos, quando são usados diversos materiais (fumo, água, ervas, pedras ou colares, etc.) que descarregam os acúmulos negativos alojados nesses campos eletromagnéticos.

O uso de guias ou colares pelos médiuns tem esta função durante os trabalhos práticos: as energias que vão sendo captadas vão-se condensando (agregando) às guias e não são absorvidas pelos seus corpos energéticos, não sobrecarregando-os e não desarmonizando-os durante os trabalhos espirituais.

Ervas e fumo, quando potencializadas com energias etéricas pelos mentores, também tornam-se poderosos limpadores de campos eletromagnéticos.

Enfim, existe toda uma ciência por trás de tais procedimentos dos espíritos que atuam no Ritual de Umbanda Sagrada.

Há também um outro aspecto que todos devem conhecer: quando alguém realiza uma magia contra ou em favor de alguém, ela primeiro reflete neste campo eletromagnético, para só depois fixar-se nele e ser internalizada.

Se a magia é positiva, ela é imediatamente absorvida e alcança tanto o emocional quanto o corpo físico, melhorando o estado geral do ser. Se a magia é negativa, então surge uma reação física, energética, magnética, emocional e mental por parte do ser-alvo, visando a repeli-la.

Mas nem sempre isto é conseguido. Então as defesas do ser enfraquecem-se e ele começa a internalizar os fluxos negativos direcionados que estão inundando seu campo eletromagnético com energias que, pouco a pouco ou rapidamente, o atingirão, o enfraquecerão, o adoecerão, ou o desequilibrarão emocionalmente, abrindo um amplo campo no qual atuações diretas começarão a acontecer.

Essa é a mecânica de funcionamento das "magias negras".

Nas magias positivas, o campo eletromagnético absorve de imediato as energias que lhe chegam através de sua tela coletora de vibrações positivas e as internaliza, anulando parcialmente os efeitos das doenças físicas, psíquicas ou espirituais. Enquanto durar a vibração direcionada via orações e irradiações acionadas a partir da ativação de materiais potencializados, etc., durará a captação das energias que chegarão.

O campo mediúnico ou eletromagnético não é a aura. Esta é tão somente composta por irradiações do corpo energético, que é um gerador energético por excelência.

A aura é um espelho etérico do estado geral do ser e mostra, por meio de suas cores, os tipos de sentimentos vibrados e o padrão vibratório estabelecido no mental, que é o centro magnético do espírito.

Nos processos de desenvolvimento mediúnico, todo este campo eletromagnético tem seu padrão reajustado para que as incorporações se realizem da forma mais natural possível.

No princípio, quando os espíritos adentram neste campo, por estarem vibrando num outro padrão, o médium sente-se zonzo, dormente, desequilibrado, etc., pois seu equilíbrio gravitacional mental sofre uma interferência poderosa. Mas à medida que os mentores vão reajustando o padrão vibratório de seus médiuns, os choques vibratórios vão desaparecendo e as incorporações acontecem de modo quase imperceptível a quem está assistindo ao processo.

Neste ponto do desenvolvimento mediúnico, o campo eletromagnético do médium já foi totalmente reajustado e afinizado com o padrão vibratório espiritual, pois antes quem o graduava era o padrão vibratório atômico (físico).

Na Umbanda, recorre-se às giras de desenvolvimento, quando vários recursos são usados ao mesmo tempo: defumações, palmas, cantos, danças, atabaques e outros instrumentos.

Vamos comentar rapidamente estes recursos:

-Defumações: descarregam o campo vibratório e sutilizam suas vibrações, tornando-o receptivo às energias de ordem positiva.

-Palmas: se cadenciadas e ritmadas, criam um amplo campo sonoro cujas vibrações agudas alcançam o centro da percepção localizado no mental dos médiuns. Com isso, predispõem-nos a vibrar ordenadamente, facilitando o trabalho de reajustamento de seus padrões magnéticos.

-Cantos: a Umbanda recorre aos cantos ritmados que atuam sobre alguns plexos, que reagem aumentando a velocidade de seus giros. Com isso, captam muito mais energias etéricas, que sutilizam rapidamente todo o campo mediúnico, facilitando a incorporação.

-Atabaques e outros instrumentos: as vibrações sonoras têm o poder de adormecer o emocional, estimular o percepcional, alterar as irradiações energéticas e atuar sobre o padrão vibratório do médium. Ao desestabilizar o padrão vibratório do médium, o mentor aproveita esta facilidade e adentra no campo eletromagnético, adequando-o ao seu próprio padrão e, fixando-o no mental de seu médium por intermédio de suas vibrações mentais direcionadas. Em pouco tempo o médium adequa-se e torna-se, magneticamente, tão etérico em seu padrão vibratório, que já não precisa do auxílio de instrumentos para incorporar. Basta colocar-se em sintonia mental com quem irá incorporar para que o fenômeno ocorra.

-Danças: a Umbanda e o Candomblé recorrem às "danças rituais", pois, durante seu transcorrer, os médiuns se desligam de tudo e concentram-se intensamente numa ação em que o movimento cadenciado facilita seu envolvimento e sua incorporação pelo seu guia espiritual.

Nas "giras" (danças rituais), as vibrações médium-mentor se interpenetram de tal forma que o espírito do médium fica adormecido, já que é paralisado momentaneamente.

Os médiuns, em princípio, sentem tonturas ou enjoos. Mas estas reações cessam se a entrega for total e não houver tentativa de comandar os movimentos, já que será seu mentor quem comandará.

Um médium plenamente desenvolvido pode "dançar" durante horas seguidas que não se sentirá cansado após a desincorporação. E se assim é, isto se deve ao fato de não ter gasto suas energias espirituais. Não raro, sente-se leve, enlevado, etc., pois seu corpo energético, influenciado pelo corpo etérico do mentor, sobrecarregou-se de energias sutis e benéficas.

Não entendemos algumas críticas infundadas ou conceitos errôneos a respeito do desenvolvimento da mediunidade com recursos sonoros como os que acabamos de descrever.

São ótimos e foram aperfeiçoados por mentores de "elite" que ordenaram todo o Ritual de Umbanda Sagrada a partir do astral. Se tais recursos fossem nocivos ou não proporcionassem facilidades ao ato de incorporação, com certeza já teriam sido banidos das tendas de Umbanda.

E todos os médiuns cujo desenvolvimento prescindiu do uso do atabaque e dos cantos fortes, quando participam de uma engira, sentem uma diferença qualitativa na incorporação, pois se sentem realmente incorporados, quando antes só se sentiam irradiados.

Nada é por acaso. Se o Ritual de Umbanda optou pelo uso de atabaques, cantos e danças rituais, não tenham dúvidas: as incorporações acontecem ou não, mas ninguém fica na dúvida se incorporou ou se o guia só "encostou".

Na dança ritual, o médium não comanda os movimentos em momento algum. E se tentar interferir cairá no solo, pois desligará seu corpo energético do ponto de equilíbrio vibratório localizado justamente no mental superior do guia nele incorporado.

Médiuns que caem durante as danças rituais, caem porque não se entregam totalmente, ou tentam comandá-las. A simples interferência consciente é suficiente para anular as vibrações mentais de seu guia, ou enfraquecê-las, desequilibrando toda a dança, já que assume seu padrão vibratório e desarmoniza-se com o de seu guia incorporante.

Se esta interferência é nociva durante o desenvolvimento mediúnico, no entanto ela é nosso recurso para repelirmos incorporações indesejáveis ou negativas, quando quem tenta incorporar é um espírito do baixo astral. É a nossa capacidade de impormos o nosso próprio padrão vibratório que nos resguarda das investidas dos obsessores interessados em nos causar desequilíbrios mentais.

Tudo o que acabamos de comentar está relacionado com o campo mediúnico ou campo eletromagnético de um ser.

4.8 O Autoconhecimento

Todos os espíritos humanos são guiados pelo sentido dual, que está localizado em nosso mental e nos impulsiona em várias direções ao mesmo tempo.

Nosso mental não adormece nunca. Ele é uma fonte energética em atividade contínua. É a sede da vida num ser humano. Quando despertos, absorvemos; quando adormecidos, descarregamos.

Tudo na vida é dual: luz, trevas; amor, ódio; alegria, tristeza; beleza, feiura; espírito, matéria; bem, mal...

Por sermos humanos, precisamos das coisas do céu e da terra para existirmos, senão nos anulamos como seres.

Esse dualismo às vezes provoca danos em nosso mental e o ser reencarna com algumas deficiências, pois esgotou seus sentimentos de forma errônea e o seu mental sofre uma paralisia total ou parcial pela lei que o rege, para que possa descarregar na matéria o excesso de energias (positivas ou negativas) acumuladas nele. A lei atua no emocional do ser, tornando-o parecido a um vegetal, pois falta a emoção para intensificar os estímulos recebidos ou emitidos.

O mental beneficia-se de duas evoluções: uma espiritual e outra física (energia e corpo).

Quando não conseguimos nos realizar em um dos sete sentidos da vida, temos de nos direcionar a outro para não nos paralisarmos.

Devemos nos capacitar a suportar os reveses do dualismo que vibra em nós com uma potência fantástica.

Por isso, precisamos conhecer nosso dualismo e tudo o que está contido no nosso positivismo e negativismo, pois só assim saberemos se estamos nos realizando nas verdades das virtudes ou se estamos nos destruindo nos vícios sedimentados em nosso mental inferior e negativo.

"Conheçe-te e terás o Universo à tua disposição e terás Deus a habitar todo o teu ser imortal" (Voltaire).

4.9 Os Polos Positivo e Negativo das Pessoas

Um dos maiores obstáculos para a harmonização das pessoas está nelas mesmas.

Todos nós estamos ligados ao nosso pai e mãe ancestrais por meio do cordão que sai do centro do nosso chacra coronal, colocando-nos em sintonia mental permanente com o "Alto", ou com o senhor ou senhora da nossa coroa mental.

Então, temos em nós mesmos um meio Divino de nos ajudarmos, pois, em sintonia com nossos sentimentos virtuosos, abrimos:

a) Um canal absorvedor de energias vivas e positivas existentes na dimensão pura do nosso ancestral.

b) Logo acima de nossa cabeça, uma passagem para uma dimensão pura, através da qual transitam seres luminosos e que vêm em nosso auxílio, fortalecendo ainda mais nossas vibrações de fé, amor e fraternidade.

c) Canais naturais da energia ou luz viva do nosso pai ou mãe ancestral e nos tornamos seus irradiadores humanos, beneficiando as pessoas que vivem a nossa volta e harmonizando onde moramos, trabalhamos ou visitamos.

d) Um portal da luz, porque logo acima de nossa cabeça permanece aberta uma passagem para uma dimensão luminosa habitada por seres bondosos, caridosos e fraternais.

O inverso acontece com as pessoas que desenvolveram a capacidade de vibrar intensamente sentimentos negativos ou viciados, pois ela puxa, de baixo para cima, a energia negativa viva existente na dimensão negativa oposta à do seu Orixá ancestral.

Dependendo da intensidade com que os sentimentos negativos forem vibrados, abre-se um portal ou passagem para o "embaixo", bem embaixo dos pés de quem estiver vibrando intensamente sentimentos de ódio, desprezo, cobiça, inveja, despeito, libidinosidade, soberba, vingança, etc., pelo qual sobem seres sombrios, afins com tais sentimentos e que vão atuar contra a pessoa vítima desses sentimentos negativos.

Estes seres inferiores sobem atraídos pelo negativismo vibrado e quem os está alimentando torna-se irradiador natural do que há de pior nas trevas.

É nosso dever orar a Deus e atrair luzes para nossa vida, e é do nosso interesse vigiar nossos pensamentos e sentimentos negativos, pois serão eles que negativar-nos-ão e tornar-nos-ão verdadeiros portais das trevas e irradiadores de escuridão para a vida de nossos semelhantes.

Tudo por que temos um polo positivo e um polo negativo em nosso mental.

4.10 Evolução e Regressão

Muito se fala em evolução e regressão dos espíritos, mas pouco sabemos como realmente elas acontecem.

Um ser bondoso desenvolve um magnetismo positivo que atrai vibrações cada vez mais sutis e elevadas. Já um ser maldoso desenvolve um magnetismo negativo que atrai vibrações cada vez mais densas e baixas.

Acercando-nos de vibrações elevadas, atraímos a companhia de espíritos luzeiros. Já as vibrações baixas só atraem espíritos obsessores, zombeteiros, vampirizadores, vingativos e trevosos.

As vibrações estabelecem contatos com faixas vibratórias afins, assim como inundam o ser com as energias das faixas às quais está ligado magneticamente. As energias das faixas vibratórias positivas ou luminosas são saturadas de fatores positivos dos mais diversos tipos. Já as energias das faixas vibratórias negativas contêm fatores negativos entre os quais um se destaca porque tem por função bloquear as faculdades mentais dos seres que vivem nelas (fator bloqueador).

Evolução é a abertura de faculdades mentais (avanço racional e conscientizador).

Regressão é o fechamento das faculdades mentais (retorno ao instintivismo e à emotividade).

Todos os seres são gerados por Deus com o mesmo potencial evolutivo e com as mesmas possibilidades de regredirem caso não deem uso correto a este potencial.

Só há um problema: caso alguém negative seu magnetismo mental por causa do mau uso de suas faculdades, as energias que gera deixam de subir pelos seus canais condutores e acumulam-se nos órgãos geradores espirituais ou descem, perdendo-as para a terra, onde são descarregadas. E, com isto acontecendo o resultado é a regressão porque as faculdades começam a ser paralisadas pela interrupção do fluxo energético que as alimentam a partir do próprio ser.

Nós sabemos que a inteligência é uma conquista adquirida com a própria evolução. Mas muitas pessoas inteligentíssimas não sabem como direcioná-la por faltarem-lhes faculdades totalmente abertas, pois desenvolvidas elas já haviam sido antes de encarnarem pela primeira vez.

Saibam que todos já vivemos nos planos da vida, anteriores ao nosso sexto Plano, e neles desenvolvemos nossas faculdades mentais, às quais a lei que rege a encarnação adormece para encarnarmos, mas não as fecha ou apaga. Apenas as adormece para que, pouco a pouco, elas despertem ordenadamente, enquanto vivermos nossa evolução humana, que é sétupla, pois fundamenta-se no desenvolvimento harmônico dos sete sentidos da vida.

O mau uso de uma faculdade, por alguém encarnado, implica um rompimento automático da onda fatoral que o mantém ligado à divindade responsável pela abertura mental dela. E esse rompimento não só a fecha no mental de quem lhe deu um mau uso, como também liga-o a um polo eletromagnético esgotador do negativismo surgido a partir do desvirtuamento de uma faculdade.

Esses polos magnéticos negativos puxam os espíritos para seu nível vibratório, onde esgotará seu negativismo pela dor porque as energias ali existentes, ao serem absorvidas, provocam reações doloridas no corpo energético, que sofre deformações acentuadas.

Agora, regressão mesmo é quando uma pessoa dá tanto mau uso às suas faculdades, que acontecem tantos fechamentos de faculdades que ela retorna ao instintivismo primitivo ou ao estágio inicial da evolução.

Nesses casos, a Lei Maior atua com tanta intensidade que o espírito não suporta as energias do meio em que foi recolhido e começa a absorver mentalmente fatores negativos.

Essa absorção de fatores negativos deve-se à acentuada negativação do magnetismo mental do ser, que, dependendo do grau, o liga também por ondas fatorais, aos Tronos cósmicos regentes das criaturas (que não são seres racionais, mais sim instintivos), e, a partir dessa ligação, o ser começa a absorver um tipo específico de fator, que imediatamente começa a amoldar seu deformado corpo energético à forma que tem a criatura que o absorve naturalmente.

Caso alguém absorva esse fator negativo, negativar-se-á em todos os sentidos, aí seu magnetismo mental fechará suas faculdades e abrirá seus instintos básicos de sobrevivência, emocionando-o a tal ponto que até seu corpo energético regredirá a uma forma animalesca, pois estará absorvendo a parte negativa e oposta de seu fator original, assim como, dependendo da extensão de sua regressão, absorverá partes negativas de outros fatores, assumindo uma aparência assustadora.

Estas aparências nada mais são que o resultado da absorção das partes negativas dos fatores, destinados às criaturas e às espécies inferiores.

Como os fatores formam "cadeias genéticas", logo um ser negativado em todos os sentidos começa a desenvolver órgãos análogos aos das criaturas. E aí surgem seres com cabeças ou membros de animais ou com asas de aves de rapina e cabeça de réptil, etc., assustando quem os vê.

Isto é regressão, pois as faculdades mentais foram fechadas e a absorção de fatores negativos alterou o código genético original, deformando o ser.

Esses seres regridem realmente, pois daí em diante são movidos só pelos instintos, e isto é diferente dos espíritos que são aprisionados pela Lei Maior em corpos que têm a forma de animais.

Um caso é regressão, o outro é prisão.

Sim, porque a Lei Maior, por meio de seus agentes cósmicos (Tronos negativos responsáveis pela sua aplicação nas "sombras"), recorre a esta modalidade de prisão, na qual o ser sabe que não é uma criatura, mas da qual não pode fugir, pois a vibração magnética que o aprisionou na forma de um cão ou de uma serpente também o impede de reassumir (plasmar) sua antiga aparência humana... ou natural.

Daí surgem as formas assustadoras, mas que não regrediram totalmente, pois mantiveram suas faculdades abertas e conservaram suas inteligências aguçadíssimas.

Isto também é regressão, mas só na aparência, já que a lei ainda vê nesses seres uma possibilidade de retomarem suas evoluções. Mas, caso o negativismo continue a aumentar, esta forma plasmada assumirá em definitivo a aparência do ser que a ostenta, pois suas faculdades começam a ser fechadas e ele começará a absorver as partes negativas dos fatores destinados às criaturas.

Com isso, fica claro que, se o espírito não morre, no entanto ele regride, pois fecham-se suas faculdades mentais e abrem-se fontes geradoras de energias alimentadoras dos instintos básicos ou de sobrevivência.

Já o inverso acontece com os seres (espíritos ou naturais) que se virtualizam cada vez mais, pois mais e mais vão absorvendo as partes positivas dos fatores, que lhes vão abrindo suas faculdades mentais e sutilizando seus corpos energéticos, chegando um momento em que são só luzes, irradiadas pelos seus mentais.

A abertura de faculdades proporciona aos seres mais entendimento, conhecimento, sensibilidades, agilidade mental no raciocínio e mais compreensão de Deus, de suas divindades e de toda a criação Divina, chegando a um ponto que se divinizam também.

Portanto, optem: razão ou instintos, evolução ou regressão!

5
Divindades

5.1 Deus e o Seu Espírito Vivo

"Senhor Deus, dá-nos licença para que nós, teus filhos, façamos alguns comentários acerca de Ti e acerca do Teu santíssimo e santificado espírito vivo que anima toda a tua criação. Com tua licença!"

Comentar algo sobre Deus é um exercício especulativo nos campos da fé, pois tudo o que dissermos poderá ser verdadeiro ou não, já que o micro (nós) não tem uma noção exata ou apurada do macro (Deus).

Deus é único e, o que Ele gera, o faz por meio de processos específicos e que só servem para cada uma das espécies que gera. Logo, cada coisa gerada por Ele tem sua gênese específica que, no entanto, é reprodutora e multiplicadora. Este fato explica a gênese Divina, à qual definimos desta forma:

"Deus está na origem de tudo, pois tudo tem seu início em Deus. Logo, se Ele está na origem de tudo e tudo tem seu início n'Ele, então Ele está em tudo o que gera, pois tudo é gerado por Ele e n'Ele."

"Nós entendemos que Deus está na origem de tudo e que cada espécie, animada ou inanimada gerada por Ele, surge a partir de processos específicos, reprodutores e multiplicadores de suas gerações originais, as quais, após o impulso criador original, não cessam mais após terem sido iniciadas por Ele."

"Nós entendemos que Deus é infinito em si mesmo e que, tudo o que gera, gera infinitamente, pois, após o início de uma geração, esta traz em si o meio de reproduzir-se e de multiplicar a sua espécie inicial e original que a distingue como mais uma geração dele."

Logo, esses processos geradores, após os seus inícios, são eternos, pois são autogeradores e automultiplicadores e estão presentes nas próprias espécies que geram, tornando-as geradoras e multiplicadoras de si mesmas.

"Nós entendemos que, se tudo tem início em Deus, então Ele está em tudo o que se iniciou n'Ele. Logo, Ele é os próprios processos geradores, reprodutores e multiplicadores, e dota tudo o que gera com a capacidade de se autorreproduzir sempre que houver as condições ideais para que o processo gerador inicial se reproduza nos indivíduos de uma mesma espécie, multiplicando-a e expandindo-a infinitamente, eternizando-a."

"Nós entendemos que os processos geradores são vivos e são plenos em si mesmos, ainda que uns gerem pessoas, outros gerem árvores, outros gerem diamantes e outros gerem estrelas, pois basta surgirem as condições ideais e a espécie já gerada se reproduz e se multiplica, expandindo a classe a que pertence."

Logo, Deus, ao estar embutido e ser intrínseco a tudo o que gera, é o próprio meio onde gera. Isto nos leva à conclusão de que Ele é em Si o início, o meio e o fim de tudo que gera.

Com isto entendido, então chegamos ao espírito vivo de Deus, pois nada se reproduz se não preexistir uma força geradora potencial, cujo desencadeamento acontece sempre que surgem as condições ideais para que todo um processo reprodutor e multiplicador seja desencadeado.

Sim, pois se Ele está no início, no meio e no fim de tudo, então tudo está n'Ele, que é em si a força que anima tudo o que gera.

Este espírito vivo de Deus nós denominamos de vida, pois ela renova-se a todo instante, ora em uma das coisas já amadurecidas, ora fazendo surgir novas coisas quando os meios pelos quais ela flui lhe fornecem as condições ideais.

Logo, o espírito vivo de Deus é a vida, mistério este que nos anima e nos fornece os meios ideais para que nos multipliquemos nos nossos filhos, que também trazem embutidos em suas existências a capacidade de se reproduzirem, pois são gerados num meio vivo (a vida) que é Deus.

5.2 As Divindades de Deus

A palavra divindade significa algo Divino e é aplicada aos seres que são, em si, mistérios de Deus. Logo, uma divindade é um ser Divino e um mistério de Deus.

Elas podem ser denominadas anjos, arcanjos, serafins, tronos, etc., e podem ter nomes bem humanos, tais como: Anjo do Amor, Arcanjo Miguel, Serafim Verde, Trono da Fé, etc.

Aí temos várias classes de divindades, cada uma com um nome formado por palavras humanas. Os nomes foram dados a elas por pessoas que as identificaram a partir do que viram nelas ou delas sentiram.

Nós temos uma distribuição para cada classe e as denominamos segundo nosso entendimento humano das coisas Divinas.

Agora, caso queiramos ter uma noção do que são as divindades de Deus, então temos que abordá-las da seguinte forma:

• Uma divindade é um ser gerado em Deus; qualificado por Ele com uma de Suas qualidades; amadurecido em seu interior; divinizado dentro d'Ele e exteriorizado por Ele, já como um ser gerador e irradiador natural da qualidade Divina que o distingue e o torna o que é em si: uma divindade de Deus e um mistério em si mesmo.

• Toda divindade já era o que é antes de ter-se deslocado do interior de Deus e ter passado a viver no seu exterior, no qual por ter uma qualidade especificamente Divina, também tem uma função específica onde quer que venha a estar.

• Não importa que ela se desloque ou seja deslocada por Ele, pois sempre será o que é desde que foi gerada n'Ele: sempre será uma divindade.

• Dentro de uma mesma classe de divindades, nós as encontramos em todos os níveis da criação, e se não podemos visualizá-las no macro por causa da nossa limitação visual, no entanto podemos ter uma ideia de como são porque nos é possível ver as divindades locais.

• Nós, vendo uma divindade local (ou menor), podemos ter uma ideia de como são as divindades médias, maiores ou celestiais, porque em uma mesma classe todas são iguais.

• Uma divindade não é onipotente, onipresente, oniquerente e onisciente em todos os sentidos, em todos os aspectos e em todos os níveis da criação porque essa atribuição é exclusiva de Deus, e só d'Ele.

• Mas uma divindade — seja ela menor, média, ou maior — no sentido, no aspecto e no nível vibratório em que atua, é sua autoridade máxima porque é em si a representante exclusiva de Deus. E em si é onipotente, onisciente, onipresente oniquerente porque ali ela é a potência Divina d'Ele.

• As divindades são exteriorizações de Deus e podemos vê-Lo nelas, já que estas são, em si, seus aspectos exteriores e são as exteriorizadoras dos seus aspectos Divinos e internos.

• Nós não devemos separar uma divindade menor da sua igual média ou maior, pois são uma mesma coisa, apenas individualizadas nos seus níveis vibratórios correspondentes.

Com isso entendido, saibam que Deus tem em cada uma de suas divindades uma de suas feições Divinas e Ele, que é infinito em tudo, também o é nas suas feições, pois o número de suas divindades é infinito e não se limita só às que são conhecidas no plano material da vida, nesse nosso abençoado planeta Terra, e que são as representantes Divinas aqui, pois em outros planetas há outras, específicas para cada um deles.

Tal como as divindades de Deus, que são suas exteriorizadoras Divinas, nós somos seus exteriorizadores, humanos, e podemos nos divinizar, caso sejamos humanos em todos os nossos sentidos capitais, que são:

- O sentido da Fé;
- O sentido do Amor;
- O sentido do Conhecimento;
- O sentido da Justiça;
- O sentido da Lei;
- O sentido da Evolução;
- O sentido da Geração.

E se ousamos dizer isto, é porque Deus nos gerou no seu íntimo e nos exteriorizou (conduziu-nos ao seu exterior) já como Seus(Suas) filhos(as) humanos(as) dotados(as) com sua herança genética humanística, a qual, por ser uma de suas qualidades vivas, nos tornou Divinos assim que Ele nos gerou.

Divinizemo-nos através do nosso humanismo, pois só assim nós também nos tornaremos em nós mesmos as divindades humanas de Deus, o nosso Divino Criador.

5.3 Os Tronos de Deus

Sabemos que Deus gerou em si várias classes de divindades, e sabemos também que umas complementam as outras na sustentação da criação Divina, na manutenção dos princípios que a regem e na realização das vontades maiores manifestadas pelo nosso Divino Criador.

Os Tronos são a classe de divindades que estão mais próximas de nós porque são os responsáveis pela vida e evolução dos seres, assim como são as divindades geradoras dos fatores de Deus.

Os fatores de Deus estão na própria gênese Divina e os encontramos como a natureza individual de alguma substância ou de um ser.

Portanto, os Tronos estão na origem de tudo, estão na ancestralidade dos seres e estão no próprio ser, porque sua natureza íntima é análoga à do Trono que gera o fator, em cuja onda Divina foi gerado.

Um Trono é em si uma qualidade Divina e a manifesta por meio de seu magnetismo, sua vibração, sua irradiação energética, seu grau hierárquico, seu mental, sua natureza e seus sentidos.

Cada Trono é um mistério em si mesmo porque foi gerado em Deus, numa de suas qualidades, e tornou-se um gerador natural dela a partir de si.

Deus é a qualidade em Si e Seus Tronos são geradores naturais das Suas qualidades Divinas.

Por isso, eles são denominados divindades naturais e regentes das "naturezas".

Natureza é a qualidade de uma coisa. Assim sendo, a natureza da terra é sólida e sua qualidade é a firmeza. Mas a terra também é seca. Logo, a qualidade da terra é seca e firme.

E se acrescentarmos água à terra, aí teremos uma substância mista, pois a água é úmida e líquida.

Como são dois elementos, então surge uma substância mista que não é água nem terra, mas sim terra úmida ou água terrosa.

Com os Tronos acontece o mesmo, pois uns são de um só elemento ou Tronos puros, e outros são Tronos mistos, ou de vários elementos. E isto faz com que suas hierarquias se multipliquem, alcançando todos os níveis da criação, não deixando nada fora de suas regências naturais.

Assim sendo, temos Tronos nos vários níveis da criação: Tronos Fatorais — Tronos Essenciais — Tronos Elementais — Tronos Encantados — Tronos Naturais.

- Tronos Estrelados;
- Tronos Celestiais;
- Tronos Planetários;
- Tronos Solares;
- Tronos Galácticos;
- Tronos Universais.

• Os Tronos Fatorais são puros e cada um gera de si uma das qualidades de Deus. Eles estão na origem da gênese e no início das ondas vivas, que dão sustentação às irradiações Divinas e às correntes eletromagnéticas que dão origem e sustentação às faixas vibratórias onde vivem os seres em evolução.

No início, são ondas fatorais que vão absorvendo essências. A seguir, saturadas de essências, dão origem às correntes elementais. Estas dão origem às correntes energéticas, que dão origem às irradiações naturais.

No início de cada uma dessas etapas estão os Tronos de Deus, dando origem a elas e sustentando o fluir natural de cada uma delas num nível vibratório específico, pois em cada nível acontece um estágio da evolução.

- Os seres que vivem, totalmente inconscientes, no nível dos Tronos Fatorais são centelhas vivas.
- Os seres que vivem, ainda inconscientes, no nível dos Tronos Essenciais são seres originais.
- Os seres que vivem no nível dos Tronos Elementais são intuitivos.
- Os seres que vivem no nível dos Tronos Duais são instintivos.
- Os seres que vivem no nível dos Tronos Encantados são sensitivos ou semiconscientes.
- Os seres que vivem no nível dos Tronos Naturais são conscientes.
- Os seres que vivem no nível dos Tronos Estrelados são hiperconscientes.
- Os seres que vivem no nível dos Tronos Celestiais são mentais.
- Os seres que vivem no nível dos Tronos Solares são seres celestiais mentais irradiadores de energias fatoradas, às quais geram em seus mentais e as irradiam por vibrações puras.

Paramos por aqui, pois já dá para entender que a classe dos Tronos de Deus começa nos Tronos Fatorais e vai-se desdobrando e se multiplicando nos muitos níveis da criação, onde cada nível se mostra mais dotado de recursos, porque se presta a sustentar um estágio da evolução já superior ao seu anterior. Mas o início desta classe de divindades está no nível dos Tronos Fatorais, pois, anterior a eles, só Deus.

Com isto entendido, saibam que, para nós, os Tronos são as divindades mais importantes, fundamentais mesmo, pois nunca deixaremos de estar sob a irradiação de um deles, que é nosso regente, e do meio em que estagiamos e evoluímos.

Nós, hoje seres humanos, fomos gerados por Deus em uma de suas ondas vivas, onde fomos imantados com um de seus fatores Divinos, o qual nos deu uma qualidade ou dom natural e nos magnetizou com um sentimento Divino que formará nossa natureza íntima direcionadora de nossa evolução.

Essa nossa natureza íntima é uma individualização da natureza Divina de um Trono Essencial. Por isso a natureza de um ser é a sua essência, e vice-versa.

Se hoje somos seres humanos, é porque em nossa origem fomos gerados numa onda viva, cujo fator do Trono que a rege é ígneo ou eólico ou telúrico, etc., mas o do Trono Essencial que nos passou a sua qualidade e natureza é humano.

Saibam que a qualidade e natureza humana é sétupla, e só somos como somos porque o "sopro" essencial que nos qualificou foi o sopro humano, que é um amálgama essencial formado por sete essências.

Este sopro ou fluxo essencial é diferente dos outros, e os seres qualificados por ele já trazem desde seu estágio essencial essa natureza e qualidade "humana", que aflorará no estágio encantado da evolução, e se consolidará no nosso estágio humano da evolução.

Então, a partir desse estágio, somos afastados da evolução natural e somos conduzidos à dimensão humana da vida, que é dupla, pois tem uma parte ou lado etérico (espiritual) e outra parte ou lado material ou denso.

Um ser que recebeu esse sopro sétuplo não consegue seguir adiante na sua evolução natural, pois sua natureza humana tornará a dimensão humana da vida tão atrativa e tão desejada que o magnetismo dela começará a desviá-lo da dimensão natural onde vive e atraí-lo para a dimensão humana, onde será adormecido e iniciará seu ciclo encarnacionista e seu estágio humano da evolução, ao qual só concluirá quando o "mundo" já não atraí-lo mais e o único desejo que estará vibrando será o de retornar à morada do "pai".

Na Bíblia isto está bem descrito na história do filho pródigo. Leiam-na, não como uma história comum, mas sim como a viagem metafísica e evolutiva de um ser humano durante seu estágio evolutivo, e temos certeza de que entenderão que o estágio humano é fundamental a nós, pois nos concede o livre-arbítrio, mas nos cobra uma conscientização excepcional.

Bem, saibam que os Tronos de Deus regem a natureza em seu sentido mais amplo, onde é o meio em que vivem os seres, e também regem sobre a natureza individual e íntima de todo ser, atuando por meio dos sete sentidos da vida, direcionando-o ora para um deles ora para outro, sempre visando a livrá-lo da atratividade do mundo material ou do materialismo.

A vida "materialista" é tão atrativa que, se os Tronos não atuarem com intensidade sobre um ser humano, este paralisa sua evolução e retrocede ao estágio dual da evolução, no qual os instintos predominavam e norteavam sua vida instintiva, muito parecida com a dos animais que vivem em seus nichos ecológicos.

Todas as religiões naturais, ou regidas por divindades associadas à natureza, são sustentadas pelos Tronos Naturais.

Já as religiões abstratas ou mentalistas são regidas por "Tronos Humanos", pois estes dispensam os recursos naturais e recorrem aos recursos mentais.

Saibam que os recursos naturais são uma forma de amadurecer o ser e de conscientizá-lo sem dissociá-lo da natureza e do meio em que vive e evolui, mostrando-lhe sempre que ele é parte de um todo, e que esse todo o tem como mais uma de suas partes.

Já as religiões abstratas ou mentalistas procuram acelerar a sua evolução e pulam várias etapas da evolução natural. Com isto, o ser é dissociado da natureza que o cerca e o sustenta, e passa a entendê-la como algo que existe só para proporcionar-lhe os meios de subsistência, do qual se desvencilhará assim que desencarnar.

São duas vertentes evolutivas dentro de um mesmo estágio, e ambas atendem à humanidade como um todo.

Enquanto a vertente natural amadurece o ser lentamente e vai religando-o às hierarquias naturais, a vertente mentalista o religa a Deus e pula várias etapas da evolução, muitas vezes tornando-o um fanático religioso.

Saibam que as religiões mentalistas são um recurso da Lei Maior para amparar seres já paralisados na sua evolução natural e que estavam retornando ao "instintivismo".

Este instintivismo o faz buscar os resultados imediatos, pois não aceita com resignação a espera de dias melhores. Logo, é um ser emocionalmente frágil e de fácil indução ao dogmatismo, fanatismo ou "messianismo", que solucionará todos os problemas do mundo por intermédio da inflamada oratória religiosa de seus líderes maiores, que os manipulam em "nome de Deus".

A abertura do mistério "Tronos de Deus" ao plano material visa a recolocar as verdades religiosas nos seus devidos lugares, dar às práticas religiosas espirituais o seu devido valor e trazer para o plano material uma verdadeira ciência Divina.

Meditem a respeito do que temos transmitido e perceberão que uma crença fundamentada em valores verdadeiros trará ao seu íntimo uma grande paz e confiança em Deus, o senhor do mistério "Tronos".

6
Irradiações

6.1 As Irradiações Divinas e suas Manifestações nos Vários Planos da Vida

No 1º Plano da Vida estão os inícios, ou as bases, das sete irradiações Divinas que chegam até nós, estimulando nossas faculdades mentais e nos conduzindo na nossa evolução permanente e eterna.

No nosso estágio evolutivo atual, somos sustentados por sete destas irradiações Divinas puras e por centenas de irradiações mistas ou complexas.

As sete irradiações puras nós classificamos por nomes definidores das suas funções em nosso código genético Divino e em nossa vida como um todo. Elas foram definidas por nós com estes nomes:

• Irradiação da Fé e da Religiosidade;
• Irradiação do Amor e da Concepção;
• Irradiação do Conhecimento e do Raciocínio;
• Irradiação da Justiça Divina e do Equilíbrio;
• Irradiação da Lei Maior e da Ordenação;
• Irradiação da Evolução e do Saber;
• Irradiação da Geração e da Vida.

Essas sete irradiações têm nas suas bases, ou inícios, os orixás fatorais, ou geradores, de energias puras e específicas.

Eles são divindades fatorais e são em si os mistérios puros de Deus porque cada um tem uma função muito bem definida e específica: sustentar os seres e toda a criação Divina com seus fatores ou energias vivas específicas no primeiro plano da vida e "base viva" de tudo o que Deus gera em Si e exterioriza nele para que, a partir dessa base, se projete para os planos subsequentes da vida.

Os orixás "fatorais" geram fatores ou energias específicas muito sutis, que vão sendo absorvidas pelos seres e vão despertando em seus mentais certos mecanismos delicados e que têm por função regular-nos a partir dos nossos sete sentidos capitais originais que nos conduzem na nossa evolução permanente e vão nos direcionando, ora no sentido da fé, em que desenvolvemos nossas faculdades religiosas, ora no sentido do conhecimento, em que aprendemos a raciocinar a partir de conhecimentos (evoluções) adquiridos, e assim sucessivamente com todos os outros sentidos capitais.

Então, deve ficar entendido que, aquilo que denominamos por Sete Linhas de Umbanda, na verdade são sete irradiações puras e originais que, de plano em plano da vida, quando chega ao nosso plano atual e estágio natural da evolução, já são irradiações tão complexas que precisamos estudá-las com cuidado e detalhadamente para não nos enganarmos com o que mais se destaca nelas.

Classificar as Sete Linhas de Umbanda por Orixá é contraindicado porque o Orixá "natural" que cultuamos em nossa religião já não é gerador de um fator ou energia pura, e sim, gera um composto energético que tanto tem em si o fator original que o classifica, como tem vários outros fatores combinantes que dão à sua irradiação a capacidade de alimentar todas as nossas faculdades mentais relacionadas à irradiação que ele pontifica e rege.

Nós devemos classificá-las por sentidos: da fé, do amor, do conhecimento, do equilíbrio, da ordem, da evolução e da geração. Ou por energias: cristalina, mineral, vegetal, ígnea, eólica, telúrica e aquática.

Essas duas classificações têm por base explicativa os fatores de Deus ou energias vivas e específicas geradas pelos orixás assentados no primeiro Plano da Vida e da Criação Divina.

Portanto, juntamos nomes de sentidos e de "tipos" de energias e classificamos, desta forma, as sete irradiações Divinas que nos regem o tempo todo desde que Deus nos emanou para o seu primeiro Plano da Vida:

1ª Irradiação: da Fé ou Cristalina;
2ª Irradiação: do Amor ou Mineral;
3ª Irradiação: do Conhecimento ou Vegetal;
4ª Irradiação: da Justiça ou Ígnea;
5ª Irradiação: da Lei ou Eólica;
6ª Irradiação: da Evolução ou Telúrica;
7ª Irradiação: da Geração ou Aquática.

6.2 Irradiações e Correntes Eletromagnéticas

As irradiações Divinas e as correntes eletromagnéticas são a base da Ciência Divina.

Irradiação é a onda viva de Deus, que alcança toda sua criação. Está em tudo.

Cada irradiação possui dupla polaridade (polo passivo e ativo).

Onda Passiva — positiva ou universal — vibração magnética contínua e irradiante.

Onda Ativa — negativa ou cósmica — alternada e absorvente.

Existem diversas formas de ondas.

Quando uma onda cruza com outra em determinado ponto, cria um polo magnético, no qual assume a condição de **"irradiação energética"** e a outra assume a condição de **"corrente eletromagnética"**.

Toda **linha vertical** é vista como uma irradiação direta.

Toda **linha** é vista como irradiações indiretas ou obliqua.

Toda **linha horizontal** é vista como corrente eletromagnética que dá origem a níveis ou faixas vibratórias e a subníveis ou subfaixas vibratórias.

Existem as ondas que dão sustentação aos **Sete Sentidos da Vida:** Sentido da Fé, Sentido do Amor, Sentido do Conhecimento, Sentido da Justiça, Sentido da Lei, Sentido da Evolução, Sentido da Geração.

Esses sete sentidos são as sete irradiações vivas que dão sustentação a tudo o que existe em nosso planeta, em todas as suas dimensões. Essas irradiações começam em Deus e chegam até nós por meio das ondas vivas, transportadoras de fatores, essências, elementos e energias.

Nos Planos da Criação Divina, as irradiações são denominadas de:

1º — Plano Fatoral — **ondas fatorais** (transportam fatores Divinos).

2º — Plano Essencial — **vibrações essenciais** (transportam essências Divinas).

3º — Plano Elemental — **irradiações elementais** (transportam elementos puros).

4º — Plano Dual — **irradiações bipolares** (transportam energias elementais bipolarizadas).

5º — Plano Energético — **vibrações energéticas.**

6º — Plano Natural — **irradiações energéticas naturais** (transportam energias da natureza).

7º — Plano Celestial ou Mental — **vibrações mentais geradoras de energias, elementos, essências, fatores, magnetismos e vibrações.**

No 7º Plano da Criação, em nível planetário, estão os Sete Tronos de Deus, assentados ao redor do Logos Planetário, **Trono das Sete Encruzilhadas**. Ele absorve diretamente do Primeiro Plano da Criação as ondas vivas irradiadas por Deus, criando em si as condições ideais para que aqui, em nível planetário, se reproduzam novamente os sete planos da criação Divina.

Com isso, em nível local e dentro de um universo infinito, a criação Divina se repete e se multiplica gerando todas as condições e recursos necessários para que a vida (seres, criaturas e espécies) aqui se reproduza e se multiplique infinitamente.

Divino Trono das Sete Encruzilhadas é um mental planetário, no qual Deus se individualizou parcialmente, concentrando neste mental muitas de Suas qualidades Divinas. Trono Planetário é um grau Hierárquico.

Ele absorve e internaliza essas sete ondas vivas vindas de Deus e as irradia a partir de si, adaptando-as ao seu magnetismo mental, que é gerador e irradiador em nível planetário, dando início à repetição e multiplicação dos sete planos da criação: 1º — Fatoral; 2º — Essencial; 3º — Elemental; 4º — Dual ou Energético; 5º — Encantado; 6º — Natural; 7º — Celestial ou Divino.

1º Plano da Criação Planetária — regido pelos sete **Tronos Fatorais** — eles fatoram tudo e todos com suas imantações, que dão qualidade às coisas.

Trono Fatoral da Fé — Fator Cristalizador.
Trono Fatoral do Amor — Fator Agregador.
Trono Fatoral do Conhecimento — Fator Expansor.
Trono Fatoral da Justiça — Fator Equilibrador.
Trono Fatoral da Lei — Fator Ordenador.
Trono Fatoral da Evolução — Fator Evolucionista.
Trono Fatoral da Geração — Fator Gerador.

Cada um desses Tronos Fatorais irradia ondas fatorais planetárias e multidimensionais limitadas ao nosso planeta e contidas dentro do campo magnético do Logos Planetário.

2º Plano da Criação Planetária — absorve as essências Divinas que fluem pelo Universo, como geram em si as essências necessárias ao planeta como um todo, aos seres, criaturas e espécies que aqui vivem.

Estimulam os sentimentos, que chamamos de **Sentidos da Vida.**
Trono Essencial Cristalino — Sentido da Fé.
Trono Essencial Mineral — Sentido do Amor.
Trono Essencial Vegetal — Sentido do Conhecimento.
Trono Essencial Ígneo — Sentido da Razão.
Trono Essencial Eólico — Sentido da Ordem.
Trono Essencial Telúrico — Sentido da Evolução.
Trono Essencial Aquático — Sentido da Geração.

3º Plano da Criação Planetária — em nível planetário, temos os sete **Tronos Elementais** que absorvem essências, internalizam-nas, amalgamam--nas e dão início à geração e irradiação de energias elementais bipolarizadas, em que uma onda é passiva, reta, contínua e irradiante, e em outra é ativa, curva, alternada e absorvente.

As **irradiações positivas** sutilizam o magnetismo mental dos seres que as captam, abrindo suas faculdades mentais.

As **irradiações negativas** densificam o magnetismo mental dos seres que as captam, fechando suas faculdades mentais.

4º Plano da Criação Planetária — em nível planetário, temos os **Tronos Duais ou Bipolares,** cujos magnetismos são ativos e passivos ao mesmo tempo, pois um dos polos é irradiante e o outro é absorvente. Também são chamados de **Tronos Energéticos,** pois absorvem elementos e irradiam energias.

São os Tronos Planetários que regem os sete vórtices ou chacras planetários com o objetivo de manter o suprimento de energias nas muitas dimensões que formam o nosso planeta.

5º Plano da Criação Planetária — temos os **Tronos Encantados ou Mentais.**

Uns são irradiantes e outros são concentradores, atuando intensamente sobre a natureza e sobre os seres. Eles regem sobre os seres no despertar de seus sentidos e faculdades naturais.

6º Plano da Criação Planetária — temos os **Tronos Naturais**, regentes da natureza planetária e multidimensional.

Temos sete irradiações passivas e sete ativas. As passivas são universais, contínuas e estimuladoras dos sentidos, das faculdades e conscientizadoras. As ativas são cósmicas, alternadas e fixadoras, cada uma de um sentido, uma faculdade e um grau vibratório, pois visam a afixar os seres que estavam se desequilibrando.

Os Tronos Naturais atuam por meio do magnetismo e dos sentidos da vida, sempre através de irradiações e vibrações naturais.

7º Plano da Criação Planetária — em nível planetário, temos os **Tronos Celestiais**, que são geradores e irradiadores de fatores, essências, elementos, energias, vibrações e magnetismos.

Um Trono Celestial gera e irradia um fator, essência, etc., de forma vertical, reta e contínua, e gera e irradia de forma oblíqua, alternada ou contínua todos os outros seis fatores, essências, etc.

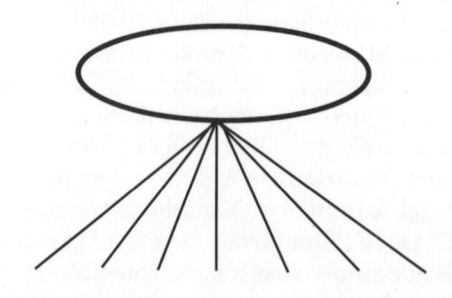

As sete irradiações Divinas formam o **Setenário Sagrado**, regido pelo Divino Trono das Sete Encruzilhadas, que, a partir de si, projeta sete irradiações fazendo surgir sete hierarquias Divinas regidas pelos sete Tronos de Deus, ou seja, sete Mentais Divinos, cujas irradiações vão sendo adaptadas aos graus magnéticos internos da nossa escala planetária e aos seus níveis e subníveis vibratórios.

As irradiações são verticais e vão "descendo" pelos sete planos da Vida, que são graficamente vistos assim:

Trono Planetário

Plano Cristalizador	1º Plano — Fatoral — Tronos Fatorais
Plano Agregador	2º Plano — Essencial — Tronos Essenciais
Plano Expansor	3º Plano — Elemental — Tronos Elementares
Plano Equilibrador	4º Plano — Dual — Tronos Bipolares
Plano Ordenador	5º Plano — Encantado — Tronos Encantados
Plano Evolutivo	6º Plano — Natural — Tronos Naturais
Plano Gerador	7º Plano — Celestial — Tronos Celestiais
NOVA REALIDADE	NOVA CLASSE DE TRONOS DIVINOS

Este gráfico com os Planos da Vida faz surgir uma tela plana, que é a base dos estudos das hierarquias Divinas formadas pelos Tronos de Deus.

Estes sete polos eletromagnéticos vibrando num mesmo grau criam um nível vibratório horizontal que faz surgir uma linha de forças horizontais que, por estarem vibrando num mesmo grau, qualificam a irradiação vertical.

Irradiação vertical e corrente eletromagnética, eis a base da Ciência Divina, denominada por nós de ciência dos entrecruzamentos ou ciência do X. Uma irradiação e uma corrente formam uma + , que colocada dentro de um círculo forma ⊕ ou um polo eletromagnético.

6.3 Ondas Vibratórias, a Base da Criação Divina

Tudo na criação Divina é ordenado e obedece a ondas vibratórias imutáveis emanadas por Deus e que dão forma a tudo o que existe no plano material, no espiritual e nas dimensões paralelas.

Deus gera o tempo todo, e tudo é gerado em Suas emanações ou ondas vivas Divinas, as quais estão na origem de tudo o que Ele gera.

Uma mesma onda vibratória ordena a formação de uma gema preciosa, de uma flor ou de um órgão do corpo humano, assim como um tipo de irradiação que emitimos quando vibramos um sentimento.

Tudo mantém uma correspondência analógica, e ao bom observador a onda coronal de Oxum dá forma às maçãs. Veremos que a associação entre a maçã e o amor não é casual.

Até os nossos sentimentos possuem uma estrutura ou forma ao serem projetados. O amor de uma mãe pelo seu filho tem sua forma, que é conchóide, ou em forma de uma concha.

Uma pessoa encolerizada emite ondas raiadas simples, rubras. Já uma pessoa equilibrada emite ondas raiadas duplas e de cor alaranjada, acalmando quem as absorver.

Observem um rubi, um diamante e uma ametista e verão alguns sólidos palpáveis que mantêm a estrutura das ondas projetadas por Ogum, Iemanjá e Oxum.

O crescimento dessas gemas obedece ao magnetismo que as ondas vibratórias projetadas por eles criam.

Essas ondas têm formas bem definidas e, assim que se polarizam, criam magnetismos muito bem definidos, que podemos visualizar nas gemas preciosas, nos frutos, nas folhas, nos movimentos dos animais, etc.

Observem o deslocamento sinuoso das cobras e verão como fluem as ondas vibratórias do Orixá Oxumaré. Observem o crescimento dos caules de bambu e verão como fluem as ondas vibratórias de Iansã, Orixá dos Ventos.

— Cobra e o arco-íris são símbolos de Oxumaré.
— Bambu é um vegetal de Iansã.

As ondas vibratórias estão em tudo, físico, material ou mental.

- A Natureza Física é a concretização dos muitos tipos de onda;
- A Fé possui suas ondas congregadoras;
- O Amor possui suas ondas agregadoras;
- O Conhecimento possui suas ondas expansoras;
- A Razão possui suas ondas equilibradoras;
- A Lei possui suas ondas ordenadoras;
- A Evolução possui suas ondas transmutadoras;
- A Geração possui suas ondas criativas.

Cada onda possui seu fator, sua essência, seu elemento, sua energia e sua matéria, que mostra como ela flui, dando origem a tudo, e a tudo energizando ou desdobrando "geneticamente".

Nada existe se não estiver calcado em uma ou várias ondas vibratórias.

Sim, às vezes podemos ver numa mesma planta, vários tipos de ondas vibratórias, pois é preciso a junção de várias para que uma gênese se desdobre e dê origem a coisas concretas e palpáveis aos nossos órgãos físicos, os quais também obedecem a ondas sensoriais e são a concretização dos nossos órgãos dos sentidos, que são a exteriorização dos sentidos da Vida herdados do nosso Divino Criador.

Os símbolos religiosos são a fusão de ondas vibratórias e assumem aparências que nos concentram, elevam e direcionam.

Os signos são "pedaços" das formas que os magnetismos assumem quando as ondas que os geram são polarizadas ou se entrecruzam.

A magia de pemba, ou dos pontos riscados, é a afixação mágica de ondas vibratórias ou de signos mágicos, que são riscados, potencializados e ativados pelos guias espirituais ou pelos médiuns autorizados a fazê-lo.

A mesma onda fatoral, que magnetiza os filhos de um Orixá, magnetiza seus animais, suas pedras, suas folhas ou ervas e os sentimentos vibrados através do sentido da Vida regido por ele.

A onda vibratória cristalina do orixá Oxalá nasce em Deus, que a emana viva, geradora e criadora, e é nessa onda que nossa fé é fortalecida ou que um quartzo é gerado na natureza.

Essa onda vibratória cristalina flui num padrão, próprio por toda a criação Divina, e tudo o que for gerado no seu padrão a tem como sustentadora.

Ao nos afinizarmos com Deus e suas divindades por intermédio da fé, esta afinização ocorre por meio dessa onda vibratória cristalina, que é congregadora.

Se essa afinidade acontecer por intermédio do amor, então ela ocorrerá através da onda vibratória mineral, que é agregadora.

O sentimento de fé, nós irradiamos pela mente, ou pelo chacra coronário (de coroa).

O sentimento de amor nós irradiamos pelo coração, ou pelo chacra cardíaco (de coração).

Enfim, as ondas vibratórias mantêm suas formas ainda que sofram transmutações desde o momento em que são emanadas por Deus, pois destinam-se a aspectos diferentes de uma mesma coisa, seja ela agregadora, congregadora, expansora ou ordenadora.

A própria estrutura do "pensamento" obedece às ondas vibratórias e, caso alguém tenha sido magnetizado numa onda cristalina, a estrutura do seu pensamento será religiosa. Mas se a sua magnetização ocorreu numa onda mineral, então a estrutura do seu pensamento será conceptiva.

As estruturas do pensamento são estas:
- Estrutura Cristalina;
- Estrutura Mineral;
- Estrutura Vegetal;
- Estrutura Ígnea;
- Estrutura Eólica;
- Estrutura Telúrica;
- Estrutura Aquática.

O pensamento com estrutura cristalina pertence a pessoas cuja alma é congregadora e seu campo vocacional é o religioso.

O pensamento com estrutura mineral pertence a pessoas cuja alma é agregadora e seu campo vocacional é o conceptivo.

O pensamento com estrutura vegetal pertence a pessoas cuja alma é expansora e seu campo vocacional é o conhecimento.

O pensamento com estrutura ígnea pertence a pessoas cuja alma é racionalista e seu campo vocacional é o equilibrado.

O pensamento com estrutura eólica pertence a pessoas cuja alma é direcionadora e seu campo vocacional é o ordenado.

O pensamento com estrutura telúrica pertence a pessoas cuja alma é transmutadora e seu campo vocacional é o evolutivo.

O pensamento com estrutura aquática pertence a pessoas cuja alma é geradora e seu campo vocacional é o criativo.

Dependendo da estrutura do pensamento de uma pessoa, se ela estiver fora do seu campo vocacional, será vista como pouco hábil, pouco capacitada ou inapta. Mas ocorre justamente quando sua atividade não encontra ressonância em sua alma e seu pensamento não consegue lidar naturalmente com os processos inerentes a uma atividade fora do seu campo vocacional.

Muitos entendem as dificuldades vocacionais como introversão, timidez ou insegurança. Mas a verdade resume-se a isto: não estão realizando atividades afins com a estrutura dos seus pensamentos.

O fato é que há sete estruturas básicas de pensamentos, e são tão visíveis que só não as vê quem não quer.

Na face da Terra, há uma estrutura do pensamento que é religiosa e se destaca em todas as religiões, o que iguala todos os religiosos, congregadores ímpares.

Há uma estrutura conceptiva que iguala todos os conceptores, sejam eles pares matrimoniais, sejam ideólogos que concebem ideias agregadoras de enormes contigentes humanos.

Há uma estrutura de raciocínio que iguala os professores, os cientistas e os pesquisadores, expansionistas do conhecimento humano.

Há uma estrutura da razão que iguala a justiça e seus métodos de equilibrar opiniões contrárias, aqui ou no outro lado do planeta.

Há uma estrutura ordenadora que, mesmo em culturas diferentes, sempre se mostra semelhante.

Há uma estrutura evolutiva que se mostra no macro por meio dos povos, que transmutam valores e conceitos e os difundem para o resto do mundo, alterando valores já arcaicos. Pode ser vista no micro ou nas pessoas dotadas de uma capacidade ímpar para transmutar os sentimentos dos que vivem à sua volta.

Há uma estrutura geradora que proporciona às pessoas os recursos íntimos necessários à sua adaptação aos meios mais adversos, pois dota-as de um criacionismo maleável como a própria água.

Todas as estruturas individuais de pensamento são sustentadas pelas estruturas Divinas, formadas por ondas vibratórias que fluem por toda a criação.

Essas macro-estruturas do pensamento dão sustentação às estruturas individuais, e nós as denominamos de "irradiações Divinas", já comentadas aqui.

• A irradiação da Fé flui através das suas ondas vibratórias cristalinas, as quais as pessoas atraem sempre que vibram sentimentos religiosos, fortalecendo-se nesse sentido da Vida.

• A irradiação do Amor flui através das suas ondas vibratórias minerais, as quais as pessoas atraem sempre que vibram sentimentos conceptivos, crescendo nesse sentido da Vida.

• A irradiação do Conhecimento flui através das suas ondas vibratórias vegetais, as quais as pessoas atraem sempre que se voltam para o aprendizado e o aguçamento do raciocínio, expandindo-se nesse sentido da Vida.

• A irradiação da Justiça flui através das suas ondas vibratórias ígneas, as quais as pessoas atraem sempre que se racionalizam, equilibrando-se nesse sentido da Vida.

• A irradiação da Lei flui através das suas ondas vibratórias eólicas, as quais as pessoas atraem sempre que se direcionam numa senda reta, ordenando-se nesse sentido da Vida.

• A irradiação da Evolução flui através das suas ondas vibratórias telúricas, as quais as pessoas atraem sempre que se transmutam com sabedoria, estabilizando-se nesse sentido da Vida.

• A irradiação da Geração flui através das suas ondas vibratórias aquáticas, as quais as pessoas atraem sempre que preservam a vida no seu todo ou nas suas partes, conscientizando-se nesse sentido da Vida.

São sete emanações de Deus, sete irradiações Divinas, sete ondas vivas geradoras de energias Divinas, sete fatores, sete ondas vivas geradoras de energias Divinas, sete fatores, sete ondas magnetizadoras fatoriais, sete essências, sete sentidos da Vida, sete estruturas de pensamento, sete vias evolutivas e sete linhas de Umbanda Sagrada.

São, também, sete estruturas geométricas que dão formação às gemas, divididas em sistemas de crescimento:

- Sistema Isométrico;
- Sistema Tetragonal;
- Sistema Hexagonal;
- Sistema Trigonal;
- Sistema Ortorrômbico;
- Sistema Monoclínico;
- Sistema Triclínico.

Saibam que estas sete estruturas de crescimento das gemas obedecem ao magnetismo das sete irradiações Divinas.

Mas se procurarmos as sete ondas vibratórias, nós as encontraremos nas frutas, tais como:

- Maçã;
- Pêra;
- Carambola;
- Melancia;
- Laranja;
- Manga;
- Pitanga, etc.

Também podemos encontrá-las nos tipos de caules das árvores, nos tipos de folhas, nos tipos de ervas, etc.

É certo que muitas coisas são mistas ou compostas, precisando do concurso de duas, três... ou sete ondas vibratórias para ter sua forma definida. Mas o fato é que são as ondas vibratórias que delineiam e definem as formas das coisas criadas por Deus, e que são regidas por suas divindades unigênitas: os Tronos Divinos.

Congregação, agregação, expansão, equilíbrio, ordenação, transmutação e criatividade, eis a base da Gênese Divina e eis os recursos que temos à nossa disposição para vivermos em paz e harmonia com o todo, que é Deus concretizado no Seu corpo Divino: o universo visível, palpável e sensível.

Só não crê nisso quem não consegue vê-Lo em si mesmo: uma obra Divina impossível de ser concebida por uma mente humana!

7
Introdução da Gênese e Fatores

7.1 Os Fatores de Deus e a Androgenesia de Umbanda

Um fator é uma energia viva capaz de desencadear a formação de alguma coisa nos planos mais sutis e sustentar seus desdobramentos posteriores unindo-se a novos fatores.

A "matéria" é formada por fatores complexos, o que dificulta a identificação nos vários tipos de substâncias existentes no plano material da vida. Mas, a partir de certas características predominantes em cada matéria já estudada, tornou-se possível classificar os fatores preponderantes na sua formação e, a partir de então, afirmar que o ferro é um dos minérios de Ogum, já que ele tem três. Ou que a maçã é uma fruta de Oxum, ainda que em outras seus fatores mistos ou compostos sejam predominantes.

A classificação das folhas, ervas, pedras e minérios e a identificação do seu Orixá "dono" já é muito antiga no plano material e é conhecida nas esferas superiores da criação desde que a própria matéria se formou e deu origem aos meios mais apropriados para que só então Deus desencadeasse a formação dos vegetais, dos animais, dos insetos, etc.

Com isso explicado, que fique bem claro: mesmo intuitivamente os babalaôs africanos já conheciam esse mistério, pois já é milenar a classificação das ervas, das pedras e dos animais dos orixás, assim como é conhecido o arquétipo dos seus filhos.

Mas mesmo sendo antigo, esse conhecimento nunca despertou em ninguém a curiosidade de saber por que isso é assim. As lendas a respeito da criação do mundo e dos seres que povoaram a Terra ocultam segredos magníficos sobre a Gênese e a Androgenesia Divina.

Então, vamos ao estudo a respeito dos fatores Divinos.

7.2 O que são os Fatores de Deus?

Por fatores de Deus nós entendemos energias vivas, portanto Divinas, que são geradas e irradiadas tanto por Ele na sua emanação, quanto por suas divindades nas suas irradiações.

Se nos apropriarmos do termo "fator", que tem vários significados e é usado tanto na aritmética quanto na genética, assim como em outros campos, aqui esta palavra assume a condição de identificadora de energias vivas emanadas ou irradiadas por Deus e por suas divindades.

Então, definimos os fatores de Deus dessa forma:

• São energias vivas e verdadeiros códigos genéticos energéticos, pois são capazes de desencadear processos formadores da natureza dos seres, de suas personalidades, dos seus psiquismos (psique) mais profundos, dos seus emocionais, dos seus racionais e de suas consciências.

Também são códigos genéticos Divinos que estão na base de formação da matéria, animada por espíritos (as pessoas e os animais) ou inanimada (a água, o ar, a terra, os minérios, os vegetais, os cristais). E estão na formação dos planetas, das estrelas, das constelações, das galáxias e do próprio Universo.

• Uma pessoa tem o seu tipo físico definido por fatores de Deus.

• Um espírito tem a sua natureza e seu magnetismo definidos por fatores de Deus.

Deus gera fatores puros que vão fundindo-se uns com os outros e vão formando fatores mistos, compostos e complexos.

As fusões de fatores puros não acontecem aleatoriamente, pois existem fatores opostos, paralelos, complementares e "sequentes" (os que só se fundem com fatores mistos ou compostos).

Mas o fato é esse: a gênese Divina tem início nos fatores puros de Deus.

Nós, os seres, somos gerados por Ele em seu íntimo mais oculto ou em plano vibratório interno, ao qual damos o nome de útero gerador Divino ou plano Divino da criação.

Neste seu plano impenetrável está a origem de todos os processos genéticos Divinos (geradores de divindades) e espirituais (geradores de espíritos).

Esses processos genéticos dão a qualidade de tudo o que geram no íntimo de Deus e possuem mecanismos Divinos que regulam seus desdobramentos posteriores, que acontecem já nos planos externos da criação e que são classificados por nós como "o exterior de Deus".

- No íntimo de Deus está a origem de tudo o que Ele gera ou cria.
- No Seu exterior estão os muitos planos da vida onde Seus processos genéticos vão se desdobrando e fazendo surgir tudo o que é necessário para que Sua obra Divina vá se condensando em graus vibratórios cada vez mais densos, até que alcancem o grau vibratório da "matéria".

Mas esses desdobramentos vão acontecendo com todos os processos genéticos Divinos e mesmo os espíritos vão se "densificando", até desenvolverem um magnetismo mental muito próximo do da matéria, pois, só assim, podem encarnar e viver em um corpo material.

Com isso explicado, então, podemos desenvolver nossos comentários sobre a gênese Divina dos seres ou "A Androgenesia Divina".

7.3 Os Fatores de Deus

Uma das causas da falta de religiosidade das pessoas são as gêneses "humanas" da criação Divina. Elas são limitadíssimas e muito direcionadas para as coisas humanas. Logo, não retratam a origem das coisas, senão a partir de fatos mirabolantes, espantosos, imaginários, sobrenaturais ou alegóricos.

Mas nós sabemos que a criação Divina é simples porque Deus se repete e se multiplica o tempo todo.

Deus tem duas faces. Uma é interna e geradora, e a outra é externa e é imanente.

Na sua imanência, Ele está em tudo o que existe. A mesma imanência Divina, que dá forma e estabilidade a um átomo, dá forma e estabilidade ao nosso sistema solar, a uma constelação, galáxia, etc.

Imanência é magnetismo, que imanta as partes que formam uma coisa definida por si mesma.

A imanência está em tudo. E, de agregação em agregação, Deus criou tudo o que existe.

Então, temos na imanência Divina um fator agregador ou um "fator de Deus".

A onipresença é outro "fator de Deus" porque é a presença d'Ele em tudo o que existe.

A onisciência é outro "fator de Deus", pois se tudo está n'Ele, então de tudo Ele tem ciência.

Então, chegamos à raiz da gênese Divina, pois ela tem início nos "fatores de Deus", ou como nós os chamamos: fatores Divinos!

Fatores Divinos

Os fatores de Deus são a menor coisa que existe na criação e estão na gênese de tudo. Para a formação de qualquer coisa há a necessidade da agregação, ordenação, evolução ou transmutação.

Na agregação, os afins se ligam.

Na ordenação, as ligações só acontecem se forem equilibradas e atenderem a uma ordem preestabelecida.

Na evolução, são criadas as condições para que novas ligações imanentes ocorram e novas coisas surjam ordenadamente.

Sabemos que estes três fatores que citamos são partes da genética Divina ou gênese das coisas e que há muitos outros fatores, tão atuantes quanto fundamentais.

Vamos listar alguns fatores de Deus ou fatores Divinos que estão na origem ou gênese:

- Fator agregador;
- Fator ordenador;
- Fator evolutivo ou transmutador;
- Fator conceptivo;
- Fator gerador;
- Fator equilibrador;
- Fator racionalizador;
- Fator diluidor;
- Fator magnetizador;
- Fator paralisador;
- Fator criacionista;
- Fator transformador;
- Fator energizador;
- Fator desenergizador;
- Fator concentrador;
- Fator expansor.

Esses fatores, e muitos outros, atuam na gênese das coisas e são chamados de irradiações Divinas, pois estão em tudo, em todos e em todos os lugares.

Quando um desses fatores atua, sempre ativa outros, porque, para surgir algo novo, um anterior estado das coisas tem de ser paralisado, desenergizado, desmagnetizado e desagregado, senão deformará o que ali vier a ser criado.

Esses fatores atuam sobre nós o tempo todo, ora nos estimulando, ora nos paralisando. Quando nos elevam é porque nossos sentimentos e anseios íntimos são positivos e virtuosos. Quando são negativos, absorvemos fatores que visam a alterar nossa consciência e sentimentos viciados.

Então, temos fatores ativos e passivos, ou positivos e negativos.

Os fatores ativos vão nos movimentando ou estimulando até que criemos em nós as condições para nos transformarmos, desagregando velhos conceitos e iniciando a busca de novos, já em acordo com nossos anseios e necessidades evolutivas.

Nos fatores, encontramos a nossa gênese e identificamos por qual deles fomos imantados quando ainda vivíamos no útero Divino da "mãe geradora da vida", pois é nele que somos distinguidos por Deus com uma de Suas características genéticas Divinas.

Todos nós somos herdeiros de uma "qualidade" de Deus, já que Ele possui todas, mas nós só estávamos aptos a ser distinguidos por uma.

Assim, se em nossa origem fomos distinguidos por Deus com uma de Suas qualidades, ela nos influenciará em todos os aspectos de nossa vida.

Nós destacamos sete qualidades de Deus, que trazemos ao nosso nível Terra, e identificamos com os sete sentidos da vida, que são:

- Fé;
- Amor;
- Conhecimento;
- Justiça;
- Ordem;
- Evolução;
- Geração.

As hierarquias Divinas geradoras dos fatores que imantam essas qualidades Divinas, já em nosso grau magnético planetário, nós identificamos com a hierarquia dos "Tronos" de Deus.

- Trono da Fé ou Orixás da Fé;
- Trono do Amor ou Orixás do Amor;
- Trono do Conhecimento ou Orixás do Conhecimento;
- Trono da Justiça ou Orixás da Justiça.;
- Trono da Ordem ou Orixás da Lei;
- Trono da Evolução ou Orixás da Evolução.
- Trono da Geração ou Orixás da Geração.

Esses sete Tronos formam um colegiado ou uma regência, e estão assentados ao "redor" do Trono Planetário, que é uma individualização do próprio Divino Criador.

Esse Divino Trono Planetário traz em si todas as qualidades de Deus, já adaptadas ao nosso grau vibracional magnético dentro da escala Divina que reproduz, em nível planetário, uma escala só sua que, por ser Divina, formou o magnetismo que desencadeou todo o processo de geração do nosso planeta Terra.

No princípio do surgimento deste nosso planeta, o poderoso magnetismo do Divino Trono Planetário começou a gerar os Fatores de Deus, e a atratividade era tanta que todas as energias que entravam em seu campo gravitacional foram sendo retidas e "compactadas", criando um caos energético semelhante a uma massa explosiva.

Quando o magnetismo Divino do jovem Trono Planetário esgotou sua capacidade de absorver energias do nosso universo material, deu início ao desdobramento de sua escala magnética e de suas qualidades ordenadora e geradora, análogas às de Deus e surgiu uma escala magnética planetária.

Essa escala planetária tem a forma de uma cruz, cujo centro neutro equivale ao centro do magnetismo do Divino Trono Planetário, que no nosso caso é o "Divino Trono das Sete Encruzilhadas", um trono já não tão jovem, porque desde que se desdobrou já se passaram uns treze bilhões de anos solares.

A escala magnética Divina do Divino Trono das Sete Encruzilhadas o caracteriza e o distingue porque ele repete a escala Divina tanto no sentido vertical como no horizontal.

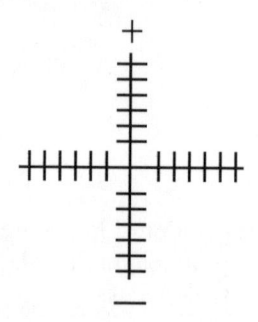

Ela forma sete graus vibratórios em cada um dos "braços" de sua "cruz", que se correspondem e repetem o mesmo magnetismo do Divino Trono Planetário, criando, assim, os níveis vibratórios ou graus magnéticos intermediários.

O nosso Trono das Sete Encruzilhadas e mais alguns outros semelhantes a ele "giram" em torno do "nosso" Trono Solar que, para nós, é o núcleo vivo de um macroátomo Divino.

Em Deus tudo se repete e se multiplica, tanto no micro quanto no macro!

Então, sabendo que a hierarquia dos Tronos de Deus inicia-se com os Divinos Tronos regentes do universo, agora podemos descrevê-la corretamente para que tenham uma noção aproximada da infinitude do Divino Criador.

Vamos à hierarquia dos Tronos de Deus:

1) Deus;
2) Tronos Regentes dos Universos (Tronos Universais);
3) Tronos Regentes das Galáxias (Tronos Galácticos);
4) Tronos Regentes das Constelações (Tronos Estelares);
5) Tronos Regentes das Estrelas (Tronos Solares);
6) Tronos Regentes dos Planetas (Tronos Planetários);
7) Tronos Regentes das Dimensões Planetárias (Tronos Dimensionais).

Esses Tronos cuidam da manutenção e estabilidade na criação Divina e são em si mesmos individualizações de Deus, cada um adaptado ao seu grau vibratório na escala Divina.

Mas outras hierarquias vão surgindo, a partir dos Tronos que regem esses níveis magnéticos da escala Divina, e regem os subníveis magnéticos, auxiliando-os na manutenção da estabilidade, da ordem e da evolução.

Temos, ainda, as hierarquias dos Tronos atemporais:

- Trono das Energias;
- Trono do Tempo;
- Trono das Passagens;
- Trono da Vida;
- Trono da Renovação;
- Trono da Transformação;
- Trono Guardião.

Esses Tronos são "atemporais" porque não atuam a partir de um ponto fixo ou um ponto de forças magnético.

Eles, onde estiverem, se assentam e, ali mesmo, se desdobram e começam a atuar, sempre visando a preservar ou restabelecer o "meio ambiente" onde se assentaram.

Nós, em nível planetário e multidimensional, temos os sete Tronos que formam a Coroa Regente Planetária. Os sete Tronos assentados ao redor do Divino Trono das Sete Encruzilhadas são estes:

- Trono da Fé;
- Trono do Amor;
- Trono do Conhecimento;
- Trono da Justiça;
- Trono da Lei;
- Trono da Evolução;
- Trono da Geração.

Estes sete Tronos são as sete individualizações do Divino Trono das Sete Encruzilhadas, que se repetem e se multiplicam por meio deles, já que cada um dá início às suas próprias hierarquias. E se muitas são as dimensões da vida dentro do nosso planeta, em todas elas estes sete Tronos planetários multidimensionais criam uma hierarquia auxiliar, cujos membros vão ocupando os níveis vibratórios da escala magnética planetária. Esses Tronos regentes dos níveis vibratórios se repetem e se multiplicam nos Tronos regentes dos subníveis vibratórios, que atuam bem próximos dos seres, pois estão no nível mais próximo de nós e são as individualizações dos regentes das dimensões.

Então, no início das hierarquias estão assentados os Tronos geradores de fatores Divinos, e nós identificamos em nível Terra os orixás, que são identificados tanto com os fatores Divinos quanto com a natureza terrestre, assim como com a natureza íntima dos seres e com os sete sentidos da vida.

Sabendo disso, podemos estabelecer uma correspondência entre:

• O Ogum individual de um médium e o Trono gerador do fator ordenador;

• A Oxum individual de uma médium e o Trono gerador do fator agregador ou conceptivo;

• O Xangô individual de um médium e o Trono gerador do fator equilibrador;

• O Obaluaiê individual de um médium e o Trono gerador do fator evolutivo ou transmutador;

• A Iemanjá individual de uma médium e o Trono gerador do fator geracionista ou criativista;

• O Oxóssi individual de um médium e o Trono gerador do fator racionalizador ou expansor;

• O Oxalá individual de um médium e o Trono gerador do fator congregador ou magnetizador;

• A Obá individual de uma médium e o Trono gerador do fator concentrador ou afixador;

• A Iansã individual de uma médium e o Trono gerador do fator direcionador ou mobilizador;

• O Oxumaré individual de um médium e o Trono gerador do fator diluidor e renovador;

• O Omolu individual de um médium e o Trono gerador do fator paralisador ou estabilizador;

• A Logunã individual de uma médium e o Trono gerador do fator desmagnetizador ou cristalizador;

• A Nanã individual de uma médium e o Trono gerador do fator estabilizador ou decantador;

• A Oro Iná individual de uma médium e o Trono gerador do fator condensador ou energizador;

• A Pombagira individual de uma médium e o Trono gerador do fator estimulador;

• O Exu individual de um médium e o Trono gerador do fator vitalizador.

Se estabelecemos uma comparação entre os Tronos geradores dos fatores e os orixás individuais dos médiuns, é porque um Orixá é um Trono de Deus e mantém intacta a sua ancestralidade, pois nunca sofreu um desvio evolucionista e nunca encarnou. Então, tanto sua aparência quanto sua natureza íntima são bem visíveis, pois são afins com sua imantação original, acontecida no momento de sua geração. E a única coisa que diferencia um ser "Ogum" de outro ser "Ogum" é a qualificação de sua qualidade original ou Divina, que, no caso dos seres "Ogum", é a qualidade ordenadora.

Então surgem:
- Oguns (ordenadores) das Agregações;
- Oguns (ordenadores) das Evoluções;
- Oguns (ordenadores) da Geração;
- Oguns (ordenadores) da Fé;
- Oguns (ordenadores) da Justiça;
- Oguns (ordenadores) do Conhecimento;
- Oguns (ordenadores) da Lei.

E se nos fixarmos no fator agregador e no Trono que o gera, chegaremos ao Trono Oxum e nos seres Oxum, no qual encontramos:

- Oxuns (agregadoras) da Fé;
- Oxuns (agregadoras) da Lei;
- Oxuns (agregadoras) do Conhecimento;
- Oxuns (agregadoras) da Justiça;
- Oxuns (agregadoras) da Evolução;
- Oxuns (agregadoras) da Geração;
- Oxuns (agregadoras) do Amor (uniões).

Poderíamos enumerar todas as qualificações dos seres regidos pelos fatores Divinos que absorveram no momento em que foram gerados e magnetizados com uma das qualidades do Divino Criador. Mas cremos que só mostrando os Oguns e as Oxuns já entenderão a natureza dos seres e porque tudo se complementa.

Sim, porque se o fator ordenador ordena as agregações, o fator agregador agrega as ordenações.

Nós comentamos que na origem de tudo está Deus, que gera Suas hierarquias Divinas e multiplica-se nelas infinitamente, multiplicando-as em cada grau magnético de Sua escala Divina.

7.4 A Androgenesia Umbandista

Androgenesia: ciência que estuda o
desenvolvimento físico e moral da espécie humana.

Nós, aqui, não limitaremos a androgenesia só aos seres humanos, mas nos apropriaremos do termo e o aplicaremos a todos os orixás sobre os quais teceremos comentários que justificarão a nossa hereditariedade Divina, assim como o acerto das suas lendas quando creditam a eles nossa descendência. E, assim, colocam-nos como seus filhos verdadeiros, seus beneficiários e herdeiros diretos.

As lendas nos revelam alguns aspectos que, quando comparados com o conhecimento que nos transmite a ciência Divina, nos mostram claramente que a cosmogonia iorubá foi a que melhor descreveu a criação do mundo e a origem das espécies e dos elementos formadores da natureza.

Assim como a astrologia e a numerologia, a androgenesia iorubá também é científica, ainda que esteja velada por mitos e lendas.

Aqui, só ressaltaremos o que já vem sendo ensinado pela religião dos orixás há vários milênios e que se tem mostrado como uma verdade Divina que nunca deixará de ser visível, pois a Umbanda renovou o culto aos orixás, mas não descaracterizou essa verdade e ainda a adotou totalmente, porque só ela explica nossa natureza, tão distinta e tão afim com a das divindades de Deus, os orixás.

A androgenesia Divina iorubá nos diz que descendemos dos orixás e uns são filhos de Ogum, outros são filhos de Oxóssi, etc.

Nós abrimos o mistério dos fatores Divinos e os descrevemos até a exaustão do assunto, pois será a partir dos fatores que desenvolveremos toda a teoria que descreverá nossa hereditariedade Divina, as características de cada uma dessas hereditariedades, a personalidade dos orixás e de seus filhos e suas naturezas íntimas.

Então, no final, verão que Deus não criou o homem só do "barro", e não tirou uma costela dele para criar a mulher, assim como não expulsou ninguém do paraíso, não condenou nem condena ninguém ao inferno.

Enfim, em comentários bem sintéticos, abordamos o aspecto androgenésico dentro da Teologia da Umbanda.

7.5 A Fatoração dos Seres

Na ancestralidade, os orixás masculinos fatoram e qualificam os seres machos, pois seu fator predominará nos seres fatorados por eles. E os orixás femininos fatoram e qualificam os seres fêmeas, pois seu fator predominará nos seres fatorados por elas.

Lembremo-nos de que os orixás não geram seres, porque esse é um atributo exclusivo de Deus, que os gera de Si, mas ainda não diferenciados, pois as centelhas vivas (conscienciais) emanadas por Ele não se distinguem e todas, nas suas gerações, são iguais. Mas assim que duas partes de fatores (uma masculina e outra feminina) se fundem, repetem a fusão do óvulo e do espermatozóide e projetam uma onda viva Divina que se liga a uma centelha viva (um ser) ainda no íntimo de Deus, e a puxa para o plano fatorial da vida, no qual ela animará o campo energético e magnético formado pela fusão das duas partes dos fatores. Esse campo será o corpo vivo, que abrigará o novo ser e o magnetizará e o qualificará com a natureza e genética dos orixás geradores das partes dos fatores que lhe deram um "corpo energético" ou sua "estrela da vida".

Dessas duas partes, uma predominará e distinguirá o novo ser, emanado por Deus, como macho ou fêmea. E o novo ser, se for macho, assumirá as feições e características do seu pai fatorador; se for fêmea, assumirá as feições e características de sua mãe fatoradora.

7.6 Os fatores de Deus e os Seres

À palavra "fator" atribuem-se os seguintes significados:
- O que determina ou faz alguma coisa.
- Cada um dos termos da multiplicação.
- Cada um dos elementos que concorrem para um resultado.
- Causa germinal nos caracteres hereditários.

Os Ácidos Nucléicos

Os ácidos nucléicos são substâncias orgânicas bastante complexas que se apresentam nas células com duas importantes genéticas de ascendentes a descendentes, em todas as categorias de seres vivos. As unidades estruturais de um ácido nucléico são as mesmas tanto numa bactéria quando num mamífero. Isso prova que o mecanismo da hereditariedade é igual em todos os sistemas viventes.

7.7 A Energia Divina

A energia Divina é a mais sutil e refinada que existe, pois é energia viva, em estado puro e capaz de transmitir de si as qualidades (fatores) só encontradas em Deus, que a emana de Si e, a partir dela, dá início à Sua criação Divina, a qual Ele sustenta e expande ao infinito, pois Sua energia viva vai se fundindo, desde o seu estado puro ou virginal até o seu estado composto ou material, sem nunca perder a qualidade original.

Na fusão da energia viva de Deus, ou da energia Divina, está a origem de códigos genéticos específicos e que dão origem a naturezas distintas, que distinguem as divindades (os orixás) e suas filiações ou descendências.

A energia Divina pode ser comparada aos ácidos nucléicos que dão origem ao DNA e ao RNA, pois ela dá origem aos fatores de Deus, os quais transmitem as características hereditárias dos seres gerados por Ele mas fatorados por suas divindades, cada uma geradora natural de uma de Suas qualidades Divinas, determinadoras da natureza íntima dos seres:

- Religiosos;
- Criativos;
- Ordenadores;
- Conceptivos;
- Judiciosos;
- Expansores;
- Transmutadores.

Se assim são os seres, é porque são qualificados, fatorados e magnetizados nas suas origens pelo magnetismo das ondas vivas fatorais das divindades, que têm como atribuição Divina gerar determinadas estruturas energéticas (as estrelas da vida) magnetizadas, que acolherão e abrigarão os seres gerados por Deus e emanados por Ele no Seu plano fatoral ou seu exterior mais sutil e refinado que, na verdade, é um infinito útero gerador Divino, em que os seres recém-emanados têm seu primeiro contato com o mundo exterior.

Nesse útero Divino, os seres são como centelhas vivas que pulsam, mas ainda são totalmente inconscientes da própria existência, tal como um feto no útero da mãe.

As divindades não geram seres, pois esse é um atributo exclusivo de Deus. Mas elas têm a função de gerar estruturas energéticas vivas que (tal como o corpo, destina-se a abrigar o espírito) abrigarão os seres emanados por Deus, e que terão nessas estruturas um campo magnético que os protegerá das energias vivas existentes nesse útero gerador Divino.

Saibam que, assim que um espermatozóide penetra no interior de um óvulo, este torna-se impermeável aos outros, que logo se diluirão. E assim que ele alcança o núcleo do óvulo e acontece a fusão, imediatamente é projetada uma onda viva Divina que vai alcançar o mental do espírito, que mais adiante será encolhido ao tamanho do corpo e irá animá-lo com uma inteligência e consciência racionalista.

O mesmo acontece no plano fatoral da criação, pois assim que a parte masculina de um fator funde-se com a sua parte feminina, ou com a parte feminina de um outro fator, imediatamente começa a se formar uma estrutura energética (uma estrela viva) que, só então, projeta uma onda vibratória viva que penetra no plano primordial da criação e liga-se ao "mental" de um ser gerado por Deus e que ainda vive em Seu "interior".

A partir dessa ligação, feita por meio de uma onda viva, todo o processo tem início e tanto a estrela viva começa a desenvolver sua estrutura magnética e energética, como o ser original, que ainda vive em Deus, começa a sofrer um adormecimento até que, quando a sua "estrela da vida" estiver formada e bem delineada, ele é puxado para dentro dela, ocupando-a a totalmente e animando-a com sua inteligência e qualidade Divina original, herdada de Deus, o Seu criador Divino.

Assim, se o ser foi gerado por Deus na Sua qualidade da "Fé", ocupará uma estrela viva gerada pelos Tronos masculinos e femininos da Fé (Oxalá e Logunã) e será distinguido em sua ancestralidade pelo Trono da Fé, que o magnetizará e o individualizará, dando-lhe todo o amparo necessário para que nada lhe falte enquanto estiver desenvolvendo-se no útero Divino, que é o plano fatoral da vida.

E nele, o ser, ainda uma centelha pulsante, permanecerá até que tenha desenvolvido seu campo magnético mental, que protegerá sua herança Divina herdada de Deus e magnetizada e formada por um dos seus Tronos fatorais.

Um casal, aqui na Terra, não gera o espírito que ocupará o corpo físico e o animará com sua inteligência, assim como os Tronos fatorais não geram seres, mas tão somente as estruturas energéticas que abrigarão os seres gerados e emanados por Deus.

Mas, assim como o pai e a mãe transmitirão as suas características aos seus filhos, o mesmo fazem os Tronos fatorais, pois, ao magnetizá-los em suas estrelas vivas, os qualificam com suas características e os distinguem com suas naturezas Divinas imantadoras dos seres, seus filhos, os quais herdarão deles suas qualidades, atributos e atribuições, assim como seus caracteres, naturezas íntimas e modos de ser e de agir.

Assim, surgem as filiações Divinas ou hereditariedades dos Tronos de Deus, os nossos orixás, Senhores dos oris (coroas).

- Temos as filiações puras quando os seres são fatorados pelas duas partes de um mesmo fator.
- Temos as filiações mistas quando os seres são formados pela parte masculina de um fator e pela feminina de outro fator.

Só que esses sete Tronos fatoradores e que dão origem a sete estruturas da inteligência, do pensamento e da vida, se estudados a fundo, mostram-nos que são complexos e são "formados" por pares de Tronos fatorais geradores das partes masculinas e femininas de um fator puro.

As partes de um fator puro são: duas masculinas e duas femininas.

As partes masculinas, uma é positiva e a outra, negativa; uma é ativa e a outra, passiva; uma é irradiante e a outra, atrativa ou concentrada. E o mesmo acontece com as duas partes femininas.

Uma parte, masculina ou feminina, positiva ou negativa, tanto pode ser ativa quanto passiva, pois se o Orixá Oxalá é masculino e positivo, seu magnetismo é passivo. E se Logunã é feminina e positiva, seu magnetismo é ativo.

- Positivo: indicamos com o sinal (+);
- Negativo: indicamos com o sinal (-);
- Passivo: indicamos com o sinal (+);
- Ativo: indicamos com o sinal (-);
- Masculino: indicamos com o sinal (+);
- Feminino: indicamos com o sinal (-);
- Irradiante: indicamos com o sinal (+);
- Concentrador: indicamos com o sinal (-);
- Universal: indicamos com o sinal (+);
- Cósmico: indicamos com o sinal (-).

O que importa ser afixado é que só Deus gera os seres, tanto os dotados de uma inteligência racional quanto os dotados de uma inteligência instintiva (as criaturas ou animais selvagens).

Até onde podemos revelar, dizemos que as partes masculinas e femininas positivas destinam-se à fatoração dos seres racionais (espíritos).

As partes masculinas e femininas negativas destinam-se aos seres inferiores (as criaturas ou animais dotados só de instintos).

Um fator, por gerar as estruturas dos seres superiores e dos inferiores, explica as associações feitas pelos intérpretes dos orixás quando dizem que tal animal é de Ogum ou de Oxóssi, etc.

Se isto acontece, e é verdade, é porque esses orixás são regidos pelos mesmos fatores, cujas partes negativas destinam-se às espécies instintivas ou inferiores. E o mesmo acontece com os vegetais, os frutos, as pedras, todos formados a partir de modelos magnéticos energéticos fatorais.

Um fator tem uma parte positiva e outra negativa, e cada parte tem seu polo macho e seu polo fêmea. Se demonstrarmos graficamente, teremos:

Esta distribuição dos polos de um fator está na origem da ciência do X ou dos entrecruzamentos, mostrada na ciência Divina do Código de Umbanda.

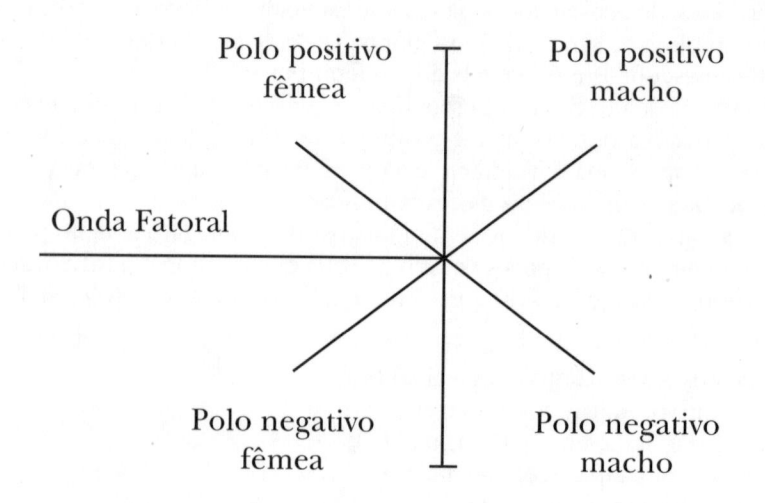

```
        Polo positivo         Polo positivo
           fêmea                  macho
                      \   |   /
                       \  |  /
Onda Fatoral ———————————\-|-/———————————
                       /  |  \
                      /   |   \
        Polo negativo         Polo negativo
           fêmea                  macho
```

7.8 Comentário sobre a Hereditariedade Divina dos Seres

As características que herdamos das divindades que nos fatoraram em nossa origem aplicam-se a todos os seres humanos, e não só aos adoradores dos orixás. Afinal, as divindades estão no todo, que é Deus, e são em si Suas qualidades. Logo, limitá-los só aos umbandistas é um contrassenso.

Sabemos que as características hereditárias de uma divindade são encontradas em todos os seres humanos, não importando sua cor, raça, religião ou cultura, e também a época em que vivem.

Então, todos os nossos gostos, nossas preferências alimentares e de vestuário, nossas reações diante de um fato, nossos comportamentos em geral são características que herdamos das divindades e que distinguem nossa natureza individual, marcando-nos e diferenciando-nos de todas as outras pessoas que são nossos semelhantes, mas não são nossos iguais.

Essa androgenesia Divina, que adquirimos nas ondas fatorais, está na nossa hereditariedade e é a base da astrologia, da numerologia, da cabala, do tarô, da quiromancia, da radiestesia, da magnetologia, da química, da física, etc., porque está na base da Criação Divina que gerou tudo o que existe, animado ou inanimado, e está na base ou origem dos elementos, das energias, das naturezas, do Universo e das divindades de Deus.

É certo que o meio altera alguns aspectos ou características de algo ou de alguém. Mas a sua qualidade original e caráter básico sempre aflorarão e se mostrarão ao bom observador.

Fiéis de outras religiões, por desconhecimento de causa, chamam os adoradores dos orixás de ignorantes. Mas se observassem a magnificência da ciência dos orixás, se calariam, pois cabala, tarô, astrologia e numerologia não revelam a nossa ancestralidade. Já os búzios revelam o passado, o presente e o futuro de uma pessoa porque estão fundamentados na "androgenesia" Divina dos seres.

7.9 Os Fatores de Deus e as Sete Estruturas Básicas

Estrutura Religiosa
Fator Congregador
(Fé)
{
Oxalá — Magnetizador

Oiá — Cristalizadora
}

Estrutura Conceptiva
Fator Agregador
(Amor)
{
Oxum — Conceptiva

Oxumaré — Renovador
}

Estrutura Expansora
Fator Expansor
(Conhecimento)
{
Oxóssi — Expansor

Obá — Concentradora
}

Estrutura Judiciária
Fator Equilibrador
(Justiça)
{
Xangô — Racionalizador

Oro Iná — Energizadora
}

Estrutura Militar
Fator Ordenador
(Lei)
{
Ogum — Ordenador

Iansã — Direcionadora
}

Estrutura Evolutiva
Fator Evolutivo
(Saber)
{
Obaluaiê — Transmutador

Nanã — Decantadora
}

Estrutura Geradora
Fator Gerador
(Vida)
{
Iemanjá — Criacionista

Omolu — Estabilizador
}

7.10 Os Fatores de Deus e os Aspectos dos Orixás

O estudo dos aspectos ou qualidade dos orixás é muito importante. Por meio da manifestação de determinados sentimentos em nosso íntimo podemos estabelecer se estamos absorvendo a parte positiva ou negativa de um fator.

Geralmente absorvemos as partes positivas deles, que têm o poder de fortalecer o nosso virtuosismo e manter-nos dentro do grau vibratório mental "humano".

Mas, caso desenvolvamos em nosso íntimo sentimentos classificados como negativos ou viciados, então alteramos nosso magnetismo mental, e a própria mudança vibratória já começa a absorver, por intermédio dos chacras, as partes negativas dos fatores relacionados a eles.

Como exemplo, tomaremos o amor.

O amor é sinônimo de união e harmonização.

Já o sentimento oposto a ele é o ciúme, que é sinônimo de desconfiança e insegurança.

Com isso em mente, ao ver uma pessoa ciumenta, ali também estará uma pessoa desconfiada e insegura em relação ao objeto que desperta nela o ciúme. Se a inquirirem sobre a razão do seu ciúme "doentio", com certeza ela negará que sente ciúme e dirá que o que sente é atração ou amor.

Esse exemplo pode ser transposto para os outros sentidos da vida e sempre encontraremos os sentimentos virtuosos ou seus opostos negativos.

Nota do Médium Psicógrafo

Na Teologia Yorubana, os orixás são divididos entre os revelados e os ocultos ou não revelados ao nosso conhecimento terreno.

Os orixás revelados geram as partes positivas dos fatores divinos, ainda que aqui não citemos a todos, porque nem todos são cultuados e muitos que eram cultuados deixaram de sê-lo por causa das disputas territoriais-religiosas, quando o culto a uns se sobrepuzeram aos de outros, apagando-os da mente dos seus cultuadores.

Com isso, hoje nos falta a descrição detalhada do orixá feminino que gera o "fator tempo", pois o gerador da parte masculina é o orixá Oxalá.

E o mesmo acontece com o orixá feminino gerador da parte feminina do "fator ígneo", pois o gerador da parte masculina é o orixá Xangô.

Justamente por não termos os nomes "humanos" dessas duas divindades e não desejarmos dar-lhes nomes, recorremos à apropriação dos nomes Oiá e a somamos ao tempo, identificando essa divindade geradora da parte feminina do fator tempo apenas como "Oia-Tempo". É a divindade geradora da parte feminina do fator ígneo a quem demos o nome de "Oro

Iná", ainda que saibamos que Oiá é o nome usado no Candomblé para a Iansã da Umbanda, e que "Oro Iná" é uma das qualidades ou atribuição de Oiá.

Quanto aos aspectos negativos ou partes negativas dos fatores eles não são absorvidos naturalmente pelos seres, pois destinam-se às criaturas e às especies. Mas começam a ser absorvidos assim que o ser deixa de guiar-se pelo seu racional ou seu polo mental positivo e começa a guiar-se pelo seu instinto ou polo negativo.

O Mecanismo de alternância entre um polo e outro é delicado e sensível e, a partir da negativação dos sentimentos (do emocional), uma pessoa começa a absorver a parte negativa (e com função oposta) do fator alimentador da função racional emocionalmente negativada.

Esta alternância é classificada por nós como "reatividade" ou lei da ação e reação, comentada longamente em nosso livro ainda inédito denominado *"Fatores e Reatividade dos Orixás" — a Lei de Ação e Reação em Movimento.*

O Fato é que, se uma pessoa desvirtua-se no sentido da fé, regido por Oxalá e Logunã, imediatamente alterna seu magnetismo mental e a força negativa ou partes negativas do fator congregador (ilusão e fanatismo) começam a ser absorvidas imediatamente porque, se os sentimentos de fé foram "negativados", no entanto continuam a ser alimentados, porém com as partes negativas do fator congregador, que é o fator que mais distingue.

Portanto, quando falamos em aspectos positivos dos orixás, estamos nos referindo às partes positivas dos fatores que os distinguem porque geram essas partes positivas e alimentadoras das funções mentais dos seres.

Já quando falamos em aspectos negativos dos orixás, estamos nos referindo às partes negativas dos fatores que os distinguem mas não são geradas por eles e sim por orixás com funções importantíssimas para o equilíbrio da criação, mas cujos nomes são irrevelevantes já que geram em si e de si funções opostas e anuladoras, neutralizadoras ou paralizadoras das funções mentais dos seres com desequilíbrios.

O conhecimento sobre os fatores divinos foi aberto só recentemente por nós e ainda não o foi em sua totalidade.

Vejamos os aspectos positivos e negativos dos Fatores e os seres divinos geradores das suas partes positivas, pois os geradores das partes negativas são irreveláveis e, quem lida com eles na Umbanda são os Exús dos Orixás.

Os Aspectos Positivos dos orixás

- Oxalá é magnetizador da Fé.
- Logunã é cristalizadora da Religiosidade.
- Oxum é concebedora do Amor.
- Oxumaré é renovador da Concepção.
- Oxóssi é expansor do Conhecimento.
- Obá é concentradora do Raciocínio.
- Xangô é equilibrador da Justiça.

- Oro Iná é energizadora da Razão.
- Ogum é ordenador da Lei.
- Iansã é direcionadora do Caráter.
- Obaluaiê é transmutador da Evolução.
- Nanã é decantadora dos Sentidos.
- Iemanjá é geradora da Criatividade.
- Omolu é estabilizador da Geração.

Os Aspectos Negativos dos orixás ativados e trabalhados pelos seus Exus

- Oxalá, no seu aspecto oposto ou negativo, gera a ilusão.
- Oiá, no seu aspecto oposto ou negativo, gera o fanatismo.
- Oxum, no seu aspecto oposto ou negativo, gera o ciúme.
- Oxumaré, no seu aspecto oposto ou negativo, gera a permissividade.
- Oxóssi, no seu aspecto oposto ou negativo, gera a dispersão.
- Obá, no seu aspecto oposto ou negativo, gera a petrificação.
- Xangô, no seu aspecto oposto ou negativo, gera o desequilíbrio.
- Oro Iná, no seu aspecto oposto ou negativo, gera a fraqueza.
- Ogum, no seu aspecto oposto ou negativo, gera a confusão.
- Iansã, no seu aspecto oposto ou negativo, gera o imobilismo.
- Obaluaiê, no seu aspecto oposto ou negativo, gera a apatia.
- Nanã, no seu aspecto oposto ou negativo, gera a senilidade.
- Iemanjá, no seu aspecto oposto ou negativo, gera a esterilidade.
- Omolu, no seu aspecto oposto ou negativo, gera a paralisia.

É muito importante o estudo dos aspectos opostos ou negativos dos orixás gerados por Exus pares-opostos, pois, a partir da identificação das partes negativas de um fator que uma pessoa está absorvendo, é possível ajudá-la a substituir seus sentimentos negativos por outros, já positivos, e alterar tanto a sua psique quanto seu magnetismo mental. Isto a torna mais calma, sensata, madura e cordata ou compreensiva.

Sabemos que é a partir da absorção das partes negativas dos fatores que uma pessoa se torna mentalmente acessível a atuações espirituais tormentosas, pois a sua própria afinidade "magnética" começa a atrair os seus "semelhantes".

- Pessoas ciumentas atraem espíritos possessivos.
- Pessoas descrentes atraem espíritos iludidos.
- Pessoas permissivas atraem espíritos devassos.
- Pessoas degeneradas atraem espíritos viciosos.

E assim sucessivamente, pois os afins se atraem mesmo, tanto nos aspectos positivos como nos negativos.

Portanto, vigiem seus sentimentos íntimos e os anulem caso forem negativos, senão não terão como alterar as suas companhias.

A frase dita pelo mestre Jesus é reveladora, pois só "devemos andar" com quem nos é afim.

"Dize com quem andas que te direi quem és."

E nós dizemos isso: "Dize que sentimentos íntimos vibras e te diremos quem atrairás".

7.11 A Hereditariedade e o Caráter Divino dos orixás

Deus cria e gera tudo, e tudo foi criado e gerado n'Ele, que está na origem de tudo o que existe, animado ou inanimado, material ou imaterial, concreto ou abstrato.

A natureza de Deus é formada pelos seus fatores, aos quais também denominamos de qualidades Divinas que, se forem individualizadas, darão origem a naturezas distintas umas das outras e caracterizadoras daquilo que se origina neles, os fatores de Deus.

Com isto entendido, então dizemos:

• Deus gera em Si, e gera de Si.

• Na geração em Si, Ele se repete e se multiplica porque em Si Ele gera Suas qualidades Divinas, fatoradas e naturalizadas como Suas partes Divinas, partes estas que O formam e O tornam o que é: o Divino Criador de tudo e de todos!

• Na geração de Si, Ele se irradia e vai dando origem a tudo o que existe e a todos os seres, criaturas e espécies, cada qual gerado numa de Suas qualidades, que fatora Sua geração Divina, mas cuja gênese se desdobrará no seu exterior, que é a Natureza ou Seu corpo exterior.

Deus gera Sua qualidade ordenadora e surge Ogum, que, por ser em si mesmo a ordenação Divina, tem de estar em todas as outras qualidades. Então, Ogum gera em si suas divindades Oguns manifestadores da ordenação para as outras qualidades, que qualificarão esses Oguns manifestadores da ordenação, que assumirão a condição de divindades Oguns manifestadores da ordenação ordenadoras das qualidades das outras divindades, as quais são em si mesmas as qualidades que eles ordenarão a partir de si, pois são a multiplicação e a repetição de Ogum, o ordenador da gênese Divina.

Esses Oguns individualizados são em si núcleos geradores, que gerarão Oguns coletivos que atuarão como o RNA mensageiro, gerado para ordenar as gerações exteriores ou que acontecerão no citoplasma Divino ou no corpo de Deus, que é a natureza.

Esses Oguns individualizados, por terem sido gerados em Deus como suas qualidades ordenadoras dos processos exteriores, também geram em si a ordenação Divina e a geram de si, transmitindo-a a todos os seres, ainda inconscientes de si, que forem atraídos por seus poderosos magnetismos mentais, pois são Divinos e os ampararão até que tomem consciência de que são filhos naturais de Ogum e podem desenvolver em si essa qualidade Divina.

Na gênese dos seres, os orixás masculinos, que são qualidades de Deus, só fatoram seres machos. E os orixás femininos, que são qualidades de Deus, só fatoram seres femininos.

Por isso, um ser macho tem sua ancestralidade em um Orixá masculino e um ser fêmea tem sua ancestralidade num Orixá feminino.

Mas tal como acontece com o corpo humano masculino, que também herda certas características da mãe, na geração dos seres, se um Orixá masculino o imanta com seu fator Divino, um Orixá feminino qualificará este fator e passará à sua natureza íntima algumas características de sua qualidade original, e vice-versa, abrandando a sua natureza individual para que ele não seja tão marcante.

Sim, uma divindade, que é em si mesma uma qualidade de Deus, tem uma natureza muito marcante, que se não for abrandada na sua hereditariedade não só individualizará demais o ser como o isolará de todos os outros, pois a exteriorizará em todos os sentidos, em todos os momentos e em todas as condições, situações e sentimentos.

Os seres Divinos, por serem gerados "em Deus", desenvolvem uma natureza pura, totalmente identificada com o fator que os imantou em sua geração.

Já os espíritos gerados "por Deus" são como a geração do corpo humano, que tem características do corpo de ser que o gerou, mas não tem todas e nem a mesma natureza que ele.

Logo, um filho de Ogum tem algumas de suas características originais naturais (de sua natureza) que o distinguirão. Mas outras só aflorarão à medida que for evoluindo e criando em si as faculdades e os meios pelos quais elas fluirão ou serão irradiadas.

Com isto em mente, e porque Deus gera tudo em duas partes, uma positiva e outra negativa, uma macho e outra fêmea, uma irradiante e outra concentradora, uma passiva e outra ativa, então, até as suas divindades foram geradas aos pares, formando ondas ou irradiações Divinas puras, mas bipolarizadas.

Num dos polos está uma divindade masculina e no outro está uma divindade feminina; uma é de magnetismo irradiante e outra é de magnetismo concentrador; uma é ativa e a outra, passiva.

8
A Gênese da Umbanda Sagrada

8.1 "Gênese Divina da Umbanda Sagrada"

A Umbanda é uma religião e, como tal, tem de possuir a sua interpretação sobre a criação Divina e a origem do mundo em que vivemos.

Até agora só interpretações de outras religiões têm ocupado este espaço dentro do estudo doutrinário umbandista, que tem servido-se de fontes alheias para demonstrar de forma humana como Deus cria e gera.

Agora, temos no livro *A Gênese Divina de Umbanda Sagrada*, obra mediúnica, uma fonte de estudos sobre a criação e os mistérios do nosso Divino Criador.

Assim, suprida a lacuna até agora existente, podemos iniciar o estudo teológico umbandista apoiados em informações trazidas até nós por um mensageiro Divino, que é o nosso amado mestre Seiman Hamiser yê, não menos credenciado para tanto que todos os outros mensageiros que já interpretaram Deus e sua criação nas muitas gêneses ou cosmogonias pertencentes às muitas religiões, algumas já extintas e outras em franca expansão.

A Umbanda, dotada de uma interpretação sua, e fundamentada no mistério "orixás", coloca-se em pé de igualdade com as outras religiões neste campo e tem como suprir seus fiéis com interpretações só suas, ainda que sujeitas a contestações ou à não aceitação por parte de seus seguidores.

Este é um primeiro passo nesse sentido e, mesmo este livro básico também está sujeito a aprimoramentos que o tornarão universal e de mais fácil apreensão pelos que vierem a estudá-lo no futuro.

Um primeiro passo foi dado e outros seguirão esta senda porque é preciso dotar a Umbanda de todo conhecimento sobre o Divino, tornando-a independente das interpretações alheias e pertencentes a outras religiões porque muitas delas são adversárias ferrenhas da nossa.

9
Gênese do Ser, Sete Planos da Vida

9.1 Os Fatores e as Ondas Fatorais

As ondas fatorais que fluem no Primeiro Plano da Vida são transportadoras de fatores Divinos, aos quais elas vão atraindo, transportando e espalhando no decorrer dos seus percursos.

Cada tipo de onda fatoral obedece a uma forma ou comprimento de onda, pois seu magnetismo específico só atrairá um tipo de fator, e ainda assim só a parte que lhe cabe, pois, como um fator é formado de quatro partes, cada um possui quatro tipos de ondas transportadoras, cada uma transportando uma de suas partes. Sendo assim, se temos sete fatores Divinos que mais se destacam porque são os preponderantes em nossa vida e em nossa evolução, então temos vinte e oito tipos de ondas fatorais.

Um fator é formado por quatro partes: duas positivas e duas negativas. Sendo as duas ondas positivas, uma é masculina e a outra é feminina. E o mesmo acontece com as suas partes negativas.

A distribuição das partes de um fator de Deus se dá dessa forma num gráfico:

Nos sinais + e –, temos um recurso que facilita a leitura de um fator,

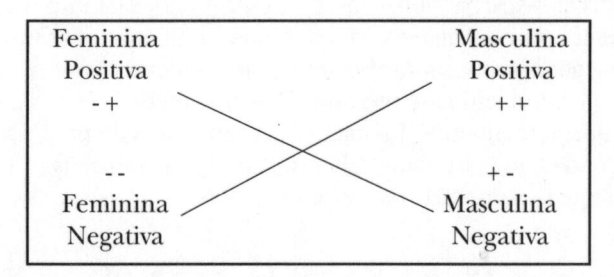

Feminina Positiva - +	Masculina Positiva + +
- - Feminina Negativa	+ - Masculina Negativa

pois, conforme a casa que o sinal ocupa, vai assumindo esses significados:

1º + = masculino
1º – = feminino
2º + = positivo
2º – = negativo
3º + = passivo
3º – = ativo
4º + = irradiante
4º – = absorvente

Enfim, a ordem é esta: gênero, polaridade magnética, fluidez ou tipo de onda e irradiação ou tipo de magnetismo.

Gênero: porque tudo na criação Divina obedece à dupla criação. Tudo está dividido em macho e fêmea ou masculino e feminino.

Polaridade: tudo na criação obedece à polaridade positiva ou universal e negativa ou cósmica.

Irradiação ou tipo de magnetismo: tudo na criação obedece aos tipos de ondas, sendo classificadas como ondas passivas ou ativas.

Magnetismo: tanto pode ser absorvente quanto irradiante.

Enfim, há toda uma ciência sobre os magnetismos e nosso comentário é limitado, não comportando sua abertura total ao plano material da Vida, todo influenciado por ondas magnéticas.

Uma onda fatoral só transporta os fatores de Deus que seu magnetismo atrai, levando-os para onde estejam em falta.

Porém, quando uma onda fatoral passa pelo campo de um polo magnético, ela é magnetizada e adquire uma nova função: passa a gerar o fator que antes só transportava.

Uma *onda fatoral magnetizada* gera, mas não irradia, sobrecarregando-se de tal forma, que as ondas eletromagnéticas as atraem e as incorporam aos *seus fluxos,* absorvendo os fatores gerados por elas, que são fundidos com outros fatores, dando origem às essências espalhadas por esses fluxos eletromagnéticos.

Quando essas ondas fatorais magnetizadas passam por polos eletromagnéticos, eletrizam-se e passam a absorver outras ondas fatorais magnetizadas e a gerar essências, às quais vão acumulando até que se transmutam em ondas eletromagnéticas, multiplicando a onda *eletromagnética* que a havia incorporado e conduzido até um polo eletromagnético.

Pelo que comentamos, dá para se ter uma ideia do processo multiplicativo das ondas que circulam pela criação Divina em seus muitos planos da Vida, os quais comentaremos a seguir.

9.2 Primeiro Plano da Vida — O Plano Fatoral

Este plano Divino é onde os espíritos gerados por Deus permanecem em "repouso", logo após serem gerados.

Este plano é sustentado pelos orixás fatorais ou fatoradores dos espíritos gerados por Deus.

É um plano formado pela energia Divina, em cujo meio, saturado de fatores Divinos, os seres vão sendo atraídos pelas ondas vivas, a elas vão sendo ligados, e nelas vão sendo imantados com o magnetismo que dará a cada um deles um magnetismo individual, uma qualidade Divina e uma natureza "pessoal" que o direcionará dali em diante, pois a sua qualidade primeira ou Divina o influenciará por todo o sempre.

Estes seres ainda são minúsculas "células-máter" fecundadas que não têm consciência de nada, e se é certa essa comparação, podemos dizer que são zigotos.

Eles permanecem em repouso dentro desse imensurável oceano energético Divino, todo formado pela energia Divina, que é em si os fatores de Deus.

Esses fatores de Deus são o próprio meio gerador da vida, pois ninguém sabe ou pode revelar onde e como realmente Deus gera os seres. Apenas vão surgindo pequenos pontos luminosos que pulsam intermitentemente, que já são em si novos seres gerados por Deus, que vão sendo atraídos pelas ondas fatoradas irradiadas pelos orixás fatorais, que vão imantando-os com os magnetismos que fluem através das suas ondas, e vão qualificando-os segundo a qualidade Divina de cada uma delas. O número de ondas ou os "tipos" delas, não é possível descrever, pois é infinito. São tantos os tipos, cada uma irradiando uma qualidade Divina, que nos limitamos às sete ondas vivas que chegam até nós aqui na dimensão humana, sem nunca sofrerem uma quebra de continuidade, pois uma onda viva fatoral sai de um plano e "atravessa" os outros seis planos da Vida posteriores, e do sétimo segue para o próximo, já em nível celestial, dando a impressão de que ela saiu de Deus, fez todo um percurso através dos muitos planos da Vida e retornou a Ele, fechando um círculo que atravessa toda a criação Divina e retorna à sua origem.

As sete ondas fatorais que nos interessam são estas:
1ª Onda Fatoral — onda congregadora — cristalina;
2ª Onda Fatoral — onda agregadora — mineral;
3ª Onda Fatoral — onda expansora — vegetal;
4ª Onda Fatoral — onda equilibradora — ígnea;
5ª Onda Fatoral — onda ordenadora — eólica;
6ª Onda Fatoral — onda evolucionista — telúrica;
7ª Onda Fatoral — onda criacionista — aquática.

Estas sete ondas vivas e Divinas são as fundamentais aos nossos comentários, pois dão sustentação à gênese Divina e chegam até o plano material da vida da dimensão humana.

Neste primeiro plano Divino da Vida, as ondas fatorais vão atraindo os seres recém-gerados por Deus, imantando-os, magnetizando-os com uma qualidade e conduzindo-os até que alcancem as dimensões essenciais, cujas sutilíssimas energias essenciais são resultantes da fusão dos fatores que formam a energia Divina que satura o Plano Fatoral da Vida.

Nesse plano, o ser gerado por Deus é imantado pelos seus fatores Divinos, que são vivos e, ao se fundirem, dão sustentação ao novo ser que, aos nossos olhos, são semelhantes a uma centelha pulsante. Umas são azuis, outras são verdes, outras vermelhas, etc., com todas se movendo incessantemente até que "aderem" a uma onda fatoral, que as atrai e as imanta, envolvendo-as numa "névoa" multicolorida que vai sendo absorvida.

Quando a internalização se completa, o novo ser absorveu uma herança genética Divina completa que irá desdobrar-se pouco a pouco. E, a cada estágio evolutivo, parte dela aflorará e passará a existir no ser como sua forma, sua natureza íntima, seu magnetismo e vibração, sua qualidade Divina e sua ancestralidade.

O ser, após ter sido acolhido por uma onda fatoral, começa a ser influenciado pelo Trono fatoral que está irradiando-a, e esta liga-se ao centro da centelha, criando um cordão Divino que o alimentará dali em diante e por toda a eternidade, enviando-lhe continuamente um fluxo de energias Divinas (fatores vivos) que o sustentará vivo onde quer que venha a estar. Este cordão Divino dá ao ser a imortalidade, pois o manterá ligado a Deus.

Então, quando a centelha tiver sua imantação e magnetização completadas pelo Trono fatoral que o atraiu, já será em si uma qualidade de Deus individualizada num ser gerado por Ele.

Esta qualidade Divina do novo ser lhe dará uma natureza e um grau magnéticos análogos aos do Trono fatoral, que velará por sua vida dali em diante. É por isto que no culto aos sagrados orixás nós identificamos uns como filhos de Ogum, outros como filhos de Xangô, outros como filhos de Oxóssi, etc., pois em nível Terra as divindades que respondem por estes nomes são os "membros" naturais das hierarquias Divinas dos Tronos de

Deus, que têm início nos Tronos fatorais, onde uns são Tronos ordenadores da gênese Divina (Tronos Oguns), outros são Tronos agregadores da criação Divina (Tronos Oxuns), outros são Tronos geradores das coisas Divinas (Tronos Iemanjás), etc.

A geração é contínua neste primeiro plano, e à medida que todos os que nele são gerados amadurecem, as próprias ondas fatorais os conduzem ao Segundo Plano da Vida, o Plano Essencial da Vida.

9.3 Segundo Plano da Vida — O Plano Essencial

Esta fase da vida é chamada de essencial porque os seres serão "alimentados" por essências, que absorverão até que a centelha diáfana, que ainda são, torne-se parecida com um casulo ou um ovóide.

As essências que absorvem vão acumulando-se dentro da centelha e vão ocupando todo o espaço interno, até preenchê-la por completo e circundá-la, dando-lhe a forma ovalada. Então vão acumulando-se até formar uma "casca" protetora da centelha viva, que o ser ainda é.

Todos os seres, assim que são fatorados, magnetizados e qualificados com uma qualidade Divina, assumem a aparência de pequeninas estrelas. Por isso dizemos que são centelhas que pulsam continuamente. São "estrelinhas" e podemos, já no estágio fatoral, saber qual a onda fatoral viva que as está sustentando, porque, conforme o formato da estrela ou centelha, indica qual é o Orixá ou Trono de Deus que a está irradiando.

Sim, cada Orixá possui sua estrela que identifica a onda fatoral a que o ser está ligado, porque é um gerador do fator que ela transporta e o irradiador da qualidade Divina que sustenta os seres regidos por ele, e que vivem à sua volta e sob sua irradiação Divina, da qual só se afastarão quando amadurecerem e estiverem aptos a iniciar novo estágio evolutivo. Os orixás Naturais mostram suas estrelas vivas e elas são visíveis para nós, quando os vemos assentados em seus tronos energéticos.

A onda fatoral irradiada pelo Orixá projeta-se até o mental do ser regido por ele, penetra-o e alcança a centelha da vida (estrela) que o anima e o mantém vivo, alimentando-o continuamente, não permitindo que em momento algum corra o risco de parar de pulsar, tal como um coração em suas batidas ritmadas.

Esta estrela está lá, protegida pela casca essencial ou revestimento cristalino, formada pela cristalização das essências absorvidas pelos seres quando viveram no Segundo Plano da Vida.

Se no Primeiro Plano o ser era uma centelha viva com o formato de uma estrela que "piscava", no Plano Essencial ele se mostra como uma bola ovalada que acende e apaga em intervalos regulares, mostrando dentro dela os nítidos contornos de uma estrela.

Quando o mental ou ovóide se acende, o ser está irradiando e devolvendo ao meio onde vive as essências que não usou, pois quando o ovóide se apaga, na verdade ele está absorvendo essências que o alimentam e sustentam o desenvolvimento da sua qualidade original e, de acordo com a essência que mais absorver, esta a qualificará.

Quando um ser torna-se apto a ser conduzido ao Plano Elemental da Vida, um "disco" muito sutil já se formou ao redor dele, que ainda é só um mental pulsante e totalmente inconsciente de si ou da realidade essencial onde vive e desdobra sua genética Divina.

Saibam que este disco diáfano ao redor do mental do ser assemelha-se ao planeta Saturno e seus anéis coloridos, formados por poeira cósmica.

Este disco mental diáfano nada mais é que o campo eletromagnético do ser, ainda muito sutil, pois é formado por ondas mentais puras saturadas de essências que estão se cristalizando e formando um campo protetor ao redor da "estrela viva", que é em si a forma do "DNA" Divino que deu origem ao ser assim que, na sua geração Divina, as partes masculinas e femininas de um fator fundiram-se, originando-o.

Este campo protetor ao redor do mental do ser virginal se mostra assim:
É um disco ovalado e cada círculo é de uma cor, sendo a cor mais interna

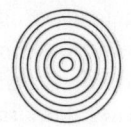

a do ser cuja natureza já foi "qualificada". As cores das essências são:

Essência ordenadora: azul-escuro (Ogum essencial);
Essência geradora: azul-claro (Iemanjá essencial);
Essência evolutiva: roxo (Obaluaiê essencial);
Essência direcionadora: amarelo (Iansã essencial);
Essência congregadora: dourado (Oxalá essencial);
Essência equilibradora: vermelho-vivo (Xangô essencial);
Essência agregadora: rosa (Oxum essencial);
Essência expansionista: verde (Oxóssi essencial);
Essência consumidora: laranja (Oro Iná essencial);
Essência decantadora: lilás (Nanã Buruquê essencial);
Essência desmagnetizadora: prata (Oiá essencial);
Essência paralisadora: roxo-escuro (Omolu essencial);
Essência concentradora: magenta (Obá essencial);
Essência diluidora: furta-cor (Oxumaré essencial).

Essas são as cores das essências e dos orixás virginais, que são os tronos essenciais de Deus. Se afirmamos isso com convicção é porque podemos ver os Tronos essenciais, suas estrelas vivas da vida pairando acima de suas coroas e suas irradiações essenciais, que parecem fagulhas coloridas que vão saindo de seus corpos e tronos energéticos, coroas e estrelas, e vão fluindo através das suas ondas magnéticas que irradiam o tempo todo e em todas as direções, alcançando todos os seres atraídos pelos seus magnetismos Divinos, e essenciais à vida no seu Segundo Plano dentro da gênese Divina.

9.4 Terceiro Plano da Vida — O Plano Elemental ou Energético

Quando o ser desenvolve o seu campo magnético protetor do mental e as sete faixas estão bem definidas, então ele está apto a ser conduzido ao Plano Elemental ou Energético da Vida, no qual começará a "alimentar-se" de energias e não mais de essências puras.

O Terceiro Plano da Vida, elemental ou energético puro, destina-se a acolher os seres que amadureceram, desenvolveram toda uma proteção magnética ao mental e estão prontos para dar início ao desdobramento genético dos seus "corpos", cujo primeiro corpo é o elemental básico.

Esse corpo elemental básico assemelha-se ao citoplasma de uma célula, porém alongado verticalmente. No início desse estágio da Vida, os seres o têm ainda pequeno, mas, à medida que o corpo elemental básico vai crescendo, essa proteção também vai se expandindo e agindo como a parede de uma célula, que absorve os nutrientes e vai internalizando-os por osmose.

Os seres, já elementais, tanto absorvem energias elementais puras do meio onde vivem como recebem energias irradiadas pelos Tronos responsáveis pelo seu amparo e evolução.

Saibam que as energias elementais nada mais são que a condensação de essências amalgamadas em quantidades específicas e que vão dando origem às energias cristalinas, mineral, vegetal, ígnea, eólica, telúrica e aquática.

Os tronos elementais projetam ondas mentais de suas estrelas da vida para todos os seres ligados a eles por cordões vivos, nutrindo-os com a quantidade exata de energias necessárias para que seus corpos básicos desenvolvam-se.

Nesse estágio, os seres assemelham-se aos fetos no útero de suas mães, onde são alimentados pelo cordão umbilical.

Todo ser elemental é alimentado atravéz de um cordão energético puro, que vai perdendo sua utilidade à medida que o corpo elemental básico vai desenvolvendo seus órgãos básicos e vão surgindo os chacras ou órgãos captadores das energias elementais do meio onde vivem.

Quando os chacras alcançam a plenitude na captação e internalização das energias circulantes no meio em que vivem, os cordões energéticos se rompem e daí em diante eles adquirem liberdade de movimentação nas dimensões nas quais vivem.

Sim, o Terceiro Plano da Vida possui sete dimensões elementais básicas, cada uma com sete faixas vibratórias ou sete níveis de evolução, tal como a dimensão humana possui as suas, em que dentro de cada uma só permanecem os espíritos com o mesmo grau de evolução.

As sete dimensões elementais que formam o Terceiro Plano da Vida são:
Dimensão Elemental Básica Cristalina;
Dimensão Elemental Básica Mineral;
Dimensão Elemental Básica Vegetal;
Dimensão Elemental Básica Ígnea;
Dimensão Elemental Básica Eólica;
Dimensão Elemental Básica Telúrica;
Dimensão Elemental Básica Aquática.

Estas sete faixas são duplas, tendo uma polaridade magneticamente positiva e irradiante e outra magneticamente negativa e absorvente.

As faixas positivas e irradiantes expandem o magnetismo mental dos seres. As faixas negativas e absorventes concentram o mental dos seres, afixando-os numa só qualidade ou faculdade mental, impedindo que se fixem em sentimentos ilusórios ou abstracionistas.

Esta dupla polaridade das faixas elementais é fundamental para que os instintos se resumam apenas ao indispensável à manutenção da vida no seu terceiro plano e estágio evolutivo.

Bom, o fato é que as dimensões elementais básicas do Terceiro Plano da Vida projetam correntes eletromagnéticas energizadas para o Quarto Plano, onde se fundem e criam as dimensões elementais duais ou bielementais.

Os seres desenvolvem nas sete dimensões básicas elementais os seus corpos elementais e magnetismos mentais. E quando estão aptos ao estágio dual da Evolução, então são conduzidos ao Quarto Plano da Vida, onde entrarão em contato com o seu segundo elemento. Este segundo elemento dará formação ao seu emocional, que formará seu polo magnético negativo.

9.5 Quarto Plano da Vida — Plano ou Estágio Dual da Evolução

O Quarto Plano da Vida é conhecido como estágio dual da Evolução dos seres, porque é nele que um ser elemental entra em contato com energias que acelerarão seu pulsar magnético, ou o desacelerarão.

O Quarto Plano da Vida é chamado de dual porque os seres "formados" em um elemento entrarão em contato e internalizarão um outro elemento, que não só o excitará ou apatizará, como ajudará a formar seu emocional.

A dualidade entre razão e emoção é o objetivo da vida nesse plano, pois os seres ficam expostos aos instintos básicos de sobrevivência até adquirirem um equilíbrio entre os dois polos magnéticos mentais, que regularão sua evolução.

Todas as dimensões do Quarto Plano são formadas, preponderantemente, por dois elementos básicos, que se combinam ou se potencializam.

Quando se combinam, nós os chamamos de elementos complementares. Quando se potencializam, nós os chamamos de elementos polarizadores.

Ar e água se combinam, ar e fogo se polarizam, potencializando-se. Cristal e mineral se combinam, cristal e fogo se polarizam.

É dessa combinação ou polarização que se serve o Divino Criador para "amadurecer" os seres "elementais", ora emocionando-os, ora apatizando-os.

Esse processo não é desodernado e os Tronos responsáveis pelo estágio dual da Evolução são os mais rigorosos, atentos e vigilantes em toda a classe de divindades "Tronos de Deus".

São vigilantes porque seus domínios são os dos instintos básicos, e têm de manter o equilíbrio interno à custa de uma vigilância permanente sobre os seres que regem.

São atentos porque um descuido pode dar origem a criaturas aberrantes.

São rigorosos porque tudo tem um limite na natureza, mesmo a emotividade individual dos seres sob suas regências.

O estágio evolutivo dual é o mais difícil de todos, e assemelha-se à adolescência dos jovens do plano material, no qual a natureza instintiva aflora e cada jovem tem de ser "trabalhado" o tempo todo por seus pais e irmãos mais velhos, devido à rebeldia natural contra os valores preestabelecidos como normas de conduta.

Os jovens adolescentes são muito emocionais, aventureiros, sonhadores e impulssivos.

Transportem esse comportamento para seres instintivos e emotivos e terão uma ideia da complexidade do estágio dual da Evolução, que acontece nas trinta e três dimensões da Vida, em seu Quarto Plano.

Essas trinta e três dimensões são diferenciadas pelos seus elementos primários e os que os complementam ou polarizam-se com eles.

Portanto, uma dimensão ar-fogo não é a mesma que uma dimensão fogo-ar.

Na dimensão ar-fogo vivem seres elementais eólicos que estão incorporando o seu segundo elemento, que, por ser ígneo, se polariza e reduz sua vibração magnética, aquietando-os.

Já na dimensão fogo-ar, vivem seres ígneos que estão incorporando o seu segundo elemento, que por ser eólico polariza-se e eleva suas vibrações magnéticas, emocionando-os.

Essa diferença deve ser observada, caso queiram entender o Quarto Plano da Vida.

Vamos enumerar as trinta e três dimensões duais do nosso planeta e classificar os seres que vivem e evoluem nelas. Tenham em mente que o primeiro elemento dá a qualidade da natureza individual de um ser, e o segundo elemento, sua qualificação.

As 33 Dimensões Duais que Formam o Quarto Plano da Vida

Essas dimensões são chamadas "duais", porque têm tudo o que as dimensões elementais básicas possuem, mas também possuem um segundo elemento que, complementando ou polarizando-se com um outro elemento básico, dão origem a um composto energético misto, cuja finalidade é fazer aflorar os instintos básicos dos seres, os quais serão trabalhados até que o corpo emocional tenha se formado e alcançado um ponto de equilíbrio vibratório com o racional.

Este corpo emocional é importantíssimo na vida dos seres, pois será um sinalizador que detectará tudo o que contrariar a natureza íntima de cada um.

Quem vê um ser elemental aquático vê todos, pois todos são idênticos. Mas quem vê um ser do Quarto Plano já nota uma acentuada individualização, pois manifesta gostos e atitudes nem sempre compartilhadas pelos outros membros do seu grupo.

No quarto Plano da Vida acontece esta individualização de forma ainda inconsciente, pois é instintiva. O ser não tem noção de suas reações a certas situações e reage por instinto. Seus sentidos alertam-no sobre qualquer alteração do meio onde vive, tal como uma criança se assusta com o que não conhece, ou como os animais que pressentem uma tempestade bem antes de nós, os seres "conscientes".

Tudo é instintivo, e as reações visam a preservar o ser, que vai apurando cada vez mais a sua sensitividade ou percepção sobre seu meio, suas companhias, suas afinidades, etc.

A maioria das pessoas crê que Deus cria os espíritos já plenos em si e que é só encarnarem para que essa plenitude "espiritual" mostre-se. Mas a verdade é outra e todo ser vai amadurecendo nos estágios evolutivos, cada um atendendo a um desdobramento da nossa gênese Divina.

Portanto, o estágio dos seres que vivem no planeta Terra (em suas 33 dimensões) acontece no Quarto Plano da Vida, ou Plano Dual e bielemental.

Se estamos limitados ao plano material ou ao plano espiritual da dimensão humana da Vida, outras existem e também atendem às necessidades da criação Divina.

Vamos listar as trinta e três dimensões duais do Quarto Plano da Vida:

DIMENSÕES CRISTALINAS:	1 — Cristalina — Mineral
	2 — Cristalina — Vegetal
	3 — Cristalina — Telúrica
	4 — Cristalina — Ígnea
	5 — Cristalina — Eólica
	6 — Cristalina — Aquática
DIMENSÕES MINERAIS:	7 — Mineral — Aquática
	8 — Mineral — Cristalina
	9 — Mineral — Ígnea
	10 — Mineral — Telúrica
DIMENSÕES VEGETAIS:	11 — Vegetal — Eólica
	12 — Vegetal — Aquática
	13 — Vegetal — Telúrica
	14 — Vegetal — Cristalina
	15 — Vegetal — Mineral
DIMENSÕES ÍGNEAS:	16 — Ígnea — Cristalina
	17 — Ígnea — Mineral
	18 — Ígnea — Eólica
	19 — Ígnea — Telúrica
DIMENSÕES EÓLICAS:	20 — Eólica — Cristalina
	21 — Eólica — Aquática
	22 — Eólica — Ígnea
	23 — Eólica — Vegetal
DIMENSÕES TELÚRICAS:	24 — Telúrica — Aquática
	25 — Telúrica — Vegetal
	26 — Telúrica — Mineral
	27 — Telúrica — Cristalina
	28 — Telúrica — Ígnea
DIMENSÕES AQUÁTICAS:	29 — Aquática — Eólica
	30 — Aquática — Cristalina
	31 — Aquática — Vegetal
	32 — Aquática — Mineral
	33 — Aquática — Telúrica

Cada uma dessas dimensões é regida por um Trono Divino, que é auxiliado por outros Tronos duais, sempre formando uma coroa regente de dimensão.

Por serem extremamente polarizadas por causa da fusão de duas energias elementais, as dimensões duais são fechadas e os acessos a elas são vigiadíssimos por Tronos guardiões portadores de "armas".

Para entrar numa dimensão dual é preciso obter autorização dos Tronos guardiões dessas passagens. Se alguém tenta volitar para dentro de uma delas por conta própria, um tipo de rede eletromagnética o reterá. E não pensem que alguém vai libertá-lo, porque não vai!

Esses guardiões são rigorosos, sisudos e calados, limitando-se à comunicação mental indispensável à identificação, assemelhando-se muito aos sentinelas de bases militares do plano material. Entram ali somente os seres autorizados pelos Tronos regentes de outras dimensões, e ainda assim por tempo limitadíssimo, restrito apenas à função que foram desempenhar.

Mas toda esta precaução tem sua razão, pois nessas dimensões duais os instintos mais primitivos dos visitantes podem aflorar e lançá-los numa regressão consciencial e numa exacerbação do emocional, dando origem a deformações assustadoras em seus órgãos energéticos dos sentidos, assim como à paralisação de suas faculdades mentais.

Esses Tronos duais estão presentes no Ritual de Umbanda Sagrada, pois suas hierarquias são gigantescas e fundamentais para a evolução planetária, já que os seres que "regridem" acabam retornando ao estágio dual da Evolução, no Quarto Plano da Vida, onde são afixados em alguma faixa vibratória de uma dessas dimensões, na qual só uma faculdade será trabalhada pelo ser, sempre visando a seu benefício.

Esses Tronos duais são respeitadíssimos pelos seres encantados do Quinto Plano da Vida e são temidos pelos seres naturais do Sexto Plano, pois, se um deles começar a atrair alguém aos seus "domínios" no Quarto Plano da Vida, é porque esse alguém está falhando em algum sentido da Vida.

A primeira vivenciação dos seres elementais nas dimensões duais é sinal de evolução. Mas um retorno forçado a alguma delas é sinal de regressão. Logo, todos as evitam, as temem e só vão até elas se for a serviço dos Tronos encantados ou dos Tronos naturais, ou se forem atraídos pelos seus regentes, sempre vigilantes sobre os seres que já estagiaram e evoluíram sob suas Divinas irradiações duais.

Afinal, dizem os Tronos duais, "um litro de água cristalina não purifica meio copo de água podre, mas uma gota de água podre e suja envenena um litro de água cristalina".

9.6 Quinto Plano da Vida — O Plano Encantado

Este plano da Vida é formado por 49 dimensões trienergéticas, pois o "meio ambiente" delas é formado por combinações de energias elementais puras amalgamadas com energias mistas das dimensões elementais duais.

As bases dessas dimensões encantadas são as energias mistas que, acrescidas de uma terceira energia elemental pura, criam as condições ideais para que no Quinto Plano da Vida os seres, já com o emocional desenvolvido e equilibrado, apurem a sensibilidade, a sensitividade e a percepção, depurando suas faculdades mentais dos vícios dos instintos básicos da vida.

Essas dimensões trienergéticas são distribuídas assim:

Sete Cristalinas;
Sete Minerais;
Sete Vegetais;
Sete Ígneas;
Sete Eólicas;
Sete Telúricas;
Sete Aquáticas.

Tal como nas dimensões duais, estes são elementos básicos ou os primeiros elementos. Quanto aos outros dois, o segundo repete as dimensões duais e o terceiro entra como elemento neutralizador, ativador ou apassivador.

Todas as hierarquias são polarizadas porque as dimensões encantadas destinam-se a abrir os sentidos e as faculdades dos seres e a apurar sua individualização amparados pelas vibrações mentais das divindades que regem essas dimensões trienergéticas.

Assim sendo, um ser dual no Quinto Plano da Vida manterá sua qualidade e sua qualificação mas acrescentará um campo bem definido, no qual se distinguirá, se afixará e permanecerá, até que todas as faculdades mentais de um dos sete sentidos tenham aflorado e tenham sido trabalhadas, conscientizando-o sobre si mesmo, pois já não é um ser movido pelos instintos, mas sim por um dos sete sentidos da Vida.

Saibam que um ser, quando deixa o Quarto Plano da Vida e é conduzido ao Quinto, já tem bem definido o terceiro elemento que irá amoldá-lo e direcionar sua evolução "encantada".

Se denominamos este estágio evolutivo de "Encantado", é porque no Quinto Plano da Vida os Tronos regentes atuam por meio dos "sentidos" dos seres, conduzindo-os de tal forma que as faculdades relacionadas a um sentido afloram e amadurecem, expandindo a capacidade mental deles.

Como cada sentido está relacionado a um fator, uma essência, um elemento, uma energia, um magnetismo planetário e uma vibração Divina, então nós chamamos esses seres do Quinto Plano da Vida de:

Encantados Cristalinos;
Encantados Minerais;
Encantados Vegetais;
Encantados Ígneos;
Encantados Eólicos;
Encantados Telúricos;
Encantados Aquáticos.

Cada um desses reinos está voltado para o despertar de uma faculdade relacionada com um sentido da Vida. Se pertencer a uma dimensão da Fé ou cristalina, ali o ser só desenvolverá uma faculdade da fé, e nada mais.

Isto ocorre porque no Quinto Plano os seres deixaram de ser guiados pelos instintos e começam a ser guiados pelos sentidos da Vida, que são mentais, enquanto os instintos são regidos pelo emocional. Os seres do Quinto Plano da Vida vão se tornando, cada vez mais, senhores de suas faculdades mentais relacionadas com um dos sete sentidos da Vida, a ponto de chegar um momento em que se tornam irradiadores naturais de vibrações mentais capazes de movimentar energias relacionadas a eles, assim como se tornam geradores naturais de um composto energético triplo, mas no qual predomina a energia que o distingue. Se é um ser mineral, será a energia mineral que predominará nas suas gerações e irradiações energéticas, capazes de envolver alguém e despertar de imediato sentimentos relacionados com a energia que irradia o tempo todo.

Um ser encantado plenamente desenvolvido nas muitas faculdades de um dos sete sentidos da Vida é, em si mesmo, um manifestador natural desse sentido da Vida, irradiando uma energia que é absorvida pelo nosso sentido correspondente e que faz com que aflorem em nós sentimentos relacionados com o "encanto" do ser encantado.

Na falta de um termo que defina melhor isso que acontece no Quinto Plano da Vida, podemos defini-lo como um estágio "encantado", porque se um espírito (nós) for envolvido pelas irradiações de um ser encantado que irradie a fé, esse espírito se voltará totalmente para as coisas da fé. Então, ele irá viver sua fé com ardor, ou se sentirá infeliz.

Os Tronos encantados exercem essa função: encantar os seres colocados sob suas regências Divinas. Logo, um ser encantado por um Trono encantado cristalino ou Trono da Fé, só se sentirá pleno em si mesmo se vivenciar intensamente sua religiosidade, toda voltada para o Mistério da Fé irradiado pelo seu Trono regente, chamado por ele de "Pai" ou "Mãe".

Os Tronos são chamados de "Pai" ou "Mãe" pelos seres que vivem sob sua irradiação direta; são chamados de "Senhor meu Pai" ou "Senhora minha Mãe" pelos seres que vivem sob sua irradiação direta; e são chamados de "meu Senhor" ou "minha Senhora" pelos seres que vivem sob outras irradiações.

No Quinto Plano da Vida, os seres vivem as suas divindades com tanta intensidade que, quando um ser encantado vem visitar a dimensão espiritual, tem dificuldade para entender por que os espíritos encarnados vivem duvidando da existência de Deus e de Suas divindades.

Mas assim que descobrem que até eles, caso voltem seus olhos para seus regentes encantados, os verão distantes, se conformam com as dificuldades dos espíritos encarnados em internalizar as irradiações das divindades, assim como entendem a importância que os templos assumem em nossa vida nos aspectos da Fé, pois dentro de um, aí sim, as divindades de Deus são vistas de frente e parecem estar bem diante de nós, os espíritos encarnados.

Outra forma de termos de frente para nós uma divindade, é "assentando-a" em nosso templo ou irmos ao ponto de forças da natureza onde ela tem seu santuário natural e onde podemos oferendá-la e reverenciá-la naturalmente.

Este é o fundamento das divindades na Umbanda: elas são reverenciadas em nosso templo ou nos pontos de forças da natureza, pois nestes dois locais elas estarão de frente para seus filhos.

Bem, o fato é que o Quinto Plano da Vida é formado por quarenta e nove dimensões trienergéticas e cada dimensão possui sete faixas vibratórias positivas e irradiantes, sete faixas vibratórias negativas e absorventes e uma faixa neutra, que é a entrada para os seres que superaram o estágio dual do Quarto Plano da Vida.

9.7 Sexto Plano da Vida — Plano Natural ou Estágio do Desenvolvimento da Consciência Plena

O Sexto Plano da Vida é o mais complexo porque nele vivem os seres cujo estágio evolutivo destina-se ao desenvolvimento da consciência plena.

Neste estágio, o livre-arbítrio permite que os seres tomem iniciativas por conta própria. Por outro lado, devem arcar com as consequências que advirão, caso transgridam os limites impostos a todos pela Lei Maior.

Saibam que o livre-arbítrio não é ilimitado e muitos, ao ultrapassarem a tênue linha do permissível, sofrem os fatídicos choques de retorno, pois para cada ação acontece uma reação.

O Sexto Plano da Vida é formado por setenta e sete dimensões naturais, todas erigidas em torno de um eixo magnético central que une todas ao Divino Trono das Sete Encruzilhadas, o amado regente Divino do nosso planeta e das suas muitas dimensões.

Desde o Terceiro Plano da Vida, ou estágio elemental da Evolução, tudo e todos são regidos pelo Divino Trono das Sete Encruzilhadas, pois ele é em si mesmo a individualização de Deus que deu origem ao planeta Terra.

Cada um desses planos está ligado a ele, em cujas telas magnéticas multidimensionais ressonam as vibrações dos seres, das criaturas e das espécies, formando um todo indivisível de si mesmo.

Nós, sabendo disso, temos a impressão de que as lendas e os mitos acerca da criação Divina referem-se ao Divino Trono das Sete Encruzilhadas e à gênese do planeta Terra.

O fato é que, a partir de seu eixo magnético natural, o Divino regente planetário rege as setenta e sete dimensões naturais do Sexto Plano da Vida.

Sua regência é de tal forma sincronizada, que as correntes eletromagnéticas transportadoras de energias naturais fatoradas formam uma tela energética tão complexa que temos a impressão de que tudo é parte de um todo.

As 77 dimensões naturais abrigam tantos seres que é impossível quantificá-los. E todos estão vivenciando um estágio evolutivo semelhante ao nosso, o espiritual humano, pois todos estão "conscientizando-se".

Esta conscientização é algo difícil de ser comentado, porque o próprio grau de entendimento das pessoas torna nosso comentário algo vago ou abstrato. Então dizemos que, se no estágio dual da Evolução, que acontece no Quarto Plano da Vida, os seres são instintivos e o que é trabalhado são os instintos básicos de sobrevivência, pois os seres são muito "emocionais" e sensíveis, no estágio natural da Evolução, que acontece no Sexto Plano da Vida, os seres trabalham a consciência, porque são racionais e perceptivos.

No Sexto Plano da Vida, o ser tem consciência de si e do meio em que vive e evolui e tenta influir na sua própria evolução, porque não é movido pelos instintos e sim pela razão.

Naturalmente, ele vai buscando o que sente que é bom para si, mas também vai acumulando experiências sem se deixar paralisar pelas que foram ruins ou desagradáveis. Então, lentamente o ser vai amadurecendo e seu instinto de sobrevivência vai dando lugar a uma natureza preservacionista da vida e do meio em que vive e evolui.

Esta natureza preservacionista da vida não se limita só a um aspecto, pois ela é abrangente e exterioriza-se por meio dos sete sentidos da Vida. Com isto acontecendo em seu íntimo, ele vai sentindo-se parte do todo e vai desenvolvendo faculdades que o direcionam num rumo em que, pouco a pouco, vai sublimando seus relacionamentos e seu emocional vai transmutando-se, tornando-se unicamente um identificador natural do que preserva a vida e do que a anula.

Essa transmutação do emocional é fundamental para a consciência, pois, enquanto ela não acontecer, o ser está sujeito a quedas vibratórias, choques emocionais, desequilíbrios mentais e ao instintivismo, porque sua consciência não terá a estabilidade necessária para que possa trabalhar racionalmente suas dificuldades ou as de seus semelhantes.

Conhecemos casos clássicos de pessoas tidas como exemplos pelos seus pares que, de repente, fraquejaram diante de certas dificuldades e suicidaram-se. Outras dementam-se e outras cometem atos inimagináveis.

Temos também, como exemplo dessa não transmutação do emocional, os casais que não se amam, não se suportam, não se tocam e vivem se agredindo física e verbalmente, em vez de se separarem e redirecionarem suas vidas.

Outro exemplo clássico são os furtos praticados por pessoas que acham que o que tiram de seus semelhantes, à socapa ou violentamente, ficará impune diante da Lei Maior, já que à lei dos homens conseguem fugir.

Saibam que o eixo magnético do Divino Trono Planetário projeta telas eletromagnéticas sensibilíssimas, nas quais todos os pensamentos ressonam e automaticamente são identificados como "retos" ou "tortos".

Todos os pensamentos, atos e palavras ressonam nas telas eletromagnéticas planetárias e multidimensionais, onde são armazenadas, tal como numa fita magnética, e só deixarão de retornar aos seres quando cada um, conscientemente, reparar seus erros, falhas e pecados e anular toda ressonância identificada como negativa na sua tela eletromagnética individual, que é o disco eletromagnético existente em torno do seu mental.

Todos os seres têm um finíssimo cordão magnético ligando-os ao eixo eletromagnético do Divino Trono Planetário e às suas sete telas refletoras multidimensionais.

Então, assim que alguém vibra ódio contra um semelhante, esta vibração ressona no eixo e em alguma das telas que, no retorno vibratório, grava no disco eletromagnético uma vibração dissonante e desarmônica, que ficará impressa e ressonando na mente da pessoa que projetou mentalmente a vibração de ódio.

Com o tempo e o despertar da consciência, essa ressonância a incomodará, mesmo que não perceba.

Enfim, o Sexto Plano da Vida é magnífico, porque nele os seres assumem suas responsabilidades com a vida e tornam-se auxiliares do Divino Criador e Senhor nosso Deus.

9.8 Sétimo Plano da Vida — O Plano Celestial

O Sétimo Plano da Vida é onde se processa a evolução "celestial" dos seres. Quem vive neste plano excelso já está num estágio de desligamento do nosso planeta e sendo conduzido a uma "mentalização" em todos os sentidos, no qual se abrirão faculdades sequer imaginadas pelos seres que vivem a realidade do Sexto Plano.

Até o ponto que é permitido revelar, saibam que este Sétimo Plano é realmente o sétimo céu, pois todos os seres que vivem nele sublimaram-se nos sete sentidos da Vida e são tidos como irradiadores vivos deles.

Não podemos disorrer muito sobre o Sétimo Plano da Vida. Mas até o ponto que nos é permitido, comentaremos.

O fato é que é neste Plano da Vida que vivem os espíritos ascencionados, muitos dos quais deslocam-se para os outros planos anteriores só para auxiliar os Divinos Tronos regentes da Evolução, ou para ajudar as divindades humanizadas e responsáveis por grandes contingentes de espíritos, ainda no ciclo reencarnacionista.

Os Mestres Ascencionados regentes dos raios Divinos provêm deste Sétimo Plano.

Os Mestres Crísticos também provêm dele.

Os Mestres da Luz regentes das linhas da direita do Ritual de Umbanda Sagrada provêm dele, e assentaram-se à direita dos Divinos Tronos naturais.

Os semeadores de religiões provêm dele e, se retornam à carne em missões Divinas, é porque amam a humanidade.

Enfim, os seres do Sétimo Plano da Vida são aqueles que transmutaram seus emocionais e tornaram-se seres mentais hiperconscientes, divinizando-se em todos os sete sentidos da Vida.

São seres irradiadores de Fé, Amor, Conhecimento, Justiça, Ordem, Evolução, Transmutação, Criatividade e Geração.

Eles são muito requisitados pelos Anjos e Arcanjos, e muitos "angelizaram-se" ou "arcangelizaram-se", integrando-se às hierarquias Divinas desses seres excelsos.

Já os Divinos Tronos regentes têm neles uma elite mental capaz de auxiliá-los em todos os quadrantes de suas telas eletromagnéticas e os requisitam quando precisam acelerar a evolução dos seres colocados sob suas regências Divinas.

No Sétimo Plano da Vida "desembocam" as nossas 77 dimensões naturais, que enviam para ele todos os seres que se sublimam nos sete sentidos da Vida.

Este plano é formado por sete dimensões celestiais que, como já comentamos, transcendem nosso planeta e espalham-se por uma vastíssima extensão do Universo.

Dessas sete dimensões celestiais, umas abrangem alguns planetas do nosso sistema solar e outras abrangem outros, mas todas estão nas dimensões solares, que são muitas.

O que nos interessa é que as nossas sete dimensões celestiais estão entre as dimensões celestiais regidas pelo Divino Trono Estelar que rege o "nosso" sol da vida, o qual muitas religiões antigas descreviam como o Deus Hélios ou Deus Sol, o regente do sistema solar que, para quem não sabe, é só um "macro átomo" no universo de Deus, cuja grandeza supera tudo o que possamos imaginar e é mil vezes maior, porque não está só neste universo visível aos nossos olhos.

Não! Deus também está presente nos muitos universos paralelos ao nosso.

Observem que não estamos falando de dimensões planetárias contidas num mesmo planeta, ainda que elas se abram ao infinito e estejam dentro do nosso universo. As dimensões da Vida podem estar limitadas só ao nosso planeta ou abrir-se para muitos outros. Já os universos paralelos ao nosso são infinitos em todos os sentidos, pois não têm começo ou fim. Sendo outros universos, atendem a outras vontades e objetivos do nosso Divino Criador.

9.9 A Expansão da Vida nas Dimensões Planetárias

Saibam que a cada era religiosa (77 mil anos) todas as dimensões crescem externamente um grau magnético.

Este crescimento externo acontece assim: no início de cada era religiosa, o Divino Criador abre suas sete dimensões essenciais da vida para que trilhões de seres, já formados mentalmente, iniciem o estágio elemental da evolução.

Este fluxo tem início conforme a capacidade de absorção das dimensões elementais básicas que os recebem; os seres já estarão preparados para iniciar este estágio evolutivo.

São tantos seres que usamos a palavra trilhões com o significado de "incontáveis".

As dimensões elementais básicas, por um processo Divino, expandem-se em um grau, novo e inabitado, que acolherá estes trilhões de seres.

Nesta nova "faixa" elemental pura, que repete em tudo os outros graus já ocupados por seres elementais mais evoluídos, vão sendo assentados os Tronos elementais (masculinos e femininos) que alcançam o grau Divino chamado de "Pai e Mãe".

Para um Trono conquistar este grau, que é sua meta principal, ele tem de concluir todo um giro evolutivo.

Um giro evolutivo significa que ele, um manifestador puro e natural de uma qualidade de Deus, iniciou sua evolução ou crescimento Divino numa onda fatoral regida pelo Trono de Deus responsável por ela, que estacionou ali e cresceu no grau de Trono Fatoral.

Vamos recorrer a uma Oxum para mostrar como é essa evolução Divina dos Tronos de Deus.

Deus gera em Si o Seu Amor Divino. E gerou nessa Sua qualidade uma de Suas divindades, que denominamos Oxum, o Trono do Amor, divindade também capaz de gerar em si o Amor Divino, cujo fator Agregador permite que aconteçam as uniões e as ligações que sustentam a criação Divina. Logo, Oxum é a Mãe de Concepção Divina.

Deus gerou em Si Oxum, seu Trono do Amor, agregador e conceptivo, e Oxum é em si essa qualidade Divina.

Então Deus gerou em Si seres cuja qualidade original é agregadora e conceptiva, e os gerou nesta Sua onda viva da vida, onde foram fatorados por Oxum e passaram a ser regidos por ela, o Trono do Amor, agregador e conceptivo, de natureza amorosa, agregadora e conceptiva.

Deus gerou Oxum em Si e a tornou a divindade geradora e irradiadora dessa Sua qualidade viva. Já os seres, Deus os gerou de Si. E Oxum, esta Sua qualidade viva e Divina, os fatorou e os imantou com sua qualidade amorosa, agregadora e conceptiva. A partir daí, aos olhos de Deus, todos os Seus filhos, gerados de Si na Sua qualidade amorosa, agregadora e conceptiva, são vistos por Ele como os filhos de Oxum, a Divina Mãe do Amor, da agregação e da concepção. Eles nunca mais deixarão de ser filhos de Oxum, pois Deus os gerou nessa Sua qualidade. E mesmo que se passem bilhões de anos, continuarão a ser identificados como filhos de Oxum, pois herdaram dela sua natureza amorosa, agregadora e conceptiva. Mas eles irão evoluir e incorporar outras qualidades a esta qualidade original que herdaram da Divina Mãe do Amor, que não vive no exterior de Deus, mas sim no Seu "interior", pois é em si mesma essa qualidade geradora d'Ele.

Mas Deus, que gerou em Si essa Sua qualidade e a divindade que a distingue e individualiza, continuou a gerar em Si uma hereditariedade Divina denominada de "Divindades Oxum", ou divindades amorosas, agregadoras e conceptivas, que irão crescer e ocupar todo o Seu exterior, que está sendo ocupado pelos seres que Ele gera de Si nesta Sua qualidade "Oxum".

Logo, Deus não se expande internamente, mas sim externamente, pois Suas ondas vivas ocupam todo Seu exterior, que continua a se expandir, criando novos universos e tudo o que os forma e os torna próprios para a expansão da vida.

Deus primeiro cria os meios ou recursos necessários para a vida, depois cria a vida, gerando os seres, as criaturas e as espécies que ocuparão os universos já criados por Ele.

Portanto, antes de gerar vidas, Deus gera os meios onde elas fluirão.

Ele gera o tempo todo, de Si, Sua qualidade agregadora e conceptiva, e gera continuamente Sua divindade Oxum, que vai multiplicando-se e repetindo-se na sua hereditariedade Divina, toda formada por divindades Oxum, ou Mães do Amor Divino, todas agregadoras e conceptivas.

As Oxuns fatorais estagiam no íntimo de Deus, em Sua qualidade fatoradora, na qual adquirem a capacidade de gerar o fator agregador e conceptivo, e vão ocupando o plano fatoral, sempre por intermédio da expansão de sua onda viva.

Nessa ocupação por divindades agregadoras e conceptivas, a vida tem seu recurso agregador de seres e concebedores de vida.

Elas vão assentando-se e criando à volta de seus Tronos as condições ideais para que os seres, gerados por Deus na sua qualidade Oxum, possam ser agregados e fatorados, até que alcancem as condições para serem conduzidos à dimensão essencial da vida.

Quando uma dessas Oxuns fatorais envia para a dimensão essencial todos os seres a ela confiados por Deus, é chegado o momento de ela recolher em si o mistério gerador do seu fator agregador e conceptivo, e enquanto vai recolhendo, seu magnetismo vai se concentrando de tal forma, que ela se torna em si mesma um polo magnético agregador e conceptivo, habilitando-se ao grau de Oxum Essencial.

Este seu novo grau e poderoso magnetismo a conduz à dimensão essencial da Vida, onde aglutinará ao seu redor tantos seres quanto o seu magnetismo atrair, dando-lhes sustentação.

O mesmo se repete, e quando esses seres essenciais forem conduzidos à dimensão elemental, ela recolherá sua irradiação essencial e alcançará o grau de Oxum Elemental.

Quando todos os seres elementais amparados por ela forem conduzidos às dimensões duais, ela alcançará o grau de Oxum bipolar ou bielemental, assumindo a condução e o amparo de tantos seres quanto seu magnetismo atrair.

O estágio seguinte é o encantado, em que regerá todo um reino da natureza, no qual permanecerá, no mínimo, por toda uma era religiosa, ou um período de 77 mil anos solares.

O próximo passo é alcançar o grau de Oxum Natural, no qual será uma geradora de energias agregadoras e conceptivas, e atuará por irradiação magnética, em muitas dimensões. Também iniciará a formação de sua hierarquia de Oxuns auxiliares, não tendo um tempo definido para permanecer nele.

Mas, assim que desenvolver seu magnetismo celestial, seu campo de ação abre-se para outras esferas da Vida, sempre em contínua expansão.

Este "evoluir" de uma divindade nada mais é que a contínua ocupação dos espaços e meios que Deus vai criando para que os seres, em contínua evolução, possam ser conduzidos a novos estágios e possam "crescer", sempre amparados pelas divindades manifestadoras das qualidades d'Ele, o Divino Criador.

O universo físico está em contínua expansão ou crescimento, e o mesmo acontece com as dimensões da Vida, pois Deus gera de Si, continuamente, seres, criaturas e espécies, que vão ocupando os espaços que vão sendo criados por Ele.

As divindades também se expandem, pois, à medida que aumentam suas irradiações, magnetismo e vibração, aumentam seus campos de atuação.

No exemplo que demos com as divindades geradoras do Amor Divino (as Oxuns), nós vimos que no início geravam e irradiavam apenas o fator agregador, mas, à medida que evoluíam, iam gerando essência, depois elemento, depois energia, para, no estágio natural, gerarem tudo isto e irradiarem energias complexas.

Após concluírem todo este giro evolutivo, estas Oxuns "Naturais" podem optar por ascender às esferas celestiais e atuar em níveis vibratórios interplanetários, nos quais cada planeta será mais uma das "moradas" Divinas sob seu amparo e atuação, ou podem optar por assumir o grau de regentes de uma nova faixa elemental, ou dual, ou encantada, criada automaticamente por Deus a cada 77 mil anos, na qual estas Oxuns excelsas se assentarão em definitivo e por todo o sempre, e à qual regerão com seu Mistério do Amor, agregador e conceptivo, pois individualizaram-se e habilitaram-se como *manifestadoras plenas* dessa qualidade Divina.

Esta condição única para uma divindade dota-a do poder de gerar, tanto em si quanto de si, tudo o que for preciso para que sua faixa permaneça sempre em equilíbrio vibratório, energético e magnético, e vá se expandindo segundo a vontade de Deus e as necessidades da vida que fluirá naturalmente dentro dela.

Este "fluir da vida" significa que seres a habitarão e encontrarão nessa nova faixa tudo o que for preciso para crescerem e evoluírem, pois a divindade que a rege tornou-se uma individualização do Divino Criador no mistério que manifesta em si e de si.

Saibam que as divindades assentadas nos 14 polos magnéticos das Sete Linhas de Umbanda Sagrada já concluíram este ciclo evolutivo que descrevemos, e optaram por assentarem-se e regerem esta faixa natural.

Aqui foram assentadas há muito tempo, e aqui permanecerão por todo o sempre, pois são indissociáveis do próprio meio e vida aqui existentes.

O que existe em nosso planeta, em suas múltiplas dimensões, só existe porque as divindades naturais são capazes de gerar em si tudo o que precisamos, como são capazes de gerar de si tudo o que ainda viermos a precisar.

Assim é, e não precisamos nos preocupar com o amanhã de nossa evolução, pois elas estão se expandindo continuamente, e estão criando as condições ideais para que continuemos crescendo mentalmente e evoluindo conscientemente, sem precisarmos ir para outros planetas. Mas, caso um ser evoluidíssimo opte por atuar em outra orbe planetária e evoluir em outra realidade extra-humana, até isso elas estão aptas a nos facultar, pois são as divindades naturais de Deus, são os Sagrados orixás regentes da natureza.

10
Gênese do Planeta

10.1 A Gênese do Planeta Terra

A Gênese Divina nos revela que este ponto do universo em que hoje vivemos já foi um "caos" energético, que pouco a pouco foi sendo ordenado pelo poderoso magnetismo planetário, e que por bilhões de anos a Terra era inabitável, pois nenhum tipo de vida resistiria às explosões energéticas, que aconteciam porque elementos contrários se chocavam e se repeliam com violência.

Mas, de explosão em explosão, todo um esgotamento energético foi acontecendo, e os elementos mais "reativos" foram sendo consumidos e começaram a rarear, tornando possível a acomodação dos elementos estáveis. Então, aos poucos, a crosta terrestre foi se resfriando, ou melhor, foi perdendo calor para o espaço vazio existente além do seu campo eletromagnético.

Este campo tem seu limite nas camadas mais altas da estratosfera, justamente onde "vapores" ou gases ficavam concentrados, porque não conseguiam ultrapassar o cinturão eletromagnético que se formou com o giro do planeta sobre si mesmo, ou sobre seu eixo magnético.

Quando o "espaço" interno do planeta ficou saturado desses gases, a Terra era semelhante ao planeta Júpiter que vimos quando foi atingido por um cometa, que penetrou numa camada gasosa antes de atingir a massa sólida.

Há bilhões de anos a Terra se encontrava toda envolta por uma densa camada gasosa composta por muitos elementos, que pouco a pouco foram se combinando e dando origem a moléculas mais pesadas, que começaram a baixar ou a se precipitar sobre a massa incandescente que era a Terra de então.

Gênese do Planeta

A ciência Divina nos diz que, desde o assentamento do Divino Trono das Sete Encruzilhadas neste ponto do Universo, pelo Divino Criador, já se passaram cerca de 13 bilhões de anos e, nos primeiros quatro bilhões, o nosso planeta se parecia com uma estrela azul, mas que cintilava outras cores.

Esse foi o período em que o Divino Trono das Sete Encruzilhadas passou "absorvendo" energias, por intermédio do seu poderoso magnetismo mental. Este fato deu início aos choques "nucleares" geradores de explosões gigantescas e geradoras de novas ondas eletromagnéticas hipercarregadas de energias, visíveis desde outras constelações.

Com o tempo, o núcleo magnético do planeta foi alcançando um ponto de equilíbrio, as ondas eletromagnéticas foram perdendo força e as energias foram se condensando em torno do eixo magnético planetário.

Então, o planeta, que era uma massa incandescente com pequena "reatividade", começou a perder calor para o geladíssimo espaço cósmico, que é o absorvedor natural do excesso de calor dos corpos celestes.

Tanto isto é verdade que o brilho que vemos nas estrelas é energia que flui com as ondas eletromagnéticas, que vai sendo diluída no espaço cósmico. Mas as ondas eletromagnéticas geradas no interior delas, e que nos chegam, são absorvidas pelo magnetismo planetário e o recarregam, mantendo-o em equilíbrio vibratório.

Já o excesso é lançado fora pelos polos magnéticos (norte—sul), mantendo constante o campo em torno do planeta.

Afinal, nada é gerado do nada. Se a Terra tem seu magnetismo constante, algo tem de estar alimentando-o continuamente para que ele se mantenha estável.

Esta absorção das ondas eletromagnéticas irradiadas por outros planetas é o fundamento da astrologia.

Mas o fato é que a Terra é um polo eletromagnético e capta as vibrações ou ondas eletromagnéticas dos planetas do nosso sistema solar, porque todos estão acomodados dentro do "espaço" solar. Já o mesmo não acontece com as ondas de outros planetas, pois o magnetismo deles não sai de dentro do campo da estrela que os sustenta.

Nós dissemos que por uns quatro bilhões de anos o nosso planeta foi uma massa energética reativa, mas, assim que o Divino Trono das Sete Encruzilhadas alcançou seu limite máximo em sua capacidade de absorver energias, as reações foram diminuindo e só restou uma bola incandescente envolta em vapores (gases) cujos elementos (átomos) foram se combinando e dando origem a moléculas mais pesadas, que se precipitavam sobre a superfície incandescida.

Pouco a pouco, com a perda de calor para o gelado espaço cósmico, a crosta foi se resfriando e se solidificando, até que se tornou densa o suficiente para reter em sua superfície as moléculas que iam-se formando nas camadas gasosas mais elevadas.

Mas o interior incandescido, que era energia pura, criava e ainda cria pressão, elevando para a superfície os átomos hiperaquecidos.

É o mesmo processo da fervura da água: o fogo aquece o fundo da chaleira, as moléculas de água se energizam e sobem, criando lugar para que as menos energizadas se precipitem para o fundo. Com isso, cria-se uma corrente dupla, em que moléculas mais energizadas (quentes) sobem e as menos energizadas (menos quentes) descem para o fundo da chaleira. Quando as que haviam subido se desenergizam (perdem calor), então tornam-se mais "pesadas" e descem, enquanto as que antes haviam descido se energizaram (aqueceram) e sobem.

Nessa ebulição algumas moléculas hiperaquecidas saem pelo bico da chaleira e se perdem no espaço.

O mesmo acontece com o planeta Terra.

Nesta dupla corrente, estabelecida no magma energético, o planeta foi perdendo calor e moléculas hiperaquecidas. Mas outras se precipitavam, já resfriadas, absorvendo calor, voltando a subir até as camadas magnéticas mais frias, onde perdiam o calor e se desenergizavam.

O fato é que o processo de resfriamento do nosso planeta Terra durou mais três bilhões de anos e as ligações atômicas comandadas pela imanência do Divino Trono das Sete Encruzilhadas deram origem a muitos tipos de moléculas, que deram origem a muitas substâncias. Umas sólidas, outras líquidas e outras gasosas.

Tal como acontece durante a fecundação do óvulo pelo espermatozoide e toda uma cadeia genética geradora é formada e ativada, o mesmo ocorreu quando um ser Divino (o Divino Trono das Sete Encruzilhadas) magnetizou-se e polarizou-se dentro do ventre da Mãe Geradora (a natureza cósmica de Deus).

Então criou-se um magnetismo novo que, tal como um feto, começou a absorver os nutrientes da Mãe Geradora (o Cosmos).

O feto alimenta-se de sua mãe e o mesmo fez o Divino Trono das Sete Encruzilhadas e sua parte geradora, que é uma individualização da parte feminina do Divino Criador (a Natureza).

Enquanto o Divino Trono das Sete Encruzilhadas crescia magneticamente, o planeta se energizava (materializava).

Com isto dito, saibam que o Divino Trono das Sete Encruzilhadas é o magnetismo que sustenta a existência do planeta em suas muitas dimensões. Já a sua contraparte natural é a individualização e repetição "localizada" da natureza cósmica de Deus ou de Sua parte feminina, que é um ventre gerador de vida.

Na criação Divina (a gênese das coisas), tudo se repete e se multiplica. Tudo o que está acontecendo aqui e agora, em um outro nível dentro de um grau da escala magnética Divina já aconteceu antes.

Ou seja: o que antes aconteceu numa macroescala, hoje acontece em um grau dessa mesma escala, amanhã acontecerá num nível e depois de amanhã acontecerá num subnível. E assim sucessivamente, bastando guardar as proporções das repetições e multiplicações, a célula-mãe se repete e se multiplica nas células filhas.

Tudo se repete e tudo se multiplica, bastando sabermos que é assim que tudo acontece dentro de Deus, porque Ele é o eixo da geração e a própria geração em Si mesmo.

Ele tanto é macho quanto é fêmea. Mas quando se individualiza, aí assume a Sua dualidade e bipolariza-se em ativo e passivo, positivo e negativo, irradiante e absorvente, macho e fêmea.

E foi o que aqui na Terra aconteceu, porque da união magnética do Divino Trono das Sete Encruzilhadas com a "mãe natureza" surgiu um planeta magnífico e único no nosso sistema solar.

O fato é que sete bilhões de anos se passaram até que uma atmosfera ainda saturada de gases tivesse sido formada.

O planeta de então era instável e a todo momento era sacudido por gigantescas erupções vulcânicas. A partir daí, as "substâncias" já não retornavam ao interior incandescido, porque a crosta sólida retinha em sua superfície as lavas das erupções, que iam "engrossando-a" e expandindo-a cada vez mais.

Este processo de resfriamento interno via erupções vulcânicas durou um bilhão e meio de anos e iniciou-se a partir das calotas polares ou polos magnéticos Norte-Sul.

Até este ponto já haviam passado uns oito bilhões de anos e tempo suficiente para que todas as 77 dimensões paralelas se completassem. Mas ainda não estavam alinhadas magneticamente em função das atividades magmáticas no interior do planeta.

Esse alinhamento durou uns dois bilhões de anos e, só quando se completou, a vida teve início, surgindo em formas ainda rudimentares e unicelulares.

As algas foram a primeira forma de vida unicelular que aqui surgiu. Mas isto só foi possível porque a formação de moléculas de água acelerou-se e alagou parte da crosta terrestre com a precipitação de uma formação gasosa acumulada nos polos magnéticos.

Plânctons começaram a surgir nas águas paradas e logo (uns quinhentos milhões de anos) toda a crosta terrestre estava recoberta de uma vegetação unicelular ou de esporos (bolores), o que começou a gerar as condições ideais para o surgimento de uma vida superior formada por seres instintivos.

Nas dimensões paralelas, as básicas ou elementais já estavam formadas e começaram a receber seres ainda inconscientes e em estado puro.

Uns eram elementais ígneos, outros eram aquáticos, eólicos, minerais, vegetais, cristalinos, etc.

Esses seres provinham da dimensão essencial ou útero Divino gerador de vida.

Enquanto seres inconscientes, viviam na dimensão Divina que chamamos de "dimensão Mãe da Vida", e nela eles iam sendo fatorados e adquirindo uma ancestralidade, pois adquiriam um magnetismo que os individualizava e os distinguia uns dos outros.

Nós não temos palavras para descrever o "nascimento" dos seres porque é um mistério impenetrável e irrevelável. Mas até o ponto que nos é possível descrevê-lo, saibam que, tal como certos órgãos do nosso corpo geram células continuamente, ali são gerados seres que vão sendo lançados dentro desta "dimensão Mãe da Vida", saturada de essências puras, mas que vão sendo fatoradas pelos mistérios de Deus, que são as Suas divindades geradoras de Suas qualidades Divinas.

Nós temos sete dimensões elementais básicas que recebem os seres assim que adquirem uma "consistência" magnética que os influenciará dali em diante distinguindo-os por uma ancestralidade.

O fator que for absorvido pelo ser o distinguirá e o caracterizará por todo o sempre.

Então, quando o Divino Criador assentou aqui o Divino Trono das Sete Encruzilhadas, este trouxe consigo sua hierarquia e a assentou à sua volta.

Os Divinos Tronos que se assentaram à volta dele são:
• Trono da Fé;
• Trono do Amor;
• Trono do Conhecimento;
• Trono da Justiça;
• Trono da Lei;
• Trono da Evolução;
• Trono da Geração.

O Trono da Fé gera o fator cristalizador e irradia, já como essência, a religiosidade.

O Trono do Amor gera o fator agregador e irradia, já como essência, a concepção ou "união".

O Trono do Conhecimento gera o fator especulativo e irradia, já como essência, o aprendizado.

O Trono da Justiça gera o fator equilibrador e irradia, já como essência, a razão.

O Trono da Lei gera o fator ordenador e irradia, já como essência, a ordem.

O Trono da Evolução gera o fator evolutivo e irradia, já como essência, o saber.

O Trono da Geração gera o fator gerador e irradia, já como essência, a Vida.

Saibam que, depois de cerca de dez bilhões de anos, aconteceu o alinhamento natural das dimensões paralelas e a vida começou a fluir com intensidade em todas elas, porque todas as sete hierarquias planetárias se completaram e criaram as condições ideais para que o útero gerador da Mãe da Vida se abrisse e lançasse nas sete dimensões básicas elementais tantos seres quantos elas comportaram.

Isto aconteceu entre dois e três bilhões de anos atrás, e a face da Terra já estava toda coberta de vegetais, oceanos, rios, lagos, campos, etc., ainda que rudimentares, e habitada só por criaturas que se adaptavam às condições climáticas de então.

Não nos perguntem como surgiram tais criaturas, porque este é um mistério de Deus e quem sabe algo sobre ele nada revela, e quem fala algo é porque nada sabe.

O fato é que existiam formas de vida rudimentares que se alimentavam da natureza terrestre de então.

Mas nas dimensões paralelas os seres "essenciais" continuavam vindo do útero Divino da mãe geradora e sendo lançados nas sete dimensões elementais puras, em que estagiavam e desenvolviam o corpo elemental básico, afim com a sua essência e natureza (fator Divino).

Isso continua acontecendo até hoje, uns três bilhões de anos depois do início da evolução em nosso abençoado planeta.

Nas dimensões paralelas, em número de 77, a vida superior se expandia e ia ocupando seus espaços, enquanto a dimensão humana resumia-se à sua parte física habitada só por criaturas, tendo sua parte espiritual ou etérica totalmente desabitada.

Houve uma época em que as águas cobriam quase toda a crosta terrestre, mas pouco a pouco, com o resfriamento e congelamento das calotas polares, o nível começou a baixar e muitas partes ficaram emersas, cobrindo-se de vegetação e de espécies rudimentares. Até que vieram as espécies inferiores, tais como os répteis e anfíbios.

Há cerca de meio bilhão de anos surgiram as grandes criaturas e os sáurios, que dominaram a face da Terra durante milhões de anos. Depois começaram a desaparecer lentamente.

Então aconteceu uma nova configuração geográfica e só há cerca de 50 milhões de anos a vida voltou a vicejar no plano físico, porque nas dimensões paralelas elas já estavam ocupadas de alto a baixo. A evolução natural nunca sofreu interrupção nas dimensões naturais. Nelas, os seres superiores haviam evoluído tanto que os Divinos Tronos planetários haviam completado suas hierarquias horizontais e verticais em todos os níveis vibratórios e em todas as faixas magnéticas.

No plano físico, teve início a geração de criaturas simiescas, de feras e de aves. A Terra foi coberta por uma fauna e flora exuberante, nunca vista nesta parte do nosso universo. O mesmo aconteceu com os mares, rios e lagos, muitos dos quais formados por águas quentes e destinados a algumas espécies intermediárias.

Há cerca de dez milhões de anos, surgiram raças intermediárias entre os símios e os futuros humanos. Eram semelhantes aos lendários "ogres" e se destinavam a abrigar num corpo denso (físico) seres que ascenderam de um universo inferior ao nosso, pois localiza-se um grau abaixo do nosso na escala Divina.

Esse período de ascensão de "espíritos" vindos de "baixo" durou seis milhões de anos e exauriu a crosta terrestre, levando a um esgotamento da fauna e flora. Também havia se encerrado a "subida" dos "espíritos" desse universo contíguo ao nosso, mas localizado um grau magnético abaixo na escala Divina e, por isso, inferior.

Após um período de descanso do plano físico, tudo foi restaurado e se restabeleceram as condições ideais para a vida retornar plena e vigorosa. Então surgiram os ancestrais do atual ser humano, ainda rudimentares, portando-se como os animais selvagens.

Esse período durou até um milhão e meio de anos atrás, quando aconteceu uma "catástrofe" celeste: uma nuvem de cometas atravessou o Sistema Solar e muitos colidiram com os planetas, assim como três muito grandes chocaram-se contra o Sol.

A nossa Terra não foi poupada e a vida quase foi extinta. Recuperou-se e cerca de um milhão de anos surgiu a civilização que muitos chamam de adâmica, atlante, lemuriana, etc.

A era "cristalina" foi a mais esplendorosa que já existiu até hoje na face da Terra e serviu para "humanizar" os seres que viviam no mesmo padrão vibratório mental que o do plano físico, mas que estavam estacionados nas dimensões naturais paralelas à dimensão humana da Vida.

Os seres espiritualizavam-se encarnando uma única vez, retornando à paralela à direita ou à paralela à esquerda já "humanizados".

A função principal da espiritualização é dotar os seres com a capacidade de gerar o fator humano, o que só é conseguido se encarnarem, porque o corpo carnal dota o ser espiritualizado de "fontes" geradoras de energias humanas, as únicas capazes de absorver do éter universal o fator "humano" gerado pelo Divino Criador.

O fator humano é um dos mais complexos que existe e traz em si a capacidade de absorver a "natureza" de todos os outros fatores, e o ser "humanizado" adquire várias características não encontradas nos seres que nunca encarnaram.

Criatividade mental, ilusionismo, raciocínio hipotético, abstracionismo, mentalismo, onanismo, onirismo, curiosidade, etc. são características dos seres "humanizados", mas poderíamos acrescentar muitas outras que não encontramos nos seres que vivem nas dimensões paralelas e que nunca encarnaram, tais como: ambição, inveja, egoísmo, soberba, racismo, fanatismo, etc.

O fator humano é uma fusão de muitos outros fatores Divinos, tanto de suas partes positivas quanto negativas, todos agregados numa única energia: a humana!

Bem, voltando à gênese do nosso planeta, o fato é que a civilização "cristalina" durou uns 300 mil anos e aí veio outro cataclismo que alterou toda a face do planeta, dando-lhe a atual configuração geográfica.

Nós dizemos que uma "Era religiosa" humana dura 77 mil anos solares, e a era cristalina durou quatro dessas eras, ou uns 300 mil anos. Durante esse período, passaram pela "carne" tantos seres que ninguém é capaz de precisar o seu número. A população permanente de encarnados alcançou a casa dos oito bilhões de seres no auge dessa civilização, cuja longevidade durava até um século e meio.

Então, quando o planeta começou a dar sinais de esgotamento, começou também a decadência moral e religiosa, levando à derrocada a civilização mais avançada que já existiu no nosso amado planeta Terra.

Com a decadência moral e religiosa também vieram ou, melhor, afloraram os aspectos negativos do "fator humano", sintetizados na figura de "Lúcifer", o anjo caído, que em verdade era o demiurgo regente da dimensão humana da Vida.

Lúcifer ou "Lu-ci-yê-fer" (senhor da luz, da força e do poder) era o regente planetário da dimensão humana da Vida, e a regeu desde o início da era cristalina. Quando começou a decadência, ele se dissociou dos Tronos regentes das outras dimensões planetárias, porque os seres que se "espiritualizavam" e não se desenvolviam em equilíbrio eram atraídos de volta para suas dimensões de origem, mas eram atraídos pelos polos magnéticos negativos, nos quais entravam em total desarmonia vibratória e desestabilizavam o meio no qual ficavam retidos.

Em vez de esgotarem seus negativismos, apenas o extravasavam e contagiavam os seres naturais ali retidos para descargas de seus emocionais.

Ainda que isso possa parecer um "conto", saibam que a tal revolta *de* Lúcifer e sua corte de Anjos nada mais foi que uma sucessão, pois o demiurgo se sentia abandonado por seus pares na sustentação emocional de tantos seres espiritualizados mas que haviam "desumanizado-se", pois haviam desenvolvido um magnetismo mental absorvedor dos aspectos negativos do "fator humano".

Lúcifer chamou para si a responsabilidade sobre aqueles espíritos "desumanizados", agregou-os ao seu "fator transformador" e dissociou a dimensão humana da Vida de todas as outras dimensões planetárias.

Com isto, "puxou" para a paralela à esquerda tantos seres negativados mentalmente que a contraparte etérica do plano físico sobrecarregou-se de tal forma que criou uma estática cósmica perigosa até para o equilíbrio vibratório e magnético das outras dimensões. Então aconteceu uma intervenção Divina e o plano físico sofreu um deslocamento magnético de um grau. Assim, a anterior paralela à esquerda recebeu o plano físico e foi deslocada em mais um grau na escala magnética planetária.

Foi quando aconteceu uma violenta descarga da estática negativa da dimensão humana e o plano físico a sentiu como um "terremoto" de dimensões planetárias.

Bilhões de seres morreram nesse cataclismo global e os que sobreviveram sofreram a perda de várias faculdades, hoje tidas como excepcionais, por causa da queda vibratória do magnetismo do plano físico.

Antes do cataclismo, as pessoas viam as divindades nos seus pontos de forças magnéticos (vórtices energéticos) e até as ouviam, porque o grau vibratório do magnetismo terrestre era o mesmo dos pontos de força da natureza, em que se realizavam as comunicações com as divindades naturais (os Tronos de Deus).

Mas, com o deslocamento de um grau à esquerda, as divindades deixaram de ser vistas pelos sobreviventes ao cataclismo, assim como o próprio magnetismo mental das pessoas sofreu uma limitação acentuada, pois em tudo e todos ocorreu esse rebaixamento vibratório.

Dali em diante tudo se alterou e o conhecimento de antes desapareceu como que num passe de mágica.

Com o tempo, os remanescentes da outrora vigorosa civilização cristalina se viram privados de um modo de vida e religiosidade únicos e começaram a surgir os mitos e as lendas.

O mito Lúcifer ou a revolta dos Anjos é oriundo dessa época.

O mito da Torre de Babel também, pois, se antes todos falavam uma língua silábica ou mântrica, com a queda mental de um grau magnético, os mantras tornaram-se incompreensíveis e impronunciáveis, e os sobreviventes, isolados uns dos outros, simplesmente não conseguiam se comunicar, porque o som original já não tinha o mesmo sentido de antes.

O dilúvio é dessa época, quando continentes submergiram e outros emergiam. O "inferno" também é dessa época, pois o demiurgo Lúcifer havia chamado para si todos os espíritos paralisados conscencialmente e o "peso" magnético deles o arrastou para "baixo".

O elixir da longa vida também é um mito real dessa época de decadência, pois ele realmente foi descoberto e ativava uma renovação de todas as células do corpo humano.

Muitas ciências esotéricas, tais como astrologia, numerologia, geomancia, radiônica, cromoterapia, fitoterapia, magnetologia, etc., alcançaram o apogeu na era cristalina e tudo o que vemos acontecer atualmente é um despertar da memória adormecida da humanidade, que tenta reencontrar o "paraíso perdido".

Só que ele fica aqui mesmo e bem ao nosso lado, mas a um grau magnético à direita, porque era este o paraíso que os seres de então viam e a ele desejavam retornar.

Quanto à possível vinda de "viajantes das estrelas", que aqui aportaram e fecundaram as filhas dos "homens" dando origem a novas raças, há um fundo de verdade, mas somos proibidos de comentar este assunto.

Será só uma questão de tempo para o homem descobrir um "mundo" novo habitado por seres muito parecidos, porém em franca decadência moral e religiosa, tal como por aqui aconteceu 600 mil anos atrás, mas em um grau vibrativo e magnético à nossa direita.

Quem sabe até lá esse mundo novo a que aludimos já tenha sido "punido" pelo Divino Criador, e aí será o homem quem irá fecundar as filhas remanescentes dos viajantes das estrelas, pois, segundo algumas fontes, antes do grande cataclismo alguns opositores foram exilados ou enviados para longe da Terra, conseguindo, assim, escapar do cataclisma que adveio logo a seguir.

Talvez as tão discutidas aparições de óvnis sejam estes fugitivos, que descobriram um meio de penetrar na dimensão física do planeta, não?

Bem, o mito Noé pode não ser mais uma lenda e sim a história verídica de um homem virtuoso que honrou a Deus em todos os sentidos e foi distinguido entre os "humanos" de então.

Enfim, mitos e lendas sempre ocultam uma verdade. Só que são tão antigas que são difíceis de ser comprovadas.

10.2 A Gênese do Universo e das Dimensões Paralelas

Paralela à dimensão humana, temos uma dimensão etérica ou espiritual, que é mais sutil. Mas também temos uma outra paralela que chamamos de natural.

Diríamos que, na paralela espiritual correspondente à vibração do plano físico, lhe falta parte do que aqui existe. E na paralela natural, tanto está tudo o que aqui existe e nos é visível, pois nós conseguimos ver a matéria, como tem o que aqui existe mas não nos é visível, porque localiza-se no nível etéreo, cujo padrão vibratório escapa à nossa visão material.

Aqui no plano físico nós podemos ver uma nascente de água, mas não podemos ver as fontes energéticas, pois são vórtices. Já na dimensão natural, nós tanto vemos nascentes de águas minerais, quanto de nascentes cristalinas, assim como vemos nascentes de energias aquáticas, que também existem no plano físico, mas não nos são visíveis.

Essas nascentes energéticas ou vórtices alimentam correntes eletromagnéticas aquáticas que não têm um começo ou fim. Absorvem as energias aquáticas geradas pelos vórtices ou nascentes e vão conduzindo-as, tal como um rio que recebe a água das fontes e vai distribuindo-as aos lugares áridos e desprovidos de qualquer outra fonte de abastecimento.

As correntes eletromagnéticas são como cabos de transmissão de energia elétrica, que saem da usina geradora e logo adiante vão distribuindo-a às residências ou indústrias por meio de uma rede de ligações.

Assim como os eletricistas fazem as ligações, e de uma corrente de muitos megawatts eles retiram só alguns para iluminar uma residência, o mesmo fazem os "gênios da natureza" com as grandes correntes eletromagnéticas: retiram só o que o local precisa, deixando o resto seguir adiante para que outros também usem as energias que a corrente está conduzindo. Então temos que:

a paralela etérica é uma cópia piorada do plano físico humano ou plano material, e a paralela natural é uma cópia melhorada.

Agora, para quem vive na dimensão ou paralela natural, o plano físico humano é uma cópia piorada e sua paralela superior, que é a que denominamos de "celestial", é uma cópia melhorada da dimensão ou paralela natural.

E para quem vive na paralela celestial, a paralela natural é uma cópia piorada e a paralela angelical é uma cópia melhorada.

E para quem vive na paralela angelical, a paralela celestial é uma cópia piorada e a paralela essencial é uma cópia melhorada.

E para quem vive na paralela essencial, aí a paralela angelical é a cópia piorada e a paralela Divina é sua cópia melhorada.

Tudo depende do padrão vibratório, pois quanto mais denso (baixo) ele for, menos "coisas" veremos, e quanto mais sutil (elevado) for, mais "coisas" veremos... e teremos à nossa disposição.

Saibam que cada uma dessas paralelas que citamos e as que deixamos de citar possui uma escala vibratória só sua, em cujo "interior" há sete níveis vibratórios positivos, sete negativos e um neutro que os divide.

Os níveis vibratórios positivos, à medida que vão se afastando do nível neutro, vão se sutilizando e deixando mais coisas visíveis aos nossos olhos.

Já os níveis vibratórios negativos, à medida que vão se afastando do nível neutro, vão se densificando e deixando menos coisas visíveis.

Quanto mais sutis os níveis vibratórios, mais rarefeitos eles são e maior é sua luminosidade. Já o inverso acontece com os níveis negativos, que se vão tornando mais densos e menos luminosos, ou mais escuros.

Em função dessa luminosidade ou da falta dela, a visão dos seres também se altera.

A gênese coloca à disposição dos espíritos e dos seres naturais um recurso Divino, que é a capacidade de adaptarem naturalmente a visão ao meio em que vivem. Assim sendo, muitos já ouviram os videntes dizerem que veem seres do baixo astral, cujos olhos são vermelhos, cinzentos, opacos, azuis, etc.

Nossa visão se aperfeiçoa, se expande, se rarefaz e se sutiliza se ascendermos a universos superiores na escala Divina, ou se distorce, se contrai, se densifica e se opacifica se descermos a universos inferiores na escala Divina, pois o cristalino dos nossos olhos forma uma membrana semelhante a filtros.

Portanto, tendo isto em mente, então podemos afirmar que não existe espaço vazio no Universo, e sim que a ocupação se processa em outro grau vibratório e padrão eletromagnético que, justamente por isso, se torna invisível aos nossos olhos e visão física.

Então chegamos ao mistério dos Universos paralelos, pois são tão vastos quanto este nosso universo "material" e tão intrigantes quanto este nos é, pois nele encontramos tudo o que aqui existe, só que melhorado e mais sutil, ou piorado e mais denso.

Se somos levados a um universo mais sutil, a sensação que temos é que a "gravidade" se enfraquece e nos tornamos mais leves e até podemos pairar no "ar". Agora, se somos levados a um universo mais denso, aí a atração gravitacional é tanta que sentimos como se nos movêssemos dentro do oceano... e nos cansamos facilmente.

Isso acontece porque nossa visão humana das coisas estabeleceu em nossa mente consciência, sensibilidade e percepção numa escala comparativa de valores, beleza, juízo e apreciação. A partir dela, podemos classificar as coisas (criação, seres e criaturas), já que só assim poderemos diferenciar o que nos é superior do que nos é inferior, tanto em magnetismo quanto em energias e vibrações.

O mais interessante na gênese Divina das dimensões e dos universos paralelos é que, se este nosso universo físico é infinito em qualquer direção, o mesmo acontece com todos os outros universos e com todas as dimensões da Vida. Deus tanto é infinito em Si mesmo, pois O encontramos em tudo e em todos, como também O é na Sua criação, já que o planeta Terra é só um "átomo" do universo físico.

Isso de alguns astrônomos afirmarem que aconteceu uma explosão que deu origem ao universo físico é uma teoria elaboradíssima, mas difere da que nos fornece a Ciência Divina que nos explica a gênese, se bem que acertaram quanto aos "berçários de estrelas". Agora, quanto aos "buracos negros", eles são vórtices que atuam em sentido inverso aos berçários, pois tiram energias deste nosso universo visível e as enviam a outros, invisíveis aos nossos olhos, porque situam-se em outros graus vibratórios da escala Divina.

Os berçários são vórtices cujo magnetismo está enraizado em outros universos, dos quais extraem essências, elementos e energias e as transportam para o nosso universo visível. Já o inverso fazem os buracos negros, que retiram estas coisas do nosso e as enviam a outros universos. Só que isto não podemos ver por duas razões:

1ª — A nossa limitada visão deste processo genético Divino.

2ª — A partir do centro eletromagnético de um vórtice, chacra ou buraco negro, nada mais vemos, porque tudo entra já numa outra vibração ou grau magnético da escala Divina.

Sendo assim, não conseguimos ver o que um vórtice está nos enviando, senão quando acontece a condensação energética. O afastamento ou expansão, visível por meio dos telescópios, nada mais é que a ação irradiante do polo eletromagnético existente no centro de um "berçário de estrelas".

Já o magnetismo de um buraco negro em nosso universo é um polo eletromagnético absorvente.

E como tudo se repete na gênese Divina das coisas, então temos em nosso planeta os vórtices multidimensionais que retiram essências, elementos e energias da nossa dimensão física ou material e as enviam às outras dimensões paralelas à dimensão humana, assim como existem vórtices que retiram essas coisas de outras dimensões e as enviam à nossa dimensão, tanto ao seu lado espiritual quanto ao material.

Então vimos que essas trocas de essências, energias e elementos se processam nos dois sentidos, tanto em nível planetário quanto universal, e tanto entre dimensões quanto entre universos.

Mas este procedimento Divino não se aplica só às criações "inanimadas", pois o encontramos nas hierarquias Divinas em que umas são irradiantes e outras são absorvedoras de energias, tal como acontece com os vórtices planetários ou celestiais.

Classificamos os vórtices planetários como positivos, caso sejam irradiantes, e negativos, caso sejam absorvedores. E o mesmo se aplica aos vórtices magnéticos cósmicos que, se negativos, vemos como buracos negros, e se positivos vemos como regiões "explosivas" (geradoras de energias).

Na gênese, tudo se repete. Basta sermos bons observadores dos processos para sabermos como tudo acontece, encontrando, assim, Deus na origem. Dele é imutável e tanto está na gênese das coisas como nas coisas que gera em Si mesmo, ou a partir de Si. Tanto está no microcosmos quanto no macrocosmos.

10.3 A Escala Vibratória Divina

A escala vibratória Divina é magnética por excelência.

Por ser magnética, a cada grau vibratório encontramos um novo padrão vibratório que, por ser Divino e "vivo", gera em si mesmo toda uma nova escala magnética que é só sua e que dá origem ao surgimento das coisas dentro das suas faixas vibratórias.

Então, temos que a macroescala Divina se multiplica por quantos graus possuir, e esta multiplicação se repete em todos os seus graus, dando origem a novas escalas vibratórias internas, que também vão multiplicando-se ao reproduzirem dentro de sua faixa vibratória a mesma escala magnética à qual pertence e que a distingue.

O que acabamos de comentar sobre a escala Divina está tão visível ao bom observador que podemos "ver" no universo físico os átomos, mas já como estrelas, constelações, galáxias, etc., e paramos por aqui já que, se nos fosse possível, contemplaríamos o magnífico plano superior da criação, onde a nossa Via Láctea é só mais um gigantesco átomo Divino.

A gênese é repetitiva e multiplicadora, e a escala Divina que regula toda a criação também o é.

Portanto, tudo o que vemos no universo físico veremos no universo que lhe é superior e no que lhe é inferior, vibratoriamente falando, pois o magnetismo do superior é mais sutil que o nosso e o do inferior é mais denso.

Com isso em mente, é fácil entender por que todas as culturas religiosas colocam as divindades no "alto" e os demônios "embaixo". Colocam

Deus no "céu" e o diabo no "inferno", já que o céu é elevação e inferno é rebaixamento.

A mesma graduação da escala magnética Divina repete-se na escala vibratória espiritual, na qual os espíritos mais evoluídos ascendem e os mais atrasados regridem. Os mais equilibrados são atraídos para as esferas superiores e os mais desequilibrados são atraídos pelo denso magnetismo das esferas inferiores.

O fato de um espírito estar evoluído significa que ele está sutilizando seu magnetismo mental e que suas irradiações energéticas estão se expandindo, assim como seu corpo está se rarefazendo. Assim que completar positivamente todo o estágio humano da Evolução, terá ascendido ao grau magnético da escala Divina imediatamente superior ao grau onde, nela, está esse nosso universo físico e sua contraparte etérica ou espiritual.

Esse grau superior nós denominamos "o universo Divino habitado pelos Anjos de Deus", pois é nele que têm a morada que o Criador reservou-lhes.

Saibam que a contraparte menos rarefeita, ou sua paralela mais densa, é reservada aos espíritos "humanos" ascencionados, que nela estacionarão, quintessenciarão suas energias e sublimarão o humanismo, tornando-se mentais humanos quintessenciados.

Muitos recorrerão à faixa do meio desse novo universo, superior ao nosso, para estagiar e acelerar suas evoluções angelicais.

Muitos retornarão ao lado mais denso, assim como muitos serão conduzidos ao lado mais sutil, ou natural deste universo angelical, que é superior ao nosso em um grau na escala Divina.

Observem que em qualquer universo ou grau da escala Divina existe uma dimensão central que corresponde a esta nossa, que é material. Mas também existe uma paralela mais densa que fica à esquerda e uma mais sutil que fica à direita, que chamamos de natural.

Isto se repete em todos os universos, em todas as dimensões e em nós mesmos, pois, se neutros, somos o que somos. Mas se nos direcionarmos para a nossa paralela à direita, nos tornaremos mais sutis (irradiantes, coloridos, sutilizados, etc.), e se nos direcionarmos para a nossa paralela à esquerda, nos tornaremos mais densos (absorventes, negativos, escuros, limitados, etc.).

Tudo se repete na gênese Divina, mesmo nos estágios da Evolução e nas dimensões da Vida onde eles acontecem, assim como nos universos que contêm em si todas as dimensões da Vida, limitadas dentro de um único grau magnético da escala Divina.

A escala vibratória Divina é vertical e, a cada grau acima, um novo universo físico semelhante ao nosso se mostra, mas já melhorado e mais sutil. E a cada grau abaixo um novo universo se mostra, mas já piorado e mais denso.

Dentro de um grau da escala Divina, acontece o surgimento de uma nova escala igual a ela, mas já com a função ordenadora dos subníveis vibratórios de todo um grau Divino. Se, neste grau onde se encontra o nosso universo físico, o plano material onde vivemos é o "meio" da nossa escala humana, então aqui é a faixa neutra, pois para cima todos os níveis vibratórios se mostrarão superiores e todos os níveis abaixo se mostrarão inferiores, e a paralela à esquerda se mostrará piorada e menos bela, assim como a paralela à direita se mostrará mais bela e melhorada. Centro, alto e embaixo, esquerda e direita, eis a balança da vida!

Um grau da escala magnética cria uma nova escala, que chamamos de escala universal ou de um universo.

Saibam que a paralela à direita é chamada de natural porque a evolução que se processa nela dispensa a encarnação ou o recurso do invólucro físico para servir de recurso retificador da educação de um ser.

Sim, o invólucro físico retém o espírito e o limita, impedindo que ele tome um rumo contrário ao que lhe foi traçado pelo Divino Criador, além de ser um ótimo meio de despertar as faculdades mentais, sensoriais e percepcionais num curto espaço de tempo, pois, na paralela natural à direita, o tempo de "maturação" mental, magnética, vibratória e energética é muito maior.

Mas o fato é que a paralela à direita dispensa o recurso do invólucro físico (corpo carnal). Já a paralela à esquerda ou espiritual recorre a ele sempre que pode, pois nele retifica a conduta e os conceitos íntimos dos espíritos, assim como acelera a maturidade mental, consciencial, racional, emocional, sensitiva e percepcional.

Esperamos que tenham entendido o mistério dos universos paralelos, pois são em si mesmos só um grau magnético da escala Divina.

Um grau da escala Divina é o universo físico e sua contraparte etérica, que à esquerda é mais feia e à direita é mais bela.

Assim é a gênese das coisas e assim sempre será. O mesmo acontece com as hierarquias Divinas que se iniciam a partir do próprio Criador, que se multiplica nas Suas divindades, geradoras dos Seus fatores Divinos, e cuja multiplicação se repete, pois cada divindade geradora de um de Seus fatores O repete e multiplica-se em outras divindades geradoras, até que cheguem a nós, que também somos microgeradores de fatores Divinos, tais como: Amor, Fé, Vida, etc.

Bem, esperamos que tenham captado o que está nas entrelinhas e entendam de uma vez por todas que a espécie humana veio de outro universo, inferior ao nosso, e caminha para um outro, já superior. E também que tenham entendido que, tal como hoje o homem sonha em conquistar outros planetas, aos quais começará a povoar, fará aparecer neles a espécie humana, predadora por excelência.

Ontem, alguma civilização localizada a muitos anos-luz daqui, enviou para cá alguns casais para povoar este planeta. Com isto, aqui a vida começou a ter o recurso do invólucro carnal para acelerar a evolução dos espíritos paralisados na paralela espiritual e facultar-lhes um recurso "humano" para passarem à paralela natural, da qual seguirão uma evolução contínua e equilibrada.

Esperamos que tenham entendido também que os Anjos têm sua morada no universo logo acima do nosso, mas retornam até nós para nos ajudar a superar os obstáculos que não conseguimos transpor, sem a ajuda de quem já os deixou para trás há muito tempo.

10.4 A Gênese dos Seres

Como já vimos, a escala Divina repete-se e multiplica-se no universo regido pelo seu magnetismo.

A escala magnética Divina é vertical e seu ponto zero é o nosso universo físico com sua paralela espiritual à esquerda e a natural à direita.

As paralelas são, em si, novas escalas Divinas, cujos graus vibratórios, no mesmo padrão, à esquerda se nos mostra mais feio e, à direita, mais belo.

Já em graus vibratórios superiores dentro dessas duas dimensões, elas vão se sutilizando e se diferenciando da nossa transitória morada física.

Saibam que na dimensão natural, em sua faixa vibratória análoga à do plano físico, a exuberância é visível já à primeira vista, e no seu primeiro nível vibratório superior ficamos extasiados com a beleza das coisas (natureza) e dos seres que ali vivem, pois tudo e todos se mostram mais belos e mais aperfeiçoados. Assim, cada vez mais apurado, tudo se repete nos níveis vibratórios superiores.

Enfim, a cada nível superior um aperfeiçoamento se mostra também nesta nossa paralela ou dimensão espiritual, mas ela nunca se iguala à paralela natural, pois nesta, desde o seu nível Terra, encontramos tudo o que temos no plano material, só que melhorado. Encontramos rios, mares, bosques, florestas, campinas multicoloridas, etc., de uma beleza incrível e de uma exuberância extasiante.

Imaginem que, se o nível "Terra" da paralela natural é infinito, pois não tem começo nem fim e sem nunca deixar de ser belo e exuberante, então esses sete níveis vibratórios "positivos", que estão contidos dentro de um único grau da escala magnética Divina, são, em si mesmos, subuniversos univibratórios, pois tanto os seres quanto a natureza ali existente vibram num mesmo grau e possuem um mesmo padrão magnético, energético e irradiante.

Nada destoa do conjunto e ninguém vibra diferente.

Encontramos em certos lugares (pontos de forças ou vórtices eletromagnéticos) tantos seres vivendo ao redor deles que, se fôssemos fazer um censo populacional, com certeza chegaríamos à casa dos bilhões, de tantos que são. Eles nos recebem com uma alegria incontida e um desejo muito grande de estabelecer laços afetivos conosco, os visitantes humanos.

Eles nos envolvem numa aura de amor, carinho, ternura e amizade que nos embevece e enleva de tal modo que corremos o risco de nunca mais deixá-los. E, se partirmos, os que se ligaram a nós derramam tantas lágrimas de tristeza que também partimos aos prantos. São seres tão "inocentes" que vemos a pureza e nobreza deles em todos os seus atos, palavras e pensamentos.

Até as divindades naturais (os Tronos de Deus) que regem os pontos de forças derramam lágrimas cintilantes quando partimos de seus "reinos" naturais. Não são poucos os espíritos, já virtuosos em todos os sentidos, que acabaram se "assentando" junto dessas divindades, pois estabeleceram tantos laços afetivos que optaram por permanecer num destes "reinos naturais" e ali ser os "instrutores" humanos dos nossos irmãos naturais.

Enfim, esta dimensão não é chamada de natural por acaso! Imaginem uma tribo de índios que vivem na natureza e terão uma ideia vaga de como eles vivem. Só que eles só se alimentam de saborosos frutos ou dos néctares extraídos deles, e não caçam porque não só não se alimentam das outras espécies, como ali só vimos algumas belíssimas aves que veem assentar-se em nossos ombros ou braços, caso mentalmente as convidemos, e até elas se afeiçoam a nós e passam a nos seguir caso não lhes ordenemos que nos deixem.

Também, se vibrarmos uma afeição muito forte por alguém, este passa a nos acompanhar o tempo todo e para onde formos, mas se ordenarmos que nos deixem ou se afastem de nós, ficam tão tristes que começam a derramar lágrimas, pois, para eles, não os achamos dignos de nossa amizade, amor e afeto. E se, no nosso caso, nos afeiçoarmos a uma "mulher" natural, ela entenderá como o desejo de tê-la por "esposa" natural, e se sentir afinidade aí já nos adota como seu "esposo" humano... e aí estamos encrencados, pois vibram tanto amor por nós que se tornam irresistivelmente encantadoras, amorosas e inseparáveis. Logo, não sabemos de onde vêm inúmeras crianças nos pedindo para adotá-las como nossos filhos naturais, que, de tão inocentes, puras e encantadoras que são, as adotamos e, em pouco tempo de "casados", uma gigantesca prole já se formou a nossa volta. Elas nos chamam de papai com tanto amor, que as amamos como nossos filhos, ainda que não saibamos de onde possam ter vindo. E se perguntarmos quem as enviou até nós, só respondem isto: "Foi meu Pai e minha Mamãe 'Maior' quem me enviou ao senhor, papai!".

Presumimos que quem as envia são as divindades que "cuidam" dos filhos do nosso Divino Criador, já que a reprodução só acontece no plano material onde é gerado o corpo carnal, pois gerar espíritos é uma atribuição Divina que foge a tudo o que a limitada mente humana é capaz de imaginar.

Enfim, só Deus é gerador de vidas.

Aos encarnados, Ele concedeu a reprodução do invólucro carnal que abriga o espírito durante sua vida no plano material. E isto porque também teve o seu corpo carnal gerado por outro, que teve..., etc.

O fato é que o corpo carnal é reproduzido por uma herança genética, e o espírito é gerado na sua origem Divina, que é Deus.

Saibam que não são poucos os espíritos, tanto machos quanto fêmeas que vão visitar esta dimensão natural e se afeiçoam tanto por alguém que ali acabam ficando para sempre, porque "casam-se" e logo têm à volta uma numerosa prole de encantadoras crianças naturais. E se um espírito tiver um magnetismo mental muito forte e for capaz de sustentar mais de uma união, então se acerca de várias "esposas" ou de vários "maridos", tudo tão naturalmente que são vistos com muito respeito pelos seres que lá vivem e têm como algo muito meritório, Divino mesmo, o fato de alguém que já desenvolveu seu magnetismo adotar quantos maridos ou esposas puder sustentar, pois cada um que formar um par natural ou casal receberá toda uma prole de encantadoras Crianças das divindades que cuidam dos filhos de Deus ainda em tenra idade.

São crianças mesmo, pois seus corpos são do tamanho de nossas crianças encarnadas de dois a cinco anos de idade. Nunca menos e nunca mais que desses tamanhos e natureza infantis. Só que esses infantes já têm alguns milhares de anos de existência se formos dar-lhes uma idade baseada no nosso ano de 365 dias, ou ano solar, e só atingirão a aparência de jovens de uns 20 anos após muitos outros milhares de anos que marcam o tempo para nós.

Essas crianças naturais são meigas, amorosas, gentis, educadíssimas, respeitadoras e inteligentíssimas.

Não sabemos como, mas são capazes de plasmar mentalmente energias, amoldá-las segundo seus desejos e brincar com elas, tanto movimentando-as com as mãos quanto com a mente. Com certeza, aprendem isso com suas mães elementais, que são movimentadoras de energias puras ou elementares.

Nós, quando sairmos deste nosso universo e formos a um universo superior, ali encontraremos anjinhos em vez de crianças encantadas.

Mais uma vez comprovamos que, na criação, Deus sempre gera repetindo tudo o que gerou no grau anterior de sua escala magnética, pois vimos mães angelicais cercadas por suas proles numerosíssimas, todas formadas por anjinhos "infantis", mas capazes de proezas que consideramos mirabolantes, para não dizer Divinas.

10.5 O Entrecruzamento das Irradiações (a ciência do X)

O Divino Trono das Sete Encruzilhadas é o "Logos Planetário" que deu origem a este nosso planeta, e tudo o que aqui há só porque nosso Divino Trono planetário tem em si mesmo as qualidades, atributos e atribuições que sustentam tudo o que aqui existe.

Então nada existe por si mesmo, pois dependeu de algo anterior para ser gerado.

Os fatores Divinos não podem ser visualisados ou detectados, mas sim vislumbrados e percebidos por intermédio da natureza das coisas.

A natureza do fogo não é igual à da água, da terra, do ar, dos minerais, dos vegetais ou dos cristais. Não. A natureza do fogo é única e o distingue de todos os outros elementos.

Observem que o fogo físico não é puro porque precisa do concurso de outros elementos para existir, mas conserva sua natureza ígnea, que o diferencia de todos os outros elementos.

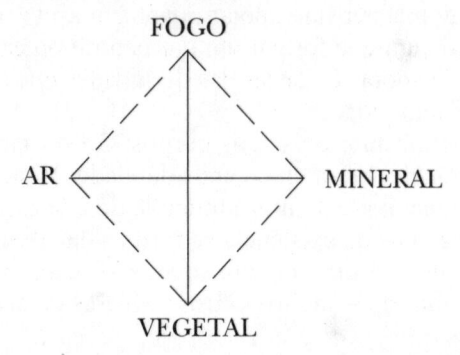

```
            FOGO
             ◇
    AR ◁────┼────▷ MINERAL
             ◇
          VEGETAL
```

Este esquema nos diz que o fogo físico se sustenta do vegetal (carvão), se expande no ar (chamas) e se alimenta no mineral (energia).

Já um vegetal precisa do concurso da terra, da água, do ar, do mineral e do fogo (calor).

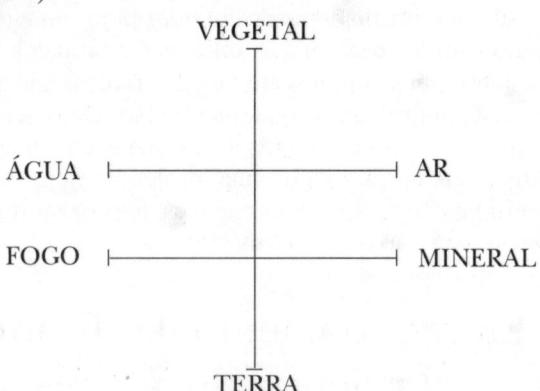

```
          VEGETAL
             │
   ÁGUA ─────┼───── AR
             │
   FOGO ─────┼───── MINERAL
             │
           TERRA
```

Se estamos mostrando que algo não existe por si só, um vegetal se distingue justamente porque a sua natureza é diferente da natureza do fogo.

Então, a natureza é o identificador e ela tem a ver com o fator que a qualifica como vegetal ou ígnea, qualificando as essências, os elementos e as energias que formam um vegetal ou uma chama.

```
            VEGETAL
   FOGO       |       AR
       \      |      /
        \     |     /
         \    |    /
          \   |   /
           \  |  /
            \ | /
             \|/
             /|\
            / | \
           /  |  \
          /   |   \
         /    |    \
        /     |     \
       /      |      \
   ÁGUA      |       MINERAL
            TERRA
```

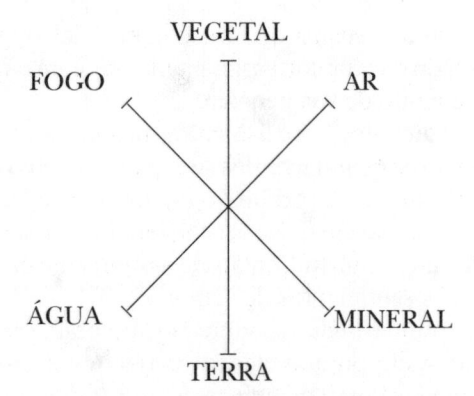

Se percebemos estas naturezas nas essências, elementos e energias, é porque cada uma flui por meio de uma vibração só sua, que a diferencia de todas as outras vibrações que caracterizam as outras naturezas.

Com isso, chegamos à raiz da origem das coisas e podemos vislumbrar como a gênese Divina acontece, pois se os fatores estão na origem de tudo e os percebemos na natureza de algo ou alguém, e se este algo ou alguém só se diferencia do resto da criação porque vibra num padrão só seu, então basta estabelecermos uma escala de comparações que tudo se nos mostrará, ainda que não possamos ver um fator, uma essência, um elemento, uma energia ou mesmo uma vibração pura.

Se o fogo ou o vegetal "físicos" precisam do concurso de outros elementos para subsistirem no plano material, o mesmo acontece com os seres humanos, que precisam de todos os elementos que dão sustentação energética ao seu corpo físico, que por sua vez dá sustentação ao espírito que o anima, porque teve seu magnetismo adaptado ao do plano material.

Observando uma pessoa atentamente, descobrimos certos traços físicos e certas características psíquicas (mentais) que são a "visualização" de sua natureza íntima. Uns são impulsivos, outros racionalistas, outros geniosos, outros alegres, etc.

Se observarmos bem, pouco a pouco vamos traçando um perfil de uma pessoa e notaremos que emerge uma natureza que a distingue das outras, ainda que no geral seja semelhante a todas.

Esta natureza da pessoa a caracteriza e a individualiza em meio a tantos seres semelhantes.

As imanências nos saturam de fatores Divinos e aos poucos uma natureza só nossa aflorará e nos marcará dali em diante.

Agora, como isto acontece?

Bem, nós fomos gerados por Deus e trazemos desta nossa gênese Divina uma qualidade original que sempre se ressaltará sobre todas as outras, que também herdamos do nosso Criador.

A ciência Divina nos ensina que Deus gera vidas o tempo todo e as fatora em ondas ou padrões vibratórios, imantando-as com o fator que estiver fluindo d'Ele no momento de sua geração.

Para que entendam isto, é preciso entrarmos no universo dos orixás, onde os seres assumem as qualidades dos seus pais Divinos e dos elementos que os distinguem em orixás do Ar, do Fogo, dos Vegetais, etc.

Assim, se no momento em que o ser foi gerado estava vibrando a imanência "agregadora", que é mineral, então ele assumiu um padrão magnético que dá sustentação aos sentimentos de "amor".

Ao ser gerado numa onda ou vibração mineral, sua natureza será agregadora e o distinguirá porque ele exteriorizará com muita facilidade sentimentos relacionados como manifestações de "amor".

Nós dissemos que uma onda "geracionista" vertical atravessa seis faixas vibratórias horizontais, e em uma delas o ser se afixará e adquirirá uma nova "qualidade-faculdade" que indicará seu novo campo evolutivo.

A descida é vertical e o ser estacionará até saturar-se com o novo fator que qualificará sua qualidade Divina original.

Quando fica saturado numa onda horizontal, então o novo ser é conduzido a uma dimensão "essencial", pois sua qualidade já assumiu um qualificativo. Como estamos usando um ser cujo fator é agregador e cuja qualidade Divina é o amor, então ele é portador de um magnetismo que vibrará amor, mas por alguma coisa. E aí uma das seis ondas horizontais dará qualificação ao seu magnetismo agregador, pois se ele estacionou (foi atraído) pelo magnetismo da onda horizontal cujo fator é eólico e cuja qualidade Divina é a ordem, então o tipo de amor que o distinguirá será o amor à ordem.

Trazendo este amor à ordem do nosso nível terra das identificações, diremos que este ser ama a lei e é filho de Oxum e de Ogum, pois ela é Orixá do Amor e ele é Orixá da Ordem.

O ser fechou o ciclo de seu fatoramento, sua geração, e está pronto para ser conduzido ao útero da Divina mãe geradora (natureza essencial Divina).

Esta condução do ser não será vertical nem horizontal, mas sim obliqua em relaçao às outras duas ondas que o fatoraram, o qualificaram e o distinguiram.

O ser sai da dimensão geradora e é conduzido à dimensão essencial (de essência) da vida, onde começará a absorver uma essência que dará sustentação aos seus fatores combinantes e o alimentarão, permitindo que cresça (densifique seu magnetismo individual).

Esta condução visa a preservar o ser, pois, seguindo por uma onda inclinada, ele não expõe seu magnetismo, ainda delicado, às poderosas vibrações das ondas que cruzam todo o espaço que terá de percorrer. Ele só as sentirá como leves formigamentos e nada mais.

Mas mesmo esta onda que o está conduzindo irá cruzar sete ondas vibratórias essenciais (transportadoras de essências), e o magnetismo de uma delas irá atraí-lo e fixá-lo em sua faixa vibratória, que será para o ser totalmente inconsciente o útero Divino onde viverá até que seu magnetismo se fortaleça e crie um campo magnético à sua volta.

Este campo magnético "pessoal" tem uma correspondência vibratória com o fator que lhe transmitiu uma qualidade Divina e assume um pulsar análogo ao do fator que qualificou sua qualidade. No nosso exemplo, a qualidade Divina é o amor e o qualificativo é a ordem, ou fator mineral (agregador) regido pelo fator ar (ordenador).

A essência que o sustentou e o alimentou também deu-lhe uma característica que aflorará como uma faculdade ou dom original, que o distinguirá dentro do campo em que foi qualificado. Assim, se era amor puro quando foi gerado, logo desenvolveu o amor à ordem (seus dois fatores combinantes) e começou a absorver uma essência que o alimentou, sustentou e possibilitou a criação de um campo magnético só seu, que o protegerá dali em diante. E, por este campo estar saturado com a essência da onda inclinada que o atraiu e o afixou, então sua faculdade principal ou dom original será análogo ao sentimento que esta essência desperta nos seres.

Se foi a onda vibratória transportadora da essência cristalina que o atraiu e o fixou, certamente este nosso ser será alguém que vibra o amor à ordem nos aspectos religiosos, pois a essência cristalina estimula os sentimentos religiosos e dá sustentação essencial ao sentido da Fé, que é um dos sete sentidos capitais dos seres.

Este ser, ainda essencial (de essência), já formou seu triângulo da vida, cujos vértices estão distribuídos assim:

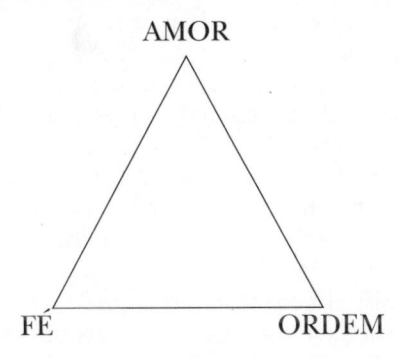

AMOR

FÉ   ORDEM

Já saturado da essência que despertou nele uma faculdade, está pronto para sair do útero da Divina mãe geradora (natureza essencial) e ser conduzido, também de forma inclinada ou perpendicular, a uma dimensão elemental, onde um elemento afim com seu triângulo irá atraí-lo e fixá-lo numa de suas correntes eletromagnéticas, até que seu campo magnético fique saturado de energias elementais que formarão seu corpo elemental básico.

Então, para completarmos a quadriculação do mapa de sua vida, optamos pela dimensão elemental vegetal, cujo elemento vegetal relaciona-se com a irradiação do Conhecimento e cuja essência formadora (a vegetal) é estimuladora do raciocínio.

Então este ser "elemental" quadriculou o mapa de sua vida, que ficou assim:

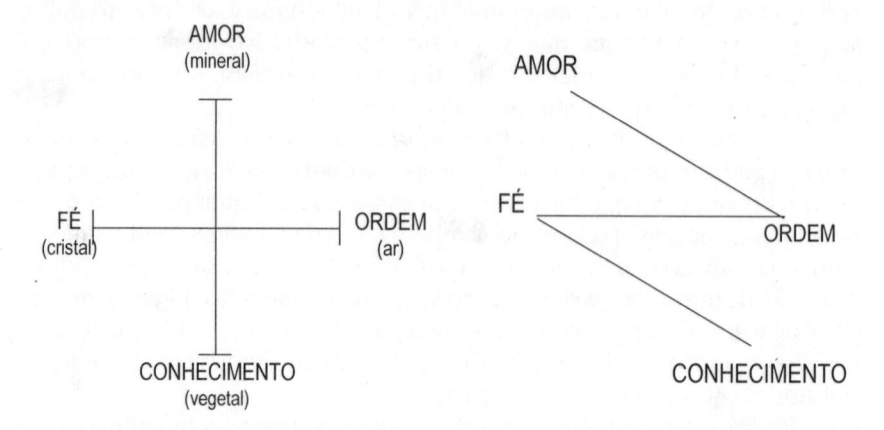

```
           AMOR
         (mineral)                    AMOR
            |
            |
            |
   FÉ       |        ORDEM      FÉ              ORDEM
 (cristal)  |         (ar)
            |
            |
            |
        CONHECIMENTO             CONHECIMENTO
          (vegetal)
```

Este ser elemental saturará seu campo magnético com o elemento vegetal que formará seu primeiro corpo ou seu corpo elemental básico, cuja energia estável é a energia vegetal.

Mas nem tudo foi fácil para este ser, pois ele terá de desenvolver seu polo magnético mental negativo, que dará sustentação ao seu emocional. Quando seu magnetismo mental estável se saturou de energias vegetais, aí foi conduzido a uma dimensão dual, onde há um segundo elemento, combinante com o vegetal.

Então o ser iniciará sua evolução, já fora do útero essencial da Divina mãe geradora, percorrendo um caminho inverso e, se antes ele foi-se densificando, em sentido inverso irá rarefazer-se. Só que se antes ele densificou seu campo magnético, agora irá rarefazer seu mental, e o primeiro passo é desenvolver um polo negativo e um corpo emocional.

Os instintos básicos de um ser visam a dotá-lo de recursos para preservar sua vida.

O seu elemento combinante irá distingui-lo como ser ativo ou passivo.

Tomemos como exemplo que o ser mais uma vez foi conduzido, já por uma corrente eletromagnética que cruza outras seis, pois Deus se repete em todos os estágios da vida, e sentiu atração pela corrente eletromagnética do elemento telúrico, que se funde com a corrente vegetal e, juntas, dão formação à dimensão dual ou bielemental vegetal-terra.

Este ser desenvolverá um corpo emocional concentrador e um polo magnético negativo apassivador. Permanecerá nesta dimensão elemental dual até desenvolver seus instintos básicos e estabelecer seu equilíbrio emocional.

Mais uma vez o ser do nosso exemplo, já saturado das energias do elemento telúrico que o fixaram, emocionaram e concentraram, será conduzido pela corrente eletromagnética bielemental, através de outras sete correntes trielementais, e uma que supre tanto seu emocional quanto seu racional irá atraí-lo e fixá-lo em uma nova dimensão da Vida, na qual ele estagiará até desenvolver uma apuradíssima percepção das coisas, tanto das que lhe são positivas quanto das que lhe são negativas.

Esta nova dimensão é inundada por três correntes eletromagnéticas transportadoras de elementos. Uma corrente é vegetal, outra é telúrica e a terceira é combinante com estes dois elementos.

O ser encantado em questão, que é vegetal no seu polo magnético mental positivo (racional) e telúrico em seu polo magnético negativo (emocional), se sentir atraído pelo elemento água, estabelecerá este triângulo no mapa de sua vida:

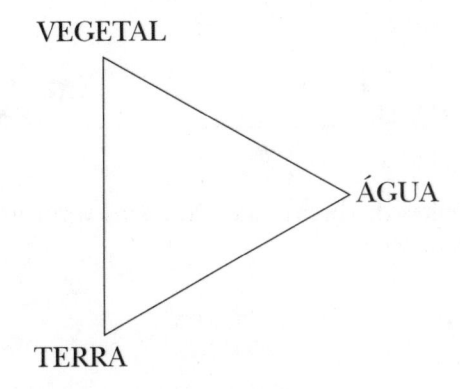

```
          VEGETAL
             /\
            /  \
           /    \
          /      \
         /        _____ ÁGUA
          \      /
           \    /
            \  /
             \/
           TERRA
```

O ser permanecerá neste estágio até que o novo elemento que irá desenvolver sua percepção faça aflorar um latejar "conscientizador". A partir daí, ele começará a se questionar sobre muitas coisas que influenciam sua vida.

Então, este ser encantado está apto a ser conduzido mais uma vez a outra dimensão da Vida, que denominamos de "natural" (de natureza). A corrente eletromagnética que o conduzirá cruzará sete faixas vibratórias horizontais cortadas por sete irradiações energéticas verticais.

Este estágio da Evolução do ser do nosso exemplo equivale ao nosso estágio humano da evolução, em que despertamos nossa consciência e maturidade espiritual, porque as energias que nos chegam por meio das irradiações energéticas são hiper-saturadas de fatores Divinos. E dependendo dos nossos sentimentos últimos, ora estamos absorvendo um tipo de fator, ora outro.

Mas, como o ser do nosso exemplo recebeu em sua origem uma magnetização mineral e terá neste fator (o amor) sua qualidade Divina, com certeza irá absorver as energias minerais em tão grande quantidade que os sentimentos de amor o distinguirão e o conduzirão naturalmente à irradiação de Oxum, Orixá do amor Divino, que o atrairá e o assentará em um dos polos magnéticos de sua irradiação vertical, no qual ele atuará como Orixá de ligação entre a irradiação do Amor e da Fé, regido pelo Conhecimento. Então o triângulo de sua vida será este:

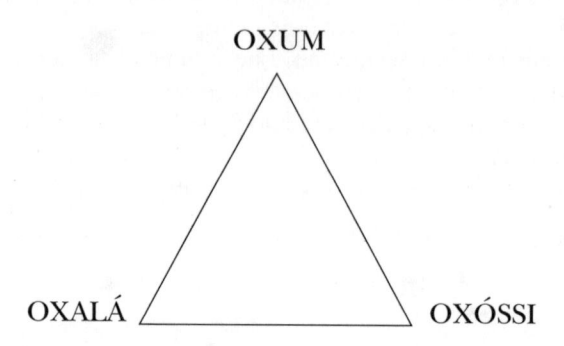

```
           OXUM
            /\
           /  \
          /    \
         /      \
   OXALÁ/_____\OXÓSSI
```

Mas nas linhas de forças, que são linhas verticais e horizontais, sua quadriculação será esta:

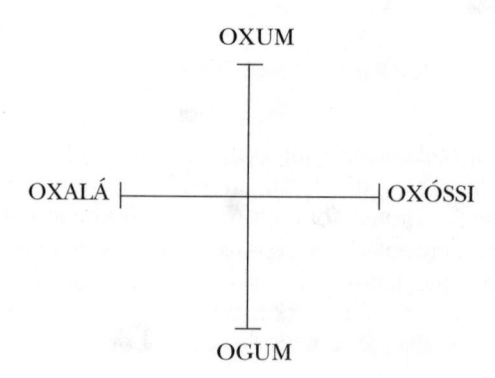

```
           OXUM
            |
            |
   OXALÁ ---+--- OXÓSSI
            |
            |
           OGUM
```

Sim, porque seu fator qualificado foi o fator eólico, ordenador Divino por excelência.

Mas não devemos esquecer que seu segundo elemento foi o telúrico e o terceiro foi o aquático. Então sua quadriculação é cruzada por duas correntes eletromagnéticas elementais e fica assim:

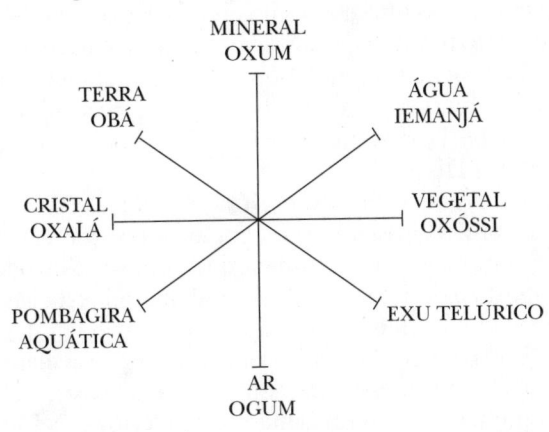

```
                    MINERAL
                     OXUM
                       |
         TERRA         |         ÁGUA
          OBÁ          |        IEMANJÁ
            \          |          /
             \         |         /
    CRISTAL   \        |        /   VEGETAL
    OXALÁ —————————————*—————————————  OXÓSSI
             /         |         \
            /          |          \
   POMBAGIRA           |           EXU TELÚRICO
   AQUÁTICA            |
                       |
                      AR
                     OGUM
```

Dois polos ficarão abertos em seu quarto estágio de Evolução, até que desenvolva afinidades com os orixás que polarizam ou são combinantes naturais com estas duas correntes eletromagnéticas perpendiculares à quadriculação do mapa da sua vida. E enquanto, conscientemente, não fechar estes dois polos abertos, ele não alcançará o quinto estágio da Evolução, no qual se tornará um gerador natural de energias saturadas de essências vitais e irradiador natural do seu fator original que é o mineral, tornando-se um ser celestial.

Observem que aqui usamos apenas um exemplo, mas com ele nos foi possível mostrar a evolução de um ser, desde seu nascimento ou sua geração Divina. Saibam que esta é a verdadeira gênese dos seres e, se optamos por descrever como acontece a evolução, é porque ela não se processa em linha reta, e sim em linhas inclinadas que permitem aos seres a vivenciação dos mais variados sentimentos e experiências, por meio das quais vão aperfeiçoando suas faculdades mentais.

Também mostramos que os fatores formam as essências, estas formam os elementos; estes amalgamam-se, dando origem às substâncias, às energias e às irradiações naturais. Com isto, mostramos que os fatores estão tanto na origem da matéria, dos seres, como na origem dos dons e dos sentimentos.

Aqui não abordamos os casos em que um ser se desvirtua, se desequilibra, negativiza seu magnetismo e se torna gerador de energias negativas cujos fatores são desagregadores, desmagnetizadores, etc. Estes seres, em função da negativação magnética, começam a ser regidos pelos Tronos Cósmicos ou regentes dos polos negativos das ondas vibratórias, das correntes eletromagnéticas e das irradiações energéticas.

Os Tronos cósmicos, cujos magnetismos são atrativos, fixam os seres negativados nas correntes eletromagnéticas negativas e começam a atuar no sentido de esgotar seus negativismos, descarregar seus emocionais e reorientar suas evoluções, criando-lhes novas condições de vida, em que podem despertar novamente suas qualidades e dons originais.

Os orixás cósmicos cujos nomes reveláveis são os Tronos responsáveis pelo amparo aos seres negativados em seus magnetismos mentais e exercem sobre eles uma ascendência natural, porque são os geradores das partes negativas dos fatores Divinos, cuja função é atuarem em sentido contrário aos fatores gerados pelos Tronos positivos, irradiantes e geradores das partes positivas dos fatores Divinos.

Como dissemos que o fator mineral é agregador, e o Trono que o irradia o tempo todo é Oxum, a Orixá do Amor, então vamos comentar apenas isto: Oxum polariza com uma Orixá cósmica que gera um fator desagregador, cuja função é oposta à do fator gerado e irradiado por esta Mãe do Amor.

Mas, em nível cósmico, quem rege este fator é um Trono negativo denominado por nós Trono dos Desejos. E mais não revelaremos, porque é um mistério fechado aos espíritos.Saibam que as cosmogêneses, se devidamente interpretadas, estão revelando os mistérios e as formas de Deus atuar na vida dos seres.

10.6 As Hierarquias do Trono da Geração

Na origem está Deus. A seguir, surgem os Tronos geradores de seus fatores. Depois, surgem os Tronos geradores das essências Divinas. Depois, surgem os Tronos geradores dos elementos. Depois, surgem os Tronos geradores de energias. Depois, surgem os Tronos irradiadores de qualidades Divinas (Fé, Amor, Conhecimento, etc.).

Deus
↓
Trono Gerador do Fator (Orixá Fatoral)
↓
Trono Gerador de Essência (Orixá Essencial)
↓
Trono Gerador de Elemento (Orixá Elemental)
↓
Trono Gerador de Energias (Orixá Energético)
↓
Trono Irradiador das Qualidades Divinas (Orixá Natural)
↓
Trono Qualificador das Qualidades Divinas (Orixá Individualizado)
↓
Trono Aplicador das Qualidades Divinas (Orixá de Ligação)
↓
Seres

Observem que após Deus temos sete níveis vibratórios ou graus hierárquicos numa linha reta, até que cheguemos aos seres.

Vamos comentar esta hierarquia Divina:

Gerador de Fator Divino: é virginal porque gera e é em si mesmo uma qualidade de Deus, emanando-a continuamente por meio de uma onda fatorada que alcança toda a criação.

Trono Gerador de Essência Divina: é essencial porque gera e é em si mesmo uma imanência de Deus e a emana continuamente por meio de uma onda magnetizada com uma vibração específica que alcança tudo e todos o tempo todo, mas só os seres que têm o mesmo magnetismo absorverão sua essência. Seres com o magnetismo de outra essência não a captarão verticalmente e terão de se colocar sob a irradiação dos outros tronos para poderem absorvê-las e evoluírem.

Deus é perfeito, e com esta dependência dos seres os limita, senão se perderão quando deixarem seu interior.

Trono Gerador de Elemento: é elemental porque dependendo da combinação das essências surgem os elementos. Um Trono elemental gera e irradia o elemento que é em si mesmo. Ele se irradia em onda magnética reta ou alternada (passiva ou ativa).

Trono Gerador de Energias: é energético porque absorve os elementos e, dependendo da combinação deles, gera um tipo de energia, que irradia por meio de ondas magnéticas retas ou alternadas (passivas ou ativas). São Tronos encantados.

Trono Irradiador de Qualidades Divinas: é um Trono que gera fatores e os irradia no padrão vibratório porque estão sendo irradiadas as energias irradiadas pelos Tronos energéticos.

Os fatores são absorvidos pelas energias e as qualificam. Daí temos energias ígnea, aquática, mineral, etc.

Trono Qualificador das Qualidades Divinas: são orixás individualizados, porque num nível vibratório dentro de um grau da escala magnética Divina eles geram em si mesmos e irradiam de forma horizontal uma qualidade qualificadora da sua qualidade original.

10.7 Como Surgem e Como se Formam as Hierarquias Divinas

Muitos podem pensar que entre divindades não exista uma hierarquia e que todas sejam iguais. Mas isto não é verdade e os graus são respeitadíssimos, tal como as patentes numa corporação militar.

O respeito é a base da estabilidade das hierarquias e uma divindade possui sua própria faixa de atuação vibratória, na qual nenhuma outra divindade interfere, mesmo quando entra em desequilíbrio magnético, energético e vibratório, pois nestes casos quem atua são os arcanjos, que atuam como equilibradores da criação.

Os arcanjos formam uma classe de divindades que está espalhada por todos os universos paralelos, as dimensões, as faixas, níveis e subníveis vibratórios.

Os arcanjos são parecidos com os juízes corregedores ou mesmo com interventores federais: atuam amparados por princípios Divinos que lhes dão um poder único que possibilita tomarem as iniciativas que acharem necessárias para devolver o equilíbrio vibratório, magnético ou energético onde acontecer desestabilização.

Um arcanjo, dentro de seu grau de atuação, pode isolar toda uma dimensão, faixa, nível ou subnível vibratório e até isolá-los dos restantes, substituindo-os por outro, totalmente vazio mas em perfeito equilíbrio.

Caso uma dimensão entre em desequilíbrio e comece a afetar as outras, os arcanjos fazem de tudo para restituir seu equilíbrio vibratório, magnético e energético antes de isolá-la ou até recolhê-la à dimensão atemporal, substituindo-a por outra dimensão em perfeito equilíbrio, que exercerá as mesmas funções da que foi substituída, pois a função das dimensões é acolher seres que se habilitaram a viver nelas.

Os arcanjos planetários atuam no sentido de reequilibrar uma dimensão que entrou em desarmonia. Não conseguindo, solicitam à hierarquia dos arcanjos celestiais que a isolem, a recolham à dimensão atemporal regida pelo Divino Trono do Tempo e a substituam por outra igual em tudo, para que as outras dimensões não sejam atingidas e também entrem em desarmonia.

Isto já aconteceu com a dimensão humana muito tempo atrás e surgiu uma nova dimensão, que é esta nossa atual. Junto com a outra dimensão foi o seu regente planetário, o demiurgo Luci-yê-fer, que até hoje vive isolado na dimensão atemporal.

Mas outras dimensões já foram isoladas ou até afastadas, pois estavam desarmonizando o conjunto de dimensões planetárias.

O procedimento mais comum é o isolamento da faixa vibratória horizontal ou mesmo de algum de seus níveis ou subníveis, cujos Tronos regentes também são isolados e desmagnetizados, deixando de desestabilizar as outras faixas ou seus níveis ou subníveis.

Mesmo reinos ou moradas naturais são isolados até que se reequilibrem. E caso isto não seja conseguido, então são envoltos numa aura, que é um campo eletromagnético fechado, e são enviados à dimensão atemporal para esgotamento energético e posterior desmagnetização.

Tanto o afastamento de um reino ou morada quanto o de uma dimensão é um processo traumático e dolorido, pois muitos seres desequilibrados serão desmagnetizados, desenergizados e "desemocionados" na dimensão atemporal, cuja função cósmica atende a esta necessidade do Divino Criador.

Este aspecto do Criador é desconhecido dos espíritos encarnados, mas nos níveis superiores da espiritualidade é muito conhecido e temido, pois esta é a face escura do *mesmo Deus* gerador e criador de vidas, ao qual clamamos em nossas preces e aflições.

A função principal dos arcanjos é esta e os anjos são seus auxiliares diretos, pois atuam na consciência dos seres, sempre visando a mantê-los em harmonia com a criação e em equilíbrio vibratório.

O fato é que em Deus tudo se repete e se multiplica, e a hierarquia dos arcanjos segue o modelo dos Tronos de Deus, que são nossos amados orixás, e, estes sim, os regentes dos planetas, das dimensões planetárias e das suas faixas, níveis e subníveis vibratórios, magnéticos e energéticos.

Com os anjos, que são auxiliares dos arcanjos, tudo se repete e se multiplica, surgindo os anjos da Fé, do Amor, do Conhecimento, da Justiça, da Lei, do Saber, da Vida, etc.

Então temos anjos celestiais, planetários, dimensionais, de níveis e subníveis, assim como anjos individuais ou "anjos da guarda".

Deus doa uma qualidade a uma divindade original e todos os seres que forem fatorados por ela assumem a mesma característica e mesmas atribuições no Universo.

Se assim é com os Tronos, assim também é com os Anjos, com os Arcanjos e com todas as classes de divindades.

Uma qualidade de Deus é infinita em si mesma e dá origem a muitas classes de divindades. Cada classe se multiplica infinitamente e se distribui em hierarquias Divinas, cobrindo todos os quadrantes da criação e atuando sobre todos os seres, todas as criaturas e todas as espécies.

As classes de divindades formam o governo Divino que rege a criação em todos os seus aspectos, não deixando nada ou ninguém de fora ou entregue à própria sorte.

Assim como vimos que existem Tronos do Fogo, do Ar, da Terra, da Água, dos Minerais, dos Cristais e dos Vegetais, o mesmo se repete nas outras classes de divindades, que se vão multiplicando e se repetindo infinitamente.

Os magnetismos, os fatores, as essências, os elementos, as energias e os sentimentos são derivados das qualidades de Deus.

Toda a gênese obedece a esta ordem: o magnetismo surge de uma qualidade Divina, pois ela flui em um padrão ou onda própria que vai imantando tudo o que toca. Então a imantação absorve o seu fator afim que a qualifica. Esta qualidade absorve uma essência afim que a distingue e densifica até que assuma a condição de elemento. E este começa a gerar energias que alcançam os sentidos, despertando os sentimentos afins com a qualidade Divina que iniciou todo o processo.

Com as hierarquias Divinas acontece a mesma coisa, e o mesmo se repete na criação, nas criaturas, nos seres e nas espécies.

Se fosse possível aos cientistas estudar a natureza dos átomos, com certeza eles encontrariam em cada um, uma qualidade Divina e o fator que o individualiza e o distingue dos outros tipos de átomos.

Já com as divindades, isto é possível de ser observado, pois basta nos colocarmos em sintonia vibratória com uma que captamos suas vibrações, irradiações e os sentimentos que despertam em nós, ou aceleram os que já vibrávamos intensamente.

Enfim, as hierarquias sempre atendem a uma vontade de Deus e estão voltadas para Sua criação Divina. Mas sempre O repetem e O multiplicam nos muitos graus magnéticos que formam a escala Divina.

Até as notas musicais obedecem aos sete tipos de magnetismo que dão origem a tudo o que existe em nosso planeta.

O dó equivale ao magnetismo telúrico básico ou elemental.
O ré equivale ao magnetismo mineral básico ou elemental.
O mi equivale ao rnagnetisrno ígneo básico ou elemental.
O fá equivale ao magnetismo vegetal básico ou elemental.
O sol equivale ao magnetismo eólico básico ou elemental.
O lá equivale ao magnetismo aquático básico ou elemental.
O si equivale ao magnetismo cristalino básico ou elemental.

Só que cada um desses magnetismos "desce" ou "sobe", e ao cruzar com o magnetismo das outras notas, uma oitava acima ou abaixo, criam sons mistos ou qualificados, e assim vão surgindo os mantras naturais desencadeadores de processos geradores ou energizadores, fatoradores ou magnetizadores, condensadores ou diluidores de plasmas ou egrégoras, estimuladores de sentimentos, sublimação, etc.

Podemos deduzir que as letras e os números também mantêm correspondência com os fatores e os magnetismos, porque Deus se repete e se multiplica em tudo e não deixaria de estar na numerologia, na astrologia, na quiromancia, etc.

Deus está em tudo e por isso os processos são repetitivos e multiplicativos, até mesmo na formação de suas hierarquias Divinas.

Vamos descrever com o auxílio de gráficos como até as hierarquias Divinas são infinitas porque se vão repetindo e se multiplicando, a partir de um único fator Divino. Mas antes é preciso entender que, se Deus é infinito em si mesmo, então também O é no aspecto "fatores Divinos".

Por isto, como o Divino Trono regente do nosso planeta é sétuplo em tudo o que gera em si mesmo, nos ateremos somente aos sete fatores que predominaram na formação de nossa morada Divina e que nos distinguiram em nossa origem.

Antes saibam que toda imanência, fator, essência, elemento, energia, magnetismo, vibração, irradiação e sentimento possui sua contraparte oposta ou negativa que atua em sentido contrário visando a desmagnetizar, diluir, concentrar, etc.

Por isso, vamos dá-los, senão as irradiações do setenário sagrado ficariam desprovidas dos "antídotos" indispensáveis para frearem os instintos dos seres que vivem sob sua regência Divina.

Deus, ao gerar, gera em dupla polaridade e cria duas ondas vibratórias, sendo uma passiva, positiva, universal, estável e contínua. A outra é ativa, negativa, cósmica, instável e alternada.

Com isto em mente, vamos aos sete fatores que nos distinguiram, às suas qualidades, seus atributos e atribuições, assim como aos que se contrapõem como frenadores.

FATORES POSITIVOS, ONDA CONTÍNUA

FATOR	QUALIDADE	ATRIBUTO	ATRIBUIÇÃO
Cristalino	Fé	Magnetizador	Estimula a religiosidade
Mineral	Amor	Agregador	Estimula as uniões
Vegetal	Conhecimento	Racionalizante	Estimula o raciocínio
Ígneo	Justiça	Equilibrador	Estimula a razão
Eólico	Lei	Ordenador	Estimula a ordem
Telúrico	Sabedoria	Conscientizador	Estimula a evolução
Aquático	Geração	Gerador/Criativo	Estimula a vida

Observem que fator, qualidade, atributo e atribuição têm o mesmo sentido e, se escrevermos fator magnetizador, qualidade religiosa, atributo cristalizador e atribuição estimuladora da fé, estaremos dizendo a mesma coisa.

As irradiações são as ondas vibratórias transportadoras dos fatores e um ser sob a sua regência é imantado pelo seu magnetismo, que lhe dá uma qualidade "original" de Deus.

O ser, após ser imantado e fatorado, desce pela sua onda vibratória, que cruza outras seis ondas. Naquela que ele estacionar, por sentir-se atraído pelo seu magnetismo horizontal, nela sua qualidade Divina será qualificada.

Como o Orixá Ogum é ordenador por sua excelência Divina, então tomaremos o fator Ogum (ordenador) como exemplo para mostrar gráfica e cientificamente por que temos muitos Oguns.

Tela Fatorada

	1 Cristalina	2 Mineral	3 Vegetal	4 Ígnea	5 Eólica	6 Telúrica	7 Aquática
7					1		1 C.E. Cristalina
6					2		2 C.E. Mineral
5					3		3 C.E. Vegetal
4					4		4 C.E. Ígnea
3					5		5 C.E. Eólica
2					6		6 C.E. Telúrica
1					7		7 C.E. Aquática

Quinta irradiação vertical, eólica, regida por *Ogum, Orixá ordenador (aplicador da Lei).*

A distribuição quadriculada das telas planas não é uma criação abstrata para explicar os Tronos. Não! Ela obedece ao que existe, está assentada nos níveis vibratórios ou graus magnéticos e é somente a constatação visual do que está se mostrando o tempo a quem tem olhos para ver.

Assim sendo, então temos como ler de todos os ângulos o que uma tela plana está nos dizendo silenciosamente.

Se observarem com atenção, notarão que a raiz das hierarquias dos Tronos Divinos está nesse esquema que mostramos, pois a onda vertical é a irradiação do Orixá senhor de uma linha de forças. Já as ondas horizontais assumem a condição de correntes magnéticas, cuja função é qualificar a qualidade do Orixá que atua no nível vibratório por onde ela flui.

Este esquema se repete, se multiplica e serve de modelo para a formação da tela plana quadriculada que mostra onde estão assentados os senhores orixás sustentadores dos graus magnéticos de uma escala vibratória, não importando se ela é essencial, elemental, energética ou natural.

Assim como a escala Divina está dividida em graus em que cada um dá origem a um universo, cada um desses graus é em si mesmo uma nova escala, já limitada ao seu universo e também subdividida em novos graus que são as faixas vibratórias.

Enfim, tudo vai se repetindo do macro para o micro e tudo o que existe no macro (Deus) vai se multiplicando em graus cada vez mais limitados, pois estará contido dentro do grau de uma escala maior, anterior e superior, e mais pura.

Se partirmos do modelo original e dermos o nome dos orixás aos fatores Divinos, veremos onde começou a formação de suas hierarquias retas ou fatoriais.

Tomemos o exemplo do Orixá Ogum, ordenador por excelência Divina, e façamos uma escala comparativa:

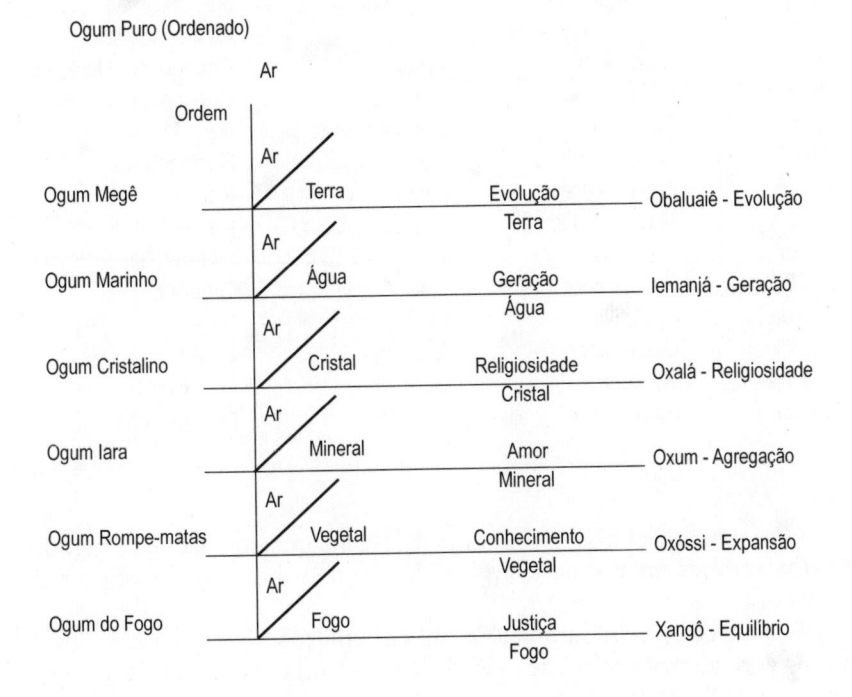

```
Ogum Puro (Ordenado)
                    Ar
      Ordem      │
                 │ Ar
Ogum Megê ───────┤   Terra          Evolução      ── Obaluaiê - Evolução
                 │ Ar               Terra
Ogum Marinho ────┤   Água           Geração       ── Iemanjá - Geração
                 │ Ar               Água
Ogum Cristalino ─┤   Cristal        Religiosidade ── Oxalá - Religiosidade
                 │ Ar               Cristal
Ogum Iara ───────┤   Mineral        Amor          ── Oxum - Agregação
                 │ Ar               Mineral
Ogum Rompe-matas ┤   Vegetal        Conhecimento  ── Oxóssi - Expansão
                 │ Ar               Vegetal
Ogum do Fogo ────┤   Fogo           Justiça       ── Xangô - Equilíbrio
                                    Fogo
```

Lembrem-se, aqui só mostraremos as entradas à direita, que são passivas e positivas. Mas após afixar-se numa onda qualificadora, o ser começará a ser "impressionado" por uma onda que atua em sentido contrário cuja função é limitar seu magnetismo dentro de um espaço específico e dotá-lo de uma alternativa cósmica, ativa e que futuramente servirá como um freio aos seus impulsos emocionais.

É neste momento da vida do ser, ainda inconsciente, que um fator oposto começa a atuar em sua formação.

Por isso, quando nós descrevemos os polos das sete linhas de Umbanda, mostramos que elas têm dupla polaridade que atuam em sentido inverso e em que um agrega (Oxum), o outro dilui (Oxumaré). Ou em que um magnetiza (Oxalá), o outro desmagnetiza (Oiá), e um equilibra (Xangô) o outro direciona (Iansã), etc.

Apresentamos uma tabela com o nome dos orixás e dos fatores:

ORIXÁ	FATOR	QUALIDADE	ATRIBUTO
Oxalá	Magnetizador	Fé	Religiosidade
Oiá	Desmagnetizador	Fé	Religiosidade
Oxum	Agregador	Amor	Concepção, União
Oxumaré	Diluidor	Amor	Concepção, União
Oxóssi	Expansor	Conhecimento	Raciocínio
Obá	Concentrador	Conhecimento	Raciocínio
Xangô	Equilibrador	Justiça	Razão
Iansã	Movimentador	Justiça	Razão
Ogum	Ordenador	Lei	Ordenação
Oro Iná	Energizador	Lei	Ordenação
Obaluaiê	Evolutivo	Evolução	Saber
Nanã	Decantador	Evolução	Saber
Iemanjá	Gerador	Geração	Geracionista
Omolu	Paralisador	Geração	Geracionista

Observem que Orixá é sinônimo de Trono, que por sua vez é gerador de fatores, de essências, de energias, de magnetismos, de vibrações e de irradiações.

Saibam que nas hierarquias Divinas a evolução é contínua e, se observarmos com atenção os nomes simbólicos dos orixás que atuam no ritual de Umbanda Sagrada, veremos isto claramente.

Estes orixás são tronos regentes de faixas vibratórias e possuem suas hierarquias, que são gigantescas, pois todos os seres que se afixam em seus domínios (irradiações) assumem suas qualificações, atributos e atribuições e permanecem sob a regência deles até que alcancem uma evolução tal que se habilitam a ocupar outro estágio evolutivo, já superior ao regido por eles.

Nós chamamos este novo estágio de "celestial".

Gênese do Planeta

```
         OGUM
Irradiação   Eólica
                  Ogum Puro do Ar ou
                  Ogum de Lei ou Ogum
                  Ordenador              Corrente Eletromagnética Eólica

                  Ogum Negê
                                         Corrente Eletromagnética Telúrica

                  Ogum Marinho
                                         Corrente Eletromagnética Aquática

                  Ogum do Tempo
                                         Corrente Eletromagnética Cristalina

                  Ogum das Cachoeiras
                                         Corrente Eletromagnética Mineral

                  Ogum Rompe-Matas
                                         Corrente Eletromagnética Vegetal

                  Ogum do Fogo
                                         Corrente Eletromagnética Ígnea
```

Lembrem-se que aqui usamos Ogum como exemplo, mas o mesmo processo se aplica às hierarquias de todos os tronos ou orixás.

11
Teogonia

11.1 Oxalá

Oxalá é o Trono natural da Fé e é, em si mesmo, esse Mistério Divino, pois gera fé o tempo todo e a irradia de forma reta, alcançando a tudo e a todos.

As hierarquias de Oxalá são formadas por seres naturais descontraídos, profundamente religiosos, calorosos e amorosíssimos.

Todo ser que prega a fé com um sentimento puro de amor a Deus e a vivencia com virtuosismo está sob a irradiação de Oxalá. Todo ser que faz da prática da caridade religiosa um ato de fé em Deus é também amparado por Oxalá em sua irradiação abrasadora.

Oferenda: velas brancas, frutas, coco verde, mel e flores, depositados em bosques, campinas, praias limpas, jardins floridos.

Água para lavagem de cabeça (amaci): água de fonte com rosas brancas e folhas de manjerona maceradas e curtidas por 24 horas.

11.2 Os Mecanismos da Fé

A fé tem seus mecanismos, os quais são ativados a partir do íntimo ou do exterior das pessoas. Estes mecanismos, se bem ativados, são capazes de alterar a vida de uma pessoa em alguns, vários ou muitos aspectos.

Sim. Se os mecanismos da fé forem bem ativados, as pessoas alterarão seus comportamentos sociais, religiosos, morais e emocionais, dotando-se em pouco tempo de uma nova consciência. Este fato torna a fé a principal via evolutiva, já que os outros sentidos da vida possuem mecanismos cujas ativações são lentas ou difíceis de serem conseguidas.

Mas os mecanismos da fé, se ativados corretamente, conseguem retirar as pessoas de estados de espírito sombrios e alçá-las a estados excelsos num piscar de olhos.

Para um teólogo de Umbanda, a religiosidade das pessoas deve ser tratada com respeito e cuidados especiais, pois uma ativação incorreta dos mecanismos da fé pode fragilizá-las ainda mais, já que após ativá-los surgirá uma nova consciência e um novo senso de religiosidade nas pessoas orientadas por ele.

Os mecanismos corretos são os desmistificadores, são os racionais, são os congregadores, são os universalistas e são os espiritualizadores, pois se fundamentam no aperfeiçoamento contínuo e na evolução permanente das pessoas.

Saibam que o senso religioso das pessoas pode ser trabalhado externamente quando elas estão passando por dificuldades sociais (problemas profissionais, matrimoniais, familiares, etc.), momento em que se tornam receptíveis às mensagens externas.

Esse burilamento externo no sentido da fé das pessoas tem de ser acompanhado de uma mensagem socorrista e de algum resultado concreto e satisfatório quanto às dificuldades vividas por elas, senão o seu senso religioso não é alcançado e logo se afastam, procurando novamente outras alternativas religiosas.

Já o burilamento íntimo, no sentido da fé, tem de ser realizado por meio de uma mensagem redentora, pois as pessoas alcançadas por ela deverão desenvolver um novo senso religioso, todo calcado na fé e na modificação de suas condutas pessoais, de suas posturas sociais e religiosas e de suas expectativas. Assim, tornam-se beneficiárias mas também corresponsáveis pela ajuda a ser conseguida.

Ao bom sacerdote de Umbanda recomenda-se o uso dos dois recursos ao mesmo tempo, pois a espiritualidade está aí para ajudar as pessoas nas suas necessidades imediatas, de natureza material ou espiritual. E os sacerdotes estão aí para acolher estas mesmas pessoas necessitadas e incutir na sua mente a necessidade de uma mudança íntima quanto a Deus e à religiosidade a ser seguida por elas. Tudo isso, se bem realizado, alterará totalmente suas vidas e as tornará mais resignadas, menos aflitas, mais confiantes em si e em Deus, e mais fraternas e respeitosas.

Portanto, lidando-se corretamente com o senso religioso das pessoas, com certeza sua atuação no sentido da fé será muito abrangente e muito profunda porque poderá burilar os mecanismos dos outros sensos e alterar as posturas, as expectativas e as necessidades delas em vários ou muitos outros sentidos da vida.

Reflitam sobre isto, porque talvez até alguns de vocês, futuros teólogos de Umbanda, estejam necessitando de um burilamento íntimo no sentido da fé e de uma modificação acentuada e profunda em seu senso religioso.

Observem-se intimamente e procurem descobrir se alguns mecanismos da sua fé não estão avariados, já que para identificá-los basta observarem suas expectativas e suas posturas em relação ao Universo Divino.

11.3 Logunã

Logunã é uma divindade ativa da Fé e é em si mesma esse Mistério Divino, pois gera religiosidade o tempo todo e a irradia ou absorve conforme as necessidades. Se o ser está apático, ele a recebe, e se está emocionado, a tem esgotada.

Oiá é a Orixá do Tempo e seu campo preferencial de atuação é o religioso, em que atua como ordenadora do caos religioso, ativando ou paralisando a qualidade religiosa dos seres movidos pelos sentimentos de fé. Suas irradiações espiraladas são alternadas e direcionadas, só alcançando os seres apatizados ou emocionados, esgotando o emocional dos seres que estão vibrando sentimentos religiosos desequilibrados.

As hierarquias de Oiá são formadas por seres naturais circunspectos, glacialmente religiosos e muito respeitosos, não admitindo arroubos religiosos de espécie alguma à volta deles.

Todos os seres que pregam sua fé com emotividade e a vivenciam com fanatismo estão sob a irradiação de Oiá. Todo ser que faz de suas práticas religiosas um ato de exploração da boa-fé de seus semelhantes será punido por Oiá e será esgotado em seus enregelantes domínios cósmicos.

Oiá é muito temida, pois é a própria frieza de Deus para com seus filhos desvirtuados que deturpam Sua qualidade Divina (a Fé) e, a partir de seus vícios e desequilíbrios, ludibriam a boa-fé de seus semelhantes.

Oferenda: sete velas brancas, sete velas azul-escuras e sete velas pretas, com cada uma das cores formando o vértice de seu triângulo de forças, que deve estar com o vértice branco voltado para vocês enquanto a oferendam.

Após acender as velas e firmar seu triângulo de forças, deve-se partir um coco seco e colher sua água. Depois, deposite a água dentro de uma das partes do coco e acrescenta-se licor de anis, que é sua bebida ritual.

Também deve-se partir ao meio um maracujá maduro e colocá-lo ao lado do coco, pois esta é sua fruta ritual. Pode-se, também, usar um coco verde.

Após firmar esta oferenda e cobrir a cabeça com um pano branco, diz-se o seguinte:

"Amada e Divina mãe do tempo, aceite esta minha oferenda como prova de minha fé e do despertar consciente de minha religiosidade e fé em nosso Divino Criador Olorum. Solicito que me receba em seu amor e me ampare em todos os sentidos durante esta minha jornada evolucionista no plano material e que me livre das tentações, cubra-me com seu véu cristalino

da fé em Olorum e conduza-me pelo caminho reto que leva todos os seus filhos na direção da Luz e do nosso Pai Eterno.

Apresento-me como 'fulano de tal' e solicito seu amparo e sua guia luminosa para que eu me conduza, tanto nos campos luminosos quanto nos campos escuros, sempre iluminado pela sua Luz cristalina e amparado por minha fé no nosso Divino Criador.

Salve, Mãe Divina da Fé!
Salve minha Mãe, Senhora do Tempo!
Salve Oxalá, Luz da minha Fé e regente da eternidade dos que vivem na fé em Olorum!"

Após proferir com amor e Fé esta oração, levantar a cabeça (coberta) e estender as mãos para o alto, absorvendo as irradiações cristalinas de amor e fé que ela estará enviando.

Água de Oiá para lavagem de cabeça (amaci): água de chuva com folhas de eucalipto e pétalas de rosa amarela maceradas e curtidas por sete dias.

11.4 O Trono do Tempo no Ritual de Umbanda Sagrada

Oiá é a regente do Trono do Tempo, que é também um mistério da Lei.

Tempo é um mistério que transcende espaço físico e interpenetra o campo da mente, das ideias, da criação e da religiosidade.

Ele está na origem, no meio e no fim de tudo, pois tanto está no físico quanto no campo mental.

Tempo é o "meio" onde tudo se realiza; nada fica fora dele, senão, não se realiza.

É a cronologia Divina e toda obrigação ou oferenda tem de ser realizada em espaço aberto, no tempo.

No aspecto negativo, tempo é meio caótico. Já em seu aspecto positivo, é ordem cronológica no qual tudo tem seu início ordenado e fica gravado na memória universal da Criação Divina.

É a espiral sem fim que gira em duplo sentido. No centro neutro está assentado o "Trono do Tempo".

A Lei do Carma é um dos atributos do "Trono do Tempo", que a aplica na vida dos seres por meio das atribuições de todos os outros orixás.

Assim sendo, Xangô aplica a justiça através do "Tempo" e Ogum esgota um carma através do "Tempo".

Se o giro for à direita, será uma ação positiva e ordenadora. Se for à esquerda, será caótico, esgotador, divisor, desmagnetizador, etc.

No passado, todas as religiões naturais cultuavam uma divindade associada ao tempo; mas o culto a uma divindade do Tempo só é correto se ela estiver num contexto religioso, já que é fulminante em sua ação.

O Ritual de Umbanda Sagrada adotou o culto a Oiá, que atua "religiosamente" na vida dos umbandistas e sempre gira para a direita, cujo giro é ordenador da religiosidade dos seres.

Oiá é um Trono do Tempo. A Umbanda não abriu os seus aspectos negativos e os confiou aos Exus e Pombagiras do Tempo, que são os guardiões dos mistérios cósmicos.

11.5 Oxum

Oxum é o Trono Natural irradiador do Amor Divino e da Concepção da Vida em todos os sentidos. Como "Mãe da Concepção", estimula a união matrimonial e, como Trono Mineral, favorece a conquista da riqueza espiritual e a abundância material.

Está em tudo o que Deus criou. Ela é tida como a Orixá do amor ou do coração, ou da concepção, porque é em si mesma o Amor Divino e o manifesta a partir de si mesmo, dando origem às agregações.

A partir das agregações, Oxum dá origem à concepção das coisas, já que ela é a própria Concepção Divina como qualidade do Divino Criador, que individualizou essa Sua qualidade nela, a sua divindade do amor, que agrega e concebe.

Oxum desperta o amor nos seres, agrega-os e dá início à concepção da própria vida. Por isso, é tida como a divindade que rege a sexualidade, pois é por seu intermédio que a vida é concebida na carne, multiplicando-se.

Tudo o que se liga, no universo, só se liga por causa do magnetismo agregador de Oxum. Ela está em todas as outras qualidades de Deus, em todos os sentimentos, em toda a criação, em todos os seres, em todas as criaturas e em todas as espécies.

Oferenda: velas brancas, azuis e amarelas; flores, frutos e essência de rosas; champanhe e licor de cereja, tudo depositado ao pé de uma cachoeira.

Água de Oxum para lavagem de cabeça (amaci): água de cachoeira com rosas brancas maceradas e curtidas por três dias.

11.6 Oxumaré

Oxumaré é o Trono de Deus que se polariza com Oxum na Coroa Planetária.

O divino Trono da Renovação da Vida é a divindade unigênita de Deus, que é em si mesmo o Orixá que tanto dilui as causas dos desequilíbrios quanto gera de si as condições ideais para que tudo seja renovado, já em equilíbrio e harmonia. Ele é o próprio mistério renovador e diluidor do Criador.

Oxumaré é um Orixá ativo, cósmico e temporal, que só entra na vida dos seres caso as ligações (agregações) entrem em desequilíbrio ou desarmonia. Sim, ele "desfaz" o que perdeu sua condição ideal de existência e deve ser diluído para ser reagregado já em novas condições.

O magnetismo de Oxumaré é composto de duas ondas entrecruzadas que seguem numa mesma direção, criando uma irradiação ondeante e diluidora de todas as agregações não estáveis. Uma dessas ondas dilui as agregações cujo magnetismo agregador é de natureza masculina; outra dilui as agregações de natureza feminina, dissolvendo compostos energéticos, alterando estruturas elementares e modificando sentimentos.

Mas o Mistério Oxumaré não se limita apenas a diluir as agregações instáveis, pois seu fator renovador traz em si a qualidade de renovar um meio ambiente, uma agregação, uma energia, um elemento e até os sentimentos íntimos dos seres.

Oxumaré, tal como revela a lenda dos orixás, é a renovação contínua, em todos os aspectos e em todos os sentidos da vida de um ser. Sua identificação com Dá, a Serpente do Arco-Íris, não aconteceu por acaso, pois Oxumaré irradia as sete cores que caracterizam as sete irradiações Divinas que dão origem às Sete Linhas de Umbanda. E ele atua nas sete irradiações como elemento renovador.

Oxumaré está na linha da Fé como elemento renovador da religiosidade dos seres. Ele está na linha da Concepção como renovador do amor e da sexualidade da vida dos seres. Está na linha do Conhecimento como renovador dos conceitos, teorias e fundamentos. Está na lista da Justiça como renovador dos juízos. Oxumaré está na linha da Lei como renovador das ordenações que acontecem de tempos em tempos. Ele está na linha da Evolução como a renovação das doutrinas religiosas, que aperfeiçoam o saber e aceleram a evolução dos seres. Está na linha da Geração como a renovação ou como o próprio reencarne, que acontece quando um espírito troca a pele, tal como faz Dá, a Serpente Encantada do Arco-Íris.

Por isso, ele é o Orixá que forma um par natural com Oxum, Orixá da Agregação. Onde ela agregou, mas já foi superada ou entrou em desequilíbrio com o resto da criação, aí entra Oxumaré diluindo tudo e gerando em si, e de si, as condições ideais para que tudo se renove e, mantendo suas qualidades originais e sua natureza individual, continue a fazer parte do todo, que é Deus.

O mistério "Sete Cobras" é um dos aspectos negativos ou opostos do Divino Oxumaré, que é em si mesmo o arco-íris ou as sete Irradiações Divinas.

Observem que, aqui, "serpente" ou "cobra" não tem conotação de réptil, mas simboliza as qualidades afins com os campos vibratórios dos orixás.

E se no aspecto positivo assumem cores irradiantes, no aspecto negativo assumem cores absorventes, todas afins com as faixas nas quais são retidos os seres que emocionalizam suas vidas até um grau afim com o polo negativo dos orixás cósmicos.

Oferenda: uma vela branca, uma vela azul, uma vela verde, uma vela dourada, uma vela vermelha, uma vela roxa, uma vela rosa, uma vela marrom terroso.

Colocar no centro um melão aberto numa das pontas e derramar dentro dele um pouco de champanhe *rosé*; o resto deve ser deixado na garrafa dentro do círculo de velas coloridas.

Façam esta oferenda próximo de uma cachoeira.

Acender a vela branca e circulá-la com as sete velas coloridas, guardando uma distância de 30 centímetros entre o centro e o círculo colorido. Deve-se, então, circundar as velas com flores multicoloridas e invocar Oxumaré, solicitando a ele o que se deseja, mas que seja justo para que acelere suas evoluções, pois, se pedirem coisas tortas, uma serpente começará a segui-los e, mais dias menos dias, serão "picados" por ela de forma tão mortífera que os paralisará.

Água de Oxumaré para lavagem de cabeça (amaci): água de cachoeira com folhas de louro e pétalas de flores variadas curtidas por três dias.

11.7 Oxóssi

O Conhecimento é uma qualidade de Deus e Oxóssi é sua divindade unigênita, pois ele é, em si mesmo, o Conhecimento Divino que ensina todos a conhecerem a si mesmos a partir do conhecimento sobre nosso Divino Criador.

Olorum gerou em Si o conhecimento sobre tudo o que criou, e porque tem conhecimento sobre toda a Sua criação, então o conhecimento assumiu a condição de uma qualidade Sua, à qual Ele imantou como um dos mistérios da criação, já que gera em Si o conhecimento e é em Si onisciente ou conhecedor de tudo e de todos.

Portanto, Oxóssi rege sobre o conhecimento e irradia o tempo todo a todos, porque é em si mesmo o Conhecimento Divino ou a onisciência de Deus.

Oxóssi, por ser unigênito na Qualidade Divina do conhecimento, também gera em Si conhecimentos Divinos e aqueles sobre a gênese das coisas de Deus.

Por ser a divindade manifestadora do Conhecimento Divino, Oxóssi está em todas as qualidades de Deus manifestadas pelas Suas outras divindades, assim como todas estão em Oxóssi, que é em si mesmo o conhecimento.

Seu magnetismo expande as faculdades dos seres, aguça o raciocínio e os predispõe a buscar a gênese das coisas (o conhecimento sobre elas). Logo, Oxóssi é o estimulador natural dessa busca incessante sobre nossa própria origem Divina. E quanto mais sabemos sobre ela, maior é o nosso respeito para com a criação e mais sólida é nossa fé em Deus, pois passamos a encontrá-Lo em nós mesmos.

Então Oxóssi está tanto na natureza como nos conhecimentos sobre a Criação, assim como está na fé, porque nos esclarece sobre nossa origem Divina e nos ensina a conhecermos Deus racionalmente.

Por sua natureza expansiva e seu grau de divindade guardiã dos mistérios da natureza, Oxóssi é descrito nas lendas como um Orixá caçador e ligado às matas (os vegetais). Como divindade, ele é o estimulador da busca do conhecimento e guardião dos segredos medicinais das folhas.

Enfim, Oxóssi é a divindade doutrinadora que esclarece os seres e a partir do conhecimento vai religando-os ao Pai Maior, o Divino Criador.

Por isso, e porque o Conhecimento está em tudo e em todos, assim como está nas outras qualidades Divinas, Oxóssi é interpretado como a divindade que atua nos seres aguçando o raciocínio, esclarecendo-os e expandindo as faculdades mentais ligadas ao aprendizado das coisas religiosas, estimulando-os a buscar Deus sem fanatismo ou emotividade, mas com conhecimento e fé.

O magnetismo de Oxóssi expande a capacidade de raciocinar e fortalece o mental do ser, pois o satura com a sua essência e energia vegetal, curadoras das doenças emocionais e dos desequilíbrios energéticos que surgem a partir da vivenciação de conceitos errôneos paralisadores da evolução como um todo na vida das pessoas.

Oxóssi polariza e se complementa com Obá, na Linha do Conhecimento Divino.

Oferenda: velas brancas, verde e rosa; cerveja, vinho doce e licor de caju; flores-do-campo e frutas variadas, tudo depositado em bosques e matas.

Água de Oxóssi para lavagem de cabeça (amaci): água da fonte com guiné macerada e curtida por três dias.

11.8 Obá

Obá é uma divindade cósmica gerada em Deus na Sua qualidade concentradora, que dá consistência e firmeza a tudo o que cria. Ela é o elemento terra que dá sustentação e germina em seu ventre terroso todas as sementes do conhecimento.

Ela é uma divindade unigênita que possui um magnetismo negativo, atrativo e concentrador, que polariza com Oxóssi e atua como concentradora do raciocínio dos seres, expandido por ele.

É unigênita porque é, em si mesma, a qualidade concentradora do Divino Criador, qualidade esta associada à verdade, já que só o que é verdadeiro tem em si mesmo uma densidade e uma resistência própria que o eterniza no tempo e na mente dos seres.

Obá, nas lendas, é tida como a "Orixá da Verdade".

Este é um mistério de Deus corretamente interpretado, pois ela é a divindade que é, em si mesma, a Qualidade Divina que esgota os seres cujo raciocínio se desvirtuou, gerando falsos conceitos religiosos paralisadores da evolução e desequilibradores da fé.

Obá é circunspecta, de caráter firme e reto, de poucas palavras e de uma profundidade única nas suas vibrações retificadoras do raciocínio dos seres.

Oxóssi é visto como o doutrinador pensante, é expansivo. Já Obá é vista e interpretada como a mestra rigorosa, inflexível e irredutível nos seus pontos de vista (conceitos sobre a verdade). Ela não é envolvente, mas sim absorvente. Ela não é amorosa, mas sim corretiva, e não se peja se tiver de esgotar toda a capacidade de raciocínio de um ser que se emocionou e se desequilibrou mentalmente.

Por ser em si a qualidade concentradora do criador Olorum, Obá também gera em si suas hierarquias, racionalistas e circunspectas, e sua qualidade, que é passada aos seus filhos, que a absorvem e tornam-se racionalistas, circunspectos, muito observadores e pouco falantes.

A atuação de Obá é discreta, pois ela é tão silenciosa quanto a terra, seu elemento, e quem está sendo paralisado nem percebe que está passando por uma descarga emocional muito intensa. Mas algum tempo depois já começa a mudar alguns de seus "conceitos" errôneos ou abandona a linha de raciocínio desvirtuado e viciado que o estava direcionando.

O campo em que Obá mais atua é o religioso. Como divindade cósmica responsável por paralisar os excessos cometidos pelas pessoas que dominam o conhecimento religioso, uma de suas funções é paralisar os conhecimentos viciados e aquietar os seres antes que cometam erros irreparáveis.

O ser que está sendo atuado por Obá começa a desinteressar-se pelo assunto que tanto o atraía e torna-se meio apático, alguns até perdendo sua desvirtuada capacidade de raciocinar.

Então, quando o ser já foi paralisado e teve seu emocional descarregado dos conceitos falsos, aí ela o conduz ao campo de ação de Oxóssi, que começará a atuar no sentido de redirecioná-lo na linha reta do conhecimento.

Obá, com seu poderoso magnetismo, absorve as energias irradiadas pelos pensamentos dos seres que estão dando mau uso aos seus conhecimentos e os os envia ao seu polo oposto negativo escuro, para descarregá-los neles assim que desencarnarem, quando receberão terríveis choques mentais que chegam a levar alguns ao estado de demência, tornando-os irreconhecíveis.

Seu polo magnético é tão atrativo quanto à gravidade do planeta Terra. E por isso ela não irradia cores e mostra-se de cor magenta ou terrosa. Mas Obá é bicolor, pois é terra-vegetal ou a seiva viva onde as sementes germinam. E entre estas sementes está a do conhecimento.

Oferenda: coco verde, vinho licoroso tinto, água com hortelã macerada, mel ou açúcar, flores-do-campo, velas brancas, velas verde-escuro e velas magenta, terrosa ou marrom.

Sua oferenda deve ser depositada sobre um tecido de cor magenta ou terrosa. O vinho e a água com hortelã macerada podem ser servidos em taças ou copos de plástico.

O coco verde deve ser aberto em uma de suas pontas e o mel deve ser derramado dentro da água em seu interior, assim como deve-se abrir um furo no tecido e um buraco no solo para que pelo menos metade do coco fique dentro da terra.

Portanto, deve-se levar uma ferramenta para abrir um pequeno buraco na terra, assim como uma "toalha de mesa" já com um corte redondo no meio que se encaixe justo ao redor do coco verde.

Sempre que se for oferendar Obá, deve-se antes levar um pedaço de carne bovina para colocá-la dentro de um pequeno buraco cercado com sete velas pretas e sete velas vermelhas, saudando o senhor "Exu da Terra". Ele pode receber sua oferenda simbólica próximo da de Obá, mas à esquerda, considerando que ela está de frente para nós.

Esta oferenda simbólica é feita em sinal de respeito ao Trono regente do polo oposto negativo e oposto ao de nossa amada mãe Obá. A ele não se deve pedir nada mais além de força e proteção nos trabalhos espirituais justos e retos, pois, nos injustos e tortos, saibam que o magnetismo cósmico dele começa a atuar e desestabilizar a terra sob os pés de quem recorre a eles, assim que se iniciam.

Ao oferendarmos Obá, devemos nos apresentar a ela, solicitando seu amparo e proteção nos trabalhos espirituais, que será concedido, mas de forma silenciosa e discreta, pois assim é a natureza cósmica dessa nossa amada Mãe Divina da terra.

Sempre que se desejar saudá-la nos trabalhos, deve-se derramar três vezes um pouco de água na frente do congá e três vezes na frente do templo, pronunciando mentalmente ou vocalizando esta saudação mântrica: "A-ki-ro-obá-yê!" ou "Akirôobá-yê!" (Eu saúdo o seu conhecimento, Senhora da Terra! ou Eu saúdo a terra, Senhora do Conhecimento!).

Água de Obá para lavagem de cabeça (amaci): água de rio com pétalas de rosa branca e folhas de alecrim maceradas e curtidas por 24 horas.

11.9 Xangô

Olorum gera tudo em Si, e uma de Suas gerações é a Justiça Divina, que dá o devido equilíbrio a tudo o que gera.

Essa Sua qualidade equilibradora está em tudo e em todos, e mantém toda a criação Divina em equilíbrio e harmonia, dando a tudo um ponto de equilíbrio.

Olorum gerou nessa Sua qualidade equilibradora de tudo e de todos uma divindade que é em si mesma o Equilíbrio Divino que dá sustentação a tudo o que existe, tanto animado quanto inanimado, surgindo o Trono da Justiça Divina, Divindade unigênita porque é o Orixá do equilíbrio, da razão e do Juízo Divino.

Deus é justo e tudo o que gera, gera com equilíbrio, pois tudo atende a uma vontade Sua, às Suas criaturas, espécies e seres. E Xangô, o Orixá da Justiça, independe de nossa vontade para atuar sobre nós, já que ele é em si mesmo essa qualidade equilibradora do nosso Divino Criador.

Xangô, por ser unigênito e ter sido gerado em Deus, é em si mesmo a Justiça Divina que purifica nossos sentimentos com sua irradiação incandescente, abrasadora e consumidora das emotividades.

Mas Xangô, como Qualidade Divina, está na própria gênese das coisas como a força coesiva que dá sustentação à forma que cada agregado assume, ou seja, ele está na natureza das coisas como o próprio equilíbrio, pois só assim elas não deixam de ser como são. Ele tanto é o ponto de equilíbrio que dá sustentação à estrutura atômica de um átomo como é a força que dá estabilidade ao universo e a tudo o que nele existe, seja animado, seja inanimado.

Xangô também gera em si a qualidade em que foi gerado. Mas ele também gera de si essa sua qualidade equilibradora e a transmite a tudo e a todos.

Quem absorvê-la torna-se racional, ajuizado e ótimo equilibrador, tanto dos que vivem à sua volta como do próprio meio em que vive. Um juiz é um exemplo bem característico dessa qualidade equilibradora irradiada por Xangô, e não importa que o juiz seja um "filho" de outro Orixá, pois a manifestará naturalmente, já que a justiça humana é a concretização da Justiça Divina no plano material.

Um juiz não consegue dissociar-se da qualidade da Justiça, à qual serve com toda a sua capacidade mental e intelectual, mas nunca emotivamente, pois é um racionalista nato.

Essa qualidade equilibradora está presente em todos os processos Divinos (criação e geração). Por isso, assim que algo alcança seu ponto de equilíbrio, o processo criador ou gerador é paralisado e o que foi criado ou gerado estabiliza-se e adquire uma definição só sua que o qualificará dali em diante.

Com isto explicado, podemos entender a importância que tem essa Qualidade Divina, que na Umbanda a vemos nos procedimentos retos, justos e ajuizados dos Caboclos de Xangô. Por isso, quando evocamos a presença dele, só o fazemos se for para devolver o equilíbrio e a razão aos seres e procedimentos desequilibrados e emocionados, ou para clamar pela Justiça Divina, que atuará em nossa vida anulando demandas cármicas, magias negras, etc., devolvendo-nos a paz, a harmonia e o equilíbrio mental, emocional, racional e até nossa saúde, pois, para estarmos saudáveis, devemos estar em equilíbrio vibratório também no corpo físico.

Observem que o equilíbrio proporcionado por Xangô não se limita apenas a um aspecto de nossa vida, já que ele, como qualidade equilibradora, está em todos.

Xangô é o Trono de Deus gerador e irradiador do fator equilibrador, mas o limitamos quando deixamos de recorrer a ele para ajudar-nos em todos os aspectos e só o fazemos para anular demanda ou impor a Justiça Divina na vida dos seres desequilibrados.

Oferenda: velas brancas, vermelhas e marrom; cerveja escura, vinho tinto doce e licor de ambrósia; flores diversas, tudo depositado em uma cachoeira, montanha ou pedreira.

Água de Xangô para lavagem de cabeça (amaci): água de cachoeira com hortelã macerada e curtida por três dias.

11.10 O Sentido da Justiça

Todos temos, no sentido de justiça, os mecanismos mentais necessários para desenvolver uma conduta equilibrada e para adquirir posturas pessoais sensatas e racionais, anulando nosso instintivismo primitivo e nossa emotividade.

Saibam que o instintivismo primitivo deve ser transmutado lentamente em sensos, senão nós nos tornamos egoístas, possessivos, vingativos, intransigentes e intolerantes com nossos semelhantes e com nós mesmos.

Já quanto à emotividade apaixonante, ela deve ser refreada pelo senso equilibrador do sentido da justiça, senão nos tornamos pessoas que se sentem injustiçadas a todo instante por nossos semelhantes ou nos sentimos inferiorizados, abandonados, traídos, menosprezados porque a emotividade não suporta nenhum tipo de contrariedade, levando-nos a ver qualquer ação refreadora dela como ofensa pessoal.

As pessoas instintivas não desenvolveram os sensos de justiça, e a vida delas resume-se a uma permanente busca de satisfação pessoal, ainda que esta se processe à custa dos seus semelhantes.

Esta "satisfação pessoal" deve ser vista de forma abrangente, pois uma pessoa instintiva costuma procurá-la em todos os sentidos da vida e tudo tem de ser para ela e por ela, senão se sentirá preterida ou injustiçada. Em consequência, torna-se intolerante e mesquinha. Vamos às pessoas instintivistas.

- No campo profissional, buscam os cargos de destaque social, os de chefia e os mais bem remunerados, pois sua "satisfação pessoal" não aceita nada que seja subalterno;
- No campo religioso, buscam o destaque dentro dos grupos que frequentam. Se é um religioso, quer estar acima de todos, e se é um assistente, quer toda a atenção para si, não se importando com mais ninguém;
- No campo familiar, tem de ser o dono da família e não aceita ser contrariado por ninguém;
- No campo amoroso, não se importa com os sentimentos alheios, pois os seus é que devem ser satisfeitos e não se importam nem um pouco com os das pessoas à sua volta;
- No campo pessoal, querem ser o centro das atenções, querem ser bajulados e não aceitam nenhum tipo de crítica ou advertência.

Agora vamos às pessoas emotivas.

• No campo profissional são inseguras, imaturas e dispersivas e, não raramente, sentem-se perseguidas, humilhadas ou desprezadas pelos colegas, pois suas emotividades as impedem de desenvolverem relacionamentos fraternos. Os únicos que elas conseguem desenvolver são com envolvimentos pessoais e, caso as pessoas relacionadas com elas não lhes deem a devida atenção, logo são evitadas ou repelidas porque passam a ser vistas como traidores, desleais, etc;

• No campo amoroso, as pessoas emotivas são dependentes do seu par, são ciumentas, são possessivas e apaixonam de tal forma os seus relacionamentos que se tornam sufocantes ou inconvenientes;

• No campo familiar, as pessoas emotivas são focos de desequilíbrio familiar e, não raro, tornam a vida em família um tormento, já que ou são o foco de atenção de todos os outros membros dela, ou tratam a todos como seus adversários.

Aí há alguns casos em que a emotividade e o instinto se fazem presentes e tornam difíceis os relacionamentos humanos, já que os mecanismos mentais foram avariados e a noção dos sensos é turvada, e as pessoas adquirem hábitos, expectativas e posturas desequilibradas.

11.11 Iansã

Sempre que a Justiça Divina é ativada, tanto seu polo passivo quanto seu polo ativo são ativados, e aí surge Iansã, regente da Lei nos campos da Justiça.

Iansã é a divindade da Lei, cuja natureza eólica expande o fogo de Xangô, e, assim que o ser é purificado de seus vícios, ela entra em sua vida redirecionando-o e conduzindo-o a um outro campo no qual retomará sua evolução.

Uma das qualidades de Deus é o direcionamento que está presente e ativo em tudo o que Ele gera e cria.

É nesta Sua qualidade direcionadora de tudo o que existe, tanto animado quanto inanimado, que Ele gerou Iansã.

Iansã, como qualidade de Deus, está em tudo e em todos e é a força móvel que direciona a Fé (Oxalá), a Justiça (Xangô), a Evolução (Obaluaiê), a Geração (Iemanjá), a Agregação (Oxum), a Lei (Ogum).

Ogum é a Lei, a via reta, mas Iansã é o próprio sentido de direção da Lei, pois ela é um mistério que só entra na vida de um ser caso a direção que este esteja dando à sua evolução e sua religiosidade não siga a linha reta traçada pela Lei Maior (Ogum).

Por isso, ela não depende de nós para atuar em nossas vidas. Basta "errarmos" para que sua Qualidade Divina nos envolva numa de suas espirais, impondo-nos um giro completo e transformador dos nossos sentimentos viciados. Com isso, ela nos coloca novamente no caminho reto da vida, ou nos lança no Tempo, onde nossa religiosidade desvirtuada será paralisada e esgotada em pouco tempo.

Sua atuação é cósmica, ativa, negativa, mobilizadora e emocional, mas não é inconsequente ou emotiva, porque ela é o sentido da Lei, que não é apenas punidora, mas também direcionadora.

Iansã aplica a Lei nos campos da Justiça e é extremamente ativa. Uma de suas atribuições é colher os seres fora da Lei e, com um de seus magnetismos, alterar todo o seu emocional, mental e consciencial, para, só então, redirecioná-lo numa outra linha de evolução, que o aquietará e facilitará sua caminhada pela linha reta da evolução.

As energias irradiadas por Iansã densificam o mental, diminuindo seu magnetismo, e estimulam o emocional, acelerando suas vibrações.

Com isso, o ser torna-se mais emotivo e é, mais facilmente, redirecionado. Mas quando não é possível reconduzi-lo à linha reta da evolução, então uma de suas intermediárias cósmicas, que atuam em seus aspectos negativos, paralisa o ser e o retém em um dos campos de esgotamento mental, emocional e energético, até que ele tenha sido esgotado de seu negativismo e tenha descarregado todo o seu emocional desvirtuado e viciado.

Nossa amada mãe Iansã possui 21 Iansãs regentes de faixas vibratórias, que são assim distribuídas:

• Sete atuam junto aos polos magnéticos irradiantes e auxiliam os orixás regentes dos polos positivos, nos quais entram como aplicadoras da Lei segundo os princípios da Justiça Divina, recorrendo aos aspectos positivos da Orixá Planetária Iansã.

• Sete atuam junto aos polos magnéticos absorventes e auxiliam os orixás regentes dos polos negativos, nos quais entram como aplicadoras da Lei segundo seus princípios, recorrendo aos aspectos negativos da Orixá Planetária Iansã;

• Sete atuam nas faixas neutras das dimensões planetárias, onde, regidas pelos princípios da Lei, ou direcionam os seres para as faixas vibratórias positivas, ou os direcionam para as faixas negativas.

Enfim, são 21 orixás Iansãs aplicadoras da Lei nas Sete Linhas de Umbanda.

O fato é que Iansã aplica a Lei nos campos da Justiça Divina e transforma os seres desequilibrados com suas irradiações espiraladas, que o fazem girar até que tenham descarregado seus emocionais desvirtuados e suas consciências desordenadas.

Oferenda: velas brancas, amarelas e vermelhas; champanhe branca, licor de menta e de anis ou de cereja; rosas e palmas amarelas, tudo depositado no campo aberto, pedreiras, beira-mar, cachoeiras, etc.

Água de Iansã para lavagem de cabeça (amaci): água de cachoeira, rio, fonte ou chuva com rosas brancas, guiné e alecrim macerados e curtidos por sete dias.

11.12 Ogum

Ogum é sinônimo de Lei Maior, Ordenação Divina e retidão, porque é unigênito e gerado na qualidade ordenadora do Divino Criador. Seu campo de atuação é a linha divisória entre a razão, a emoção e a ordenação dos processos e dos procedimentos. É o Trono Regente das milícias celestes, guardiãs dos procedimentos dos seres em todos os sentidos.

Ogum não pode ser dissociado da Lei Maior, pois ele é a divindade que a aplica em tudo e a todos. Ele é a Ordenação Divina em si mesmo: ele ordena a fé, o amor, o conhecimento, a justiça, a evolução e a geração. Por isso, está em todas as outras Qualidades Divinas.

Saibam que a Lei é reta e tudo o que for "oposto" a ela deve ser anulado por Ogum, pois a Lei é ordem em todos os sentidos.

Dizemos que Ogum é, em si mesmo, os atentos olhos da Lei, sempre vigilante, marcial e pronto para agir onde lhe for ordenado.

Ogum é a força que ordena tudo e todos, e tanto está presente na estrutura de um átomo, ordenadíssima, como na estrutura do universo, Divinamente ordenado.

Ogum é sinônimo de Lei e de ordem porque ele tanto aplica a Lei quanto ordena a evolução dos seres, não permitindo que alguém tome uma direção errada. Por isso, é chamado de "O Senhor dos Caminhos" (das direções).

Seu outro Aspecto Divino é o de aplicador "religioso" da Lei Maior, e independe de nós para aplicá-la e atuar em nossa vida, pois basta sairmos do caminho reto para sermos tolhidos pelas suas irradiações retas e cortantes.

Suas irradiações retas são simbolizadas por suas "Sete Lanças", e as cortantes são simbolizadas pelas suas "Sete Espadas". Sua proteção "legal" é simbolizada pelos seus "Sete Escudos", etc.

Bem, Ogum é, em si mesmo, a qualidade ordenadora e a divindade aplicadora dos princípios da Lei Maior.

Todo Ogum é um aplicador natural da Lei e todos agem com a mesma inflexibilidade, rigidez e firmeza, pois não se permitem uma conduta alternativa.

Ogum, por ser unigênito e ser, em si mesmo, a Ordenação Divina, gera em si e gera de si.

Na sua geração em si, gera suas hierarquias. Na sua geração de si, gera sua qualidade a qual transmite aos seus filhos.

A hierarquia reta de Ogum, dentro da Umbanda, é composta de 21 Oguns regentes de níveis vibratórios.

- Sete polos são positivos;
- Sete polos são negativos, mas não são opostos aos positivos;
- Sete são tripolares e assentados na faixa neutra, que é horizontal.

Cada um destes sete Oguns tripolares assentados na faixa neutra ocupa um polo em sintonia vibratória com uma das sete linhas de forças verticais, e são eles que direcionam os seres elementais, encantados, naturais e mesmo os espíritos da dimensão humana da evolução.

As hierarquias destes sete Oguns naturais tripolares são gigantescas e impossíveis de serem quantificadas por causa do imenso número de seres incorporados a elas.

Onde estiver um Ogum, lá estarão os olhos da Lei, mesmo que seja um "caboclo de Ogum", avesso às condutas liberais dos frequentadores das tendas de Umbanda, sempre atento ao desenrolar dos trabalhos realizados, tanto pelos médiuns quanto pelos espíritos incorporadores.

Ogum é eólico e polariza com Oro Iná, Orixá do Fogo e Trono Consumidor dos vícios e dos desequilíbrios.

Quando evocamos Ogum para atuar em nosso favor e nos defender das investidas dos seres desequilibrados — poucos sabem disso —, suas hierarquias luminosas ativam seus pares opostos assentados nos polos magnéticos negativos, ativos e cósmicos da irradiação da Justiça Divina, cujos magnetismos são esgotadores dos desequilíbrios, das injustiças e do irracionalismo.

Oferenda: velas brancas, azuis e vermelhas; cerveja, vinho tinto licoroso; flores diversas e cravos, depositados nos campos, caminhos, encruzilhadas, etc.

Água de Ogum para lavagem de cabeça (amaci): água de rio com folhas de pinheiro maceradas e curtidas por sete dias.

11.13 Oro Iná

Como a Justiça Divina é o fogo que purifica os sentimentos desvirtuados, então surge uma divindade cósmica ígnea, que é, em si mesma, o Fogo da Purificação dos viciados e dos desequilibrados: Oro Iná!

Ela é unigênita porque foi gerada nesta qualidade cósmica do Divino Criador Olorum, e tanto a gera em Si como gera de Si.

Olorum gera em Si o Fogo Consumidor, que é uma de Suas qualidades, pois é cósmico, está espalhado por toda a Sua criação e criaturas, e onde surgir um desequilíbrio, o próprio magnetismo negativo do ser desequilibrado já começa a atrair, condensar e acumular este fogo que, quando atingir seu ponto de incandescência consumista, o esgotará e o anulará.

Oro Iná é, em si, esse fogo cósmico que está em tudo o que existe, mas diluído. Para ela atuar em nossa vida, não depende de nós, mas tão somente que nos tornemos "irracionais", aprisionados e desequilibrados.

Então temos, na Umbanda, Oro Iná, Orixá cósmica consumidora dos vícios e dos desequilíbrios; purificadora dos meios ambientes religiosos (templos), das casas (moradas) e do íntimo dos seres (sentimentos). Nos rituais, ela é evocada para purificar os seres viciados, as magias negras, as injustiças, etc.

Oro Iná é muito mais conhecida como uma das qualidades de Iansã do que como uma divindade do Fogo Cósmico, porque as lendas a definiram como uma Iansã.

Nossa mãe Oro Iná é fogo puro e suas irradiações cósmicas absorvem o ar, pois seu magnetismo é negativo e atrai este elemento, com o qual se energiza e se irradia até onde houver ar para lhe dar esta sustentação energética e elemental.

Oro Iná é Orixá ígnea, de magnetismo negativo, seu fogo é cósmico e consumidor, enquanto o de Xangô é universal e abrasador.

O fogo de Xangô aquece os seres e torna-os calorosos, ajuizados e sensatos. O fogo de Oro Iná consome as energias dos seres apaixonados, emocionados, fanatizados ou desequilibrados, reduzindo a chama interior de cada um (sua energia ígnea) a níveis baixíssimos, apatizando-os, paralisando-os e anulando seus vícios emocionais e desequilíbrios mentais, sufocando-os.

Como Oro Iná (fogo) é feminina, ela se polariza com Ogum (ar), que é masculino e lhe dá a sustentação do elemento que precisa, mas de forma passiva e ordenada. Só assim suas irradiações acontecem de forma ordenada e alcançam apenas o objetivo que ela identificou.

Observem que a Lei e a Justiça são inseparáveis, e para comentarmos Oro Iná temos de envolver Ogum, Xangô e Iansã, que são os outros três orixás que também se polarizam e criam campos específicos de duas das Sete Linhas de Umbanda.

Entendam que, se em uma linha, ar e fogo se polarizam para aplicar a Lei (Ogum-Oro Iná) e, em outra, fogo e ar (Xangô-Iansã) se polarizam para aplicar a Justiça, é porque tanto o fogo e o ar quanto a Justiça e a Lei não são antagônicos, e sim complementares. O fogo, em verdade, não consome ou anula o ar, mas tão somente o energiza com seu calor. E o ar não apaga o fogo, mas apenas o expande ou o faz refluir.

A Justiça não anula a Lei, mas sim dota-a de recursos legais (jurídicos) para que possa agir com mais desenvoltura. E a Lei não anula a Justiça, mas sim dota-a com recursos para que se possa impor onde injustiças estejam sendo cometidas.

Fogo e ar, Justiça e Lei, eis aí dois elementos que se complementam e duas linhas de Umbanda que são indissociáveis.

Oferenda: sete velas vermelhas, sete velas douradas, sete velas azuis, sete velas amarelas e treze velas brancas; um copo com água, um copo com licor de menta; uma pemba vermelha e uma pemba branca.

Diagrama do ponto de forças

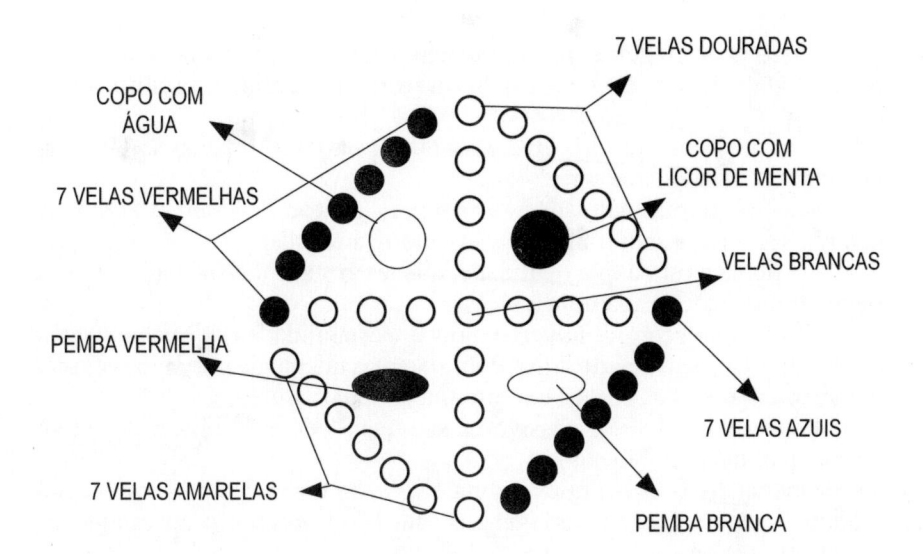

- COPO COM ÁGUA
- 7 VELAS VERMELHAS
- PEMBA VERMELHA
- 7 VELAS AMARELAS
- 7 VELAS DOURADAS
- COPO COM LICOR DE MENTA
- VELAS BRANCAS
- 7 VELAS AZUIS
- PEMBA BRANCA

Observem que as treze velas brancas formam duas linhas, uma vertical e outra horizontal, dentro do losango.

Após firmar este ponto de forças de Oro Iná no solo, deve-se, então, colocar dentro do losango um copo com licor de menta e outro com água, uma pemba branca e outra vermelha.

Depois deve-se cercar a oferenda com flores de palmas vermelhas, para só então se apresentar a ela, solicitando que atue em seu favor com seus aspectos (qualidades, atributos e atribuições) positivos, que são os que a Umbanda permite, aceita e a eles recorre.

Sempre que se oferendar à Orixá Oro Iná, deve-se oferendar à senhora Pombagira do Fogo com rosas vermelhas, velas vermelhas e champanhe *rosé*.

Água de Oro Iná para lavagem de cabeça (amaci): água de fonte com pétalas de rosa cor-de-rosa, folhas de alecrim e de arruda maceradas e curtidas por três dias.

11.14 Obaluaiê

Olorum tudo cria e a tudo gera. Na Sua criação, está Sua estabilidade, e nos seres, está Sua mobilidade ou evolução incessante.

Estabilidade e evolução, eis a sexta Irradiação Divina que está em tudo e todos, porque é uma qualidade do Divino Criador.

Essa Sua qualidade, Sua estabilidade, proporciona o meio ideal para os seres viverem, e na Sua mobilidade gera os recursos para os seres evoluírem.

Sem estabilidade, um ser não evolui, pois tem de tê-la em todos os aspectos de sua vida.

Então Olorum gerou nessa Sua qualidade, uma divindade, dual ou de dupla qualidade, tornando-a em si mesma essa Sua qualidade estabilizadora e evolutiva.

E surgiu Obaluaiê, Orixá bielemental por suas duas qualidades Divinas, que rege a evolução dos seres.

Mas essa dupla qualidade está na própria gênese, pois sem estabilidade nada se sustenta, e sem transmutação tudo fica paralisado.

Obaluaiê é esta dupla qualidade, que tanto sustenta cada coisa no seu lugar como conduz cada uma a ele.

Ele está no próprio universo, pois é a estabilidade que sustenta cada corpo celeste no seu devido lugar, como é o movimento da mecânica celeste, que mantém todos os corpos em movimento contínuo.

Por isso, Obaluaiê é passivo na sua qualidade estabilizadora e ativo na sua qualidade mobilizadora.

Obaluaiê é o Orixá que atua na Evolução e seu campo preferencial é aquele que sinaliza as passagens de um nível vibratório ou estágio da evolução para outro.

Evoluir é crescer mentalmente, é passar de um estágio para outro, é ascender numa linha de vida de forma contínua e estável. E, tudo isso, a qualidade dual de Deus proporciona aos processos genéticos e aos seres.

Então surge Obaluaiê, divindade unigênita gerada nessa qualidade do Divino Criador, que o torna em si mesmo a estabilidade e a mobilidade de tudo o que existe, animado ou inanimado.

Então vemos surgir o Divino Trono da Evolução, que é, em si mesmo, essa qualidade dual de Deus. Ela é dual porque tanto proporciona a estabilidade quanto o movimento, condições imprescindíveis à evolução da vida.

Obaluaiê está em todas as outras Qualidades Divinas como a estabilidade ou eternidade de cada uma delas e como a mobilidade ou atuação delas em tudo o que existe.

Ele, por ter sido gerado nesta qualidade dual e por sê-la em si mesmo, também a gera de si, fazendo surgir a Hierarquia dos Tronos da Evolução, como gera de si, irradiando sua qualidade a tudo e a todos, despertando em cada um essa vontade irresistível de seguir adiante, de alcançar um nível de vida superior, de chegar mais perto de Deus.

Sim, Obaluaiê, na sua irradiação aceleradora da vida, dos níveis e dos processos genéticos, desperta tudo isso nos seres.

Então ele não é só o Orixá da Cura, mas também do bem-estar, da busca de dias melhores, de melhores condições de vida, etc.

Na Umbanda, Obaluaiê é evocado como Senhor das Almas, dos meios aceleradores da evolução delas, e todos sentem uma calma e um bem-estar incrível quando um ser natural de Obaluaiê baixa num médium e gira no templo, pois ele traz em si a estabilidade, a calmaria, mas também traz a vontade de avançar, de seguir adiante e de ir para mais perto dos Tronos de Deus.

É certo que, por ser uma divindade, nos auxilia em todos os sentidos. E, se um povo da África o cultuou como o "Deus da varíola", é porque ele cura mesmo os enfermos.

Esta natureza medicinal de Obaluaiê tem sido muito evocada na Umbanda e muitos têm sido curados após clamarem por sua interseção em favor dos enfermos.

Obaluaiê é, também, um Orixá Curador. E a Linha das Almas ou Corrente dos Pretos-Velhos é regida por ele, o qual podemos vislumbrar quando conversamos com espíritos desta corrente. Estes nos transmitem paz, confiança e esperança, e quando os deixamos, após consultá-los, temos a impressão de que tudo se transformou e nos sentimos bem.

Obaluaiê gera de si, e os Pretos-Velhos são os espíritos que captam direto dele suas irradiações, tornando-se, também, irradiadores dessa Qualidade Divina que estabiliza e transmuta a vida de quem os consultar.

A própria forma de os Pretos-Velhos incorporarem já é um reflexo dessa qualidade dual de Obaluaiê, diante da qual todos se curvam, aquietam-se e evoluem calmamente.

Todo ser natural de Obaluaiê incorpora curvado e o mesmo acontece com os espíritos que atuam sob sua Irradiação Divina. O peso que parecem carregar não é fruto da idade avançada ou velhice, mas sim é a ação da qualidade estabilizadora desse Orixá, telúrica na estabilidade e aquática na mobilidade.

Obaluaiê é um Orixá terra-água.
Terra = estabilidade.
Água = mobilidade.

Então vemos os Pretos-Velhos caminharem curvados, parecendo cansados. Mas quando se assentam em seus banquinhos para as consultas, aí são vivazes, observadores e sábios, sem deixarem de ser simples.

Obaluaiê é o "Senhor das Passagens" de um plano para outro, de uma dimensão para outra, e mesmo do espírito para a carne e vice-versa.

É o mistério Obaluaiê que reduz o corpo plasmático do espírito até que fique do tamanho do corpo carnal alojado no útero materno. Nesta redução, o espírito assume todas as características e feições do seu novo corpo carnal, já formado.

Esperamos que os umbandistas deixem de temê-lo e passem a amá-lo e adorá-lo pelo que realmente ele é — um Trono Divino que cuida da evolução dos seres, das criaturas e das espécies — e esqueçam as abstrações dos que se apegaram a alguns de seus aspectos negativos e os usam para assustar seus semelhantes.

Oferenda: velas brancas; vinho rosê licoroso, água potável; coco fatiado coberto com mel e pipocas; rosas, margaridas e crisântemos, tudo depositado no cruzeiro do cemitério, à beira-mar ou à beira de um lago.

Água de Obaluaiê para lavagem de cabeça (amaci): água de fonte, rio ou lago, com folhas de louro e manjericão maceradas e curtidas por três dias.

11.15 Nanã

Olorum, na Sua criação, criou Sua qualidade maleável e decantadora, ativando-a contra todos os conceitos errôneos, tirando deles suas "estabilidades" para, a seguir, decantá-los e enterrá-los no lodo da ignorância humana acerca das Coisas Divinas. Esta Sua qualidade dual é Nanã Buruquê.

Nanã Buruquê é dual porque manifesta duas qualidades ao mesmo tempo. Uma vai dando maleabilidade, desfazendo o que está paralisado ou petrificado, outra vai decantando tudo e todos dos seus vícios, desequilíbrios ou negativismos.

Nanã Buruquê é unigênita, pois foi gerada nessa qualidade dual do Divino Criador que a tornou Sua qualidade, aquela que desfaz os excessos e decanta ou enterra os vícios.

Nanã Buruquê, por ser essa qualidade em si, também a gera de si, multiplicando-se nos seus Tronos intermediários e repetindo-se na Qualidade Divina que lhes transmite pela sua Hereditariedade Divina.

Ela forma com Obaluaiê um par natural, e são os orixás responsáveis pela evolução dos seres.

Se Obaluaiê é estabilidade e evolução, Nanã Buruquê é maleabilidade e decantação, pois ela é um Orixá água-terra que polariza com ele, dando origem à irradiação da Evolução.

Nanã Buruquê é cósmica, dual e atua por atração magnética sobre os seres, cuja evolução está paralisada e o emocional está desequilibrado.

Então ela faz com que a evolução do ser seja retomada, decantando-o de todo o negativismo, afixando-o no seu "barro" e deixando-o pronto para a atuação de Obaluaiê, que o remodelará, o estabilizará e o colocará novamente em movimento ou numa nova senda evolutiva.

Por essa sua qualidade, ela é a divindade ou o mistério de Deus que atua sobre o espírito que vai reencarnar, pois ela decanta todos os seus sentimentos, mágoas e conceitos, dilui todos os acúmulos energéticos e o adormece em sua memória para que Obaluaiê reduza-o ao tamanho do feto no útero da mãe, que o reconduzirá à luz da carne, onde não se lembrará de nada do que já vivenciou. É por isso que Nanã é associada à senilidade, à velhice, que é quando a pessoa começa a se esquecer de muitas coisas que vivenciou na sua vida carnal.

Portanto, um dos campos de atuação de Nanã é a "memória" dos seres. E, se Oxóssi aguça o raciocínio, ela adormece os conhecimentos do espírito para que eles não interfiram no destino traçado para toda uma encarnação.

Em outra linha da vida, ela é encontrada na menopausa. No início desta linha está Oxum, estimulando a sexualidade feminina; no meio está Iemanjá, estimulando a maternidade; e no fim está Nanã, paralisando tanto a sexualidade quanto a geração de filhos.

Observem que tudo isso acontece com a maioria dos espíritos sem que tenham consciência de que isso está acontecendo, porque como qualidades de Deus, Nanã Buruquê, Obaluaiê e todos os demais orixás realizam o que têm de realizar sem que saibamos que ou como estão atuando sobre nós, sempre visando ao nosso bem-estar e a nossa evolução contínua.

Oferenda: velas brancas, roxas e rosa; champanhe *rosé*, calda de ameixa ou de figo; melancia, uva, figo, ameixa e melão, tudo depositado à beira de um lago ou mangue.

Água de Nanã para lavagem de cabeça (amaci): água de rio ou lago com crisântemos e guiné macerados e curtidos por 72 horas.

11.16 Iemanjá

Olorum cria e gera em Si mesmo tudo o que existe e tem nesta Sua faculdade criativa e geradora uma de Suas qualidades, através da qual Sua Gênese Divina vai surgindo e concretizando-se, já como o meio e como os seres que nele vivem.

A qualidade genésica do Divino Criador é a fonte da vida e das coisas que dão sustentação a ela.

Olorum cria e gera em Si mesmo, e criou e gerou nessa Sua qualidade uma divindade criativa e geradora, que é essa Sua qualidade em si mesma.

Então surgiu Iemanjá, divindade unigênita gerada na qualidade criativa e geradora de Olorum, que a tornou em si mesma a Sua qualidade criativa e geradora.

Ela é unigênita e por isso tanto gera em si quanto gera de si.

Quando gera em si, dá origem à sua hierarquia de Tronos da Criação e Tronos da Geração, que são divindades que manifestam uma dessas duas naturezas de Iemanjá.

Quando gera de si, ela irradia essa sua dupla faculdade, e quem a absorve torna-se criativo e gerador no aspecto da vida a que se dedicar.

A lenda nos diz que Iemanjá é tida como a mãe de todos os orixás, e ela está relativamente certa, já que se algo existe é porque foi gerado. E, porque Iemanjá é em si mesma essa qualidade geradora do Divino Criador, então ela está na origem de todas as divindades.

Mas as coisas de Deus não acontecem assim, e Ele, quando começou a gerar, já havia ordenado sua geração. Então Ogum já existia e ordenava a geração de Iemanjá. Oxum já existia e agregava o que ela estava gerando, etc.

Bem, o caso é que Iemanjá é a "Mãe da Vida", e como tudo o que existe só existe porque foi gerado, então ela está na geração de tudo o que existe.

Ela tem, nessa sua qualidade, um de seus aspectos mais marcantes, pois atua com intensidade na geração dos seres, das criaturas e das espécies, despertando em cada um e em todos, um amor único pela sua hereditariedade.

O amor maternal é uma característica marcante dessa divindade da Geração, e quem se coloca de forma reta sob sua irradiação, logo começa a vibrar este amor maternal, que aflora e se manifesta com intensidade.

Iemanjá, por ser em si a Geração, está na gênese de tudo como os próprios processos genéticos. E se a qualidade Oxum agrega, ou funde o espermatozóide e o óvulo, Iemanjá é o processo genético que inicia a multiplicação celular, ordenada por Ogum, comandada por Oxóssi, direcionada por Iansã, equilibrada por Xangô, estabilizada por Obaluaiê e cristalizada num novo ser por Oxalá.

Viram como um Orixá não dispensa a atuação dos outros e como todos são fundamentais e indispensáveis a tudo o que existe?

Bem, Iemanjá, a nossa Mãe da Vida, é por demais conhecida em alguns de seus aspectos. Mas em outros é totalmente desconhecida.

Ela, por ser em si mesma a qualidade criativa e geradora de Olorum, então gera de si duas hierarquias Divinas: uma é regida pelo Trono da Criatividade, que gera em si mesmo essa qualidade e a irradia de forma neutra a tudo o que vive, tornando todos os seres, criaturas e espécies muito criativos e capazes de se adaptarem às condições e meios mais adversos; outra é regida pelo Trono da Geração, que é em si mesmo a qualidade genésica do Divino Criador, e gera e irradia essa qualidade a tudo e a todos, concedendo a tudo e a todos a condição de se fundirem com coisas ou seres afins para multiplicarem-se e repetirem-se.

Minerais afins fundem-se e dão origem aos minérios.
Elementos afins fundem-se e dão origem a novos elementais.
Energias afins fundem-se e dão origem a novas energias.
Cores afins fundem-se e dão origem a novas cores.
Seres afins (machos e fêmeas de uma mesma espécie) fundem-se e dão origem a novos seres.

Os Tronos da Geração regem sobre este aspecto da gênese, e não só sobre o sexo. O campo desses Tronos é tão vasto na vida dos seres e na Criação Divina, que o definimos melhor se simplesmente dissermos: "Os Tronos da Geração estão na gênese de tudo e de todos porque são uma das características de Iemanjá, que é em si mesma a Geração Divina".

Portanto, Criatividade e Geração são os dois lados de uma mesma coisa: Gênese Divina! E Iemanjá as manifesta em suas duas hierarquias de Tronos: os da Criatividade e os da Geração.

Por ser a divindade da Criatividade e da Geração, Iemanjá está em todas as outras Qualidades Divinas, mas polariza com o Orixá Omolu e faz surgir a irradiação da Geração, que tem nele o recurso de paralisar todo processo criativo ou gerativo que se desvirtuar, se degenerar, se desequilibrar, se emocionar ou se negativar.

Iemanjá rege sobre a geração e simboliza a maternidade, o amparo materno, a mãe propriamente. Ela se projeta e faz surgir sete polos magnéticos ocupados por sete Iemanjás individualizadas, que são as regentes dos níveis vibratórios positivos e são as aplicadoras de seus aspectos, todos positivos, pois Iemanjá não possui aspectos negativos ou opostos.

Estas sete Iemanjás comandam incontáveis linhas de trabalho dentro da Umbanda. Suas orixás auxiliares estão espalhadas por todos os níveis vibratórios positivos, nos quais atuam como mães da "criação", sempre estimulando, nos seres, os sentimentos maternais ou paternais.

Oferenda: velas brancas, azuis e rosas; champanhe, calda de ameixa ou de pêssego, manjar, arroz-doce e melão; rosas e palmas brancas, tudo depositado à beira-mar.

Água de Iemanjá para lavagem de cabeça (amaci): água de fonte com pétalas de rosas brancas e erva-cidreira maceradas e curtidas por sete dias.

11.17 Omolu

Deus tanto cria e gera quanto paralisa a criação que não mais atende aos Seus desígnios e paralisa a geração que não atende à Sua vontade. Essa Sua qualidade paralisante é um recurso para paralisar tudo e todos que estiverem criando ou gerando em sentido contrário (desvirtuado) ao que Ele estabeleceu como correto (virtuoso).

E aí surge Omolu, divindade unigênita gerada nessa qualidade de Olorum, que o tornou em si mesmo esse seu recurso paralisador de toda a criação ou geração desvirtuada.

Omolu é o Orixá que rege a morte ou o instante da passagem do plano material para o plano espiritual (desencarne).

Omolu, divindade unigênita, tanto gera em si como gera de si.

Quando gera em si, faz surgir sua hierarquia de Tronos Cósmicos, ativos, implacáveis e rigorosíssimos com toda criatividade e geração desvirtuada, desequilibrada, emocionada ou contrária aos sete sentidos da vida.

Religiosidade contrária ao sentido da Fé, lá está o Omolu Cristalino para paralisá-la e esgotá-la.

Conhecimento desvirtuador das verdades, lá está o Omolu Vegetal para anulá-lo e esgotar quem o está difundindo.

Enfim, Omolu, como qualidade paralisante, também está em todas as outras qualidades e será ativado assim que seus irradiadores ou os beneficiários delas se excederem ou se omitirem.

O Mistério Omolu transcende a tudo o que possamos imaginar e as lendas o limitaram a alguns de seus aspectos, na maioria punitivos, tornando-o temido e evitado por muitos adoradores dos orixás.

Se Omolu rege sobre o "cemitério" e sobre os espíritos dos "mortos", é porque esses espíritos atentaram contra a vida ou algum dos seus sentidos. Logo, só deve temê-lo quem assim proceder, pois aí, queira ou não, será alcançado por sua irradiação paralisadora que atuará sobre seu magnetismo e o enviará a um meio, onde só seus afins desequilibrados vivem.

"A cada um, segundo seu merecimento", é o que diz a Lei. Lá o Mistério Omolu aplica este princípio em seu aspecto negativo e o define assim: "A cada um, segundo seus atos. Se positivos, que sejam conduzidos à luz da vida, mas se negativos, que sejam arrastados para os sombrios domínios da morte dos sentidos e sentimentos desvirtuadores da vida".

Omolu é o guardião Divino dos espíritos caídos.

O Orixá Omolu guarda para Olorum todos os espíritos que fraquejaram durante sua jornada carnal e entregaram-se à vivenciação de seus vícios emocionais. Mas ele não pune ou castiga ninguém, pois estas ações são atributos da Lei Divina.

Água de Omolu para lavagem de cabeça (amaci): água de fonte com pétalas de crisântemo branco maceradas e curtidas por sete dias.

11.18 O Magnetismo dos orixás

O assunto é de suma importância dentro do contexto da Gênese Divina de Umbanda Sagrada como base para o entendimento do processo de polarização dos orixás na formação de sua hereditariedade, na sua manifestação nos vários planos da vida e das formas de irradiação e captação vibratória, tanto pelo nosso mental quanto pelos nossos chacras.

Também é por meio do magnetismo dos orixás que suas ondas vibratórias vão assumindo as mais diversas formas e cores nos níveis vibratórios, pelos quais descem suas irradiações verticais. Além do mais, toda a magia simbólica, ou Magia dos Pontos Riscados, está fundamentada na forma como os orixás se irradiam por meio dos seus magnetismos.

Comentar a respeito do magnetismo é abrir ao conhecimento religioso material um dos mistérios mais fechados da criação. Portanto, manteremo-nos dentro de um limite estreito e bem vigiado, pois foi o que nos recomendou o regente do mistério "Guardião dos Símbolos Sagrados".

"Por que os símbolos sagrados estão assim, tão presentes em tudo?", perguntarão vocês.

Bom, responderemos nós, é porque, assim como o planeta Terra tem um centro gravitacional que dá sustentação à formação da própria matéria que o torna sólido, todas as criações, criaturas e seres, possuem seus centros gravitacionais, que dão sustentação à individualização de cada um. Logo, o magnetismo está para esses três aspectos como a herança genética está para a hereditariedade. Um ser "será" o que herdar de seus pais, assim como um planeta será o que conseguirá conter dentro de seu centro gravitacional o que ele conseguir absorver e gerar.

Sim, o planeta Terra é como é porque seu magnetismo absorve energias e, amalgamando-as em seu centro neutro, dá formação a muitos tipos de matérias, todas obedecendo a um princípio gerador imutável.

Portanto, se temos vegetais, é porque o magnetismo planetário absorve energias e, após amalgamá-las, dá origem ao elemento vegetal, que precisa da presença de outros compostos elementares para subsistir, senão, após ser irradiado pelo seu centro neutro, dilui-se e perde as qualidades e atributos que o tornam vegetal.

Logo, todo o "meio" próprio para o desenvolvimento dos vegetais que há na Terra só existe porque o magnetismo planetário, através da gravidade, retém dentro do todo planetário as energias que dão sustentação ao elemento vegetal e à sua própria materialização no denso plano da matéria.

Outros planetas não possuem vegetais porque seus magnetismos não absorvem a energia ou essência vegetal que flui por todo o nosso Universo, e também nos Universos paralelos.

Esta energia ou essência está em todos os lugares, mas só se torna elemento vegetal onde existe um magnetismo que a absorve, amalgama e depois a irradia, já como energia composta ou elemental.

O magnetismo vegetal de uma semente é o sustentador de sua herança genética e provê o crescimento da planta, pois ele vai se multiplicando em cada célula vegetal e se concentrará novamente nas sementes que ela irá gerar.

Magnetismo e gravidade se completam, pois são dois dos componentes de uma só coisa: a gênese!

Mas existem outros componentes da gênese, tais como: essência, energia, cor, vibração, pulsação, forma, irradiação, atração, repulsão, etc. A gênese de qualquer coisa, ou de todas as coisas, tem de possuir, no mínimo, estes componentes, senão ela não acontecerá.

Em nosso planeta, temos sete tipos de magnetismos que dão forma a tudo o que aqui existe, tanto na forma animada (vida), quanto na inanimada (matéria).

Até o nosso modo de pensar obedece ao magnetismo terrestre, que regula até a gênese das ideias, que é algo imaterial, mas é energia pulsante que se propaga a partir do magnetismo mental de quem as gerou.

Bem, esperamos que tenham entendido a função do magnetismo na gênese, pois em religião a fé é algo imaterial mas é pulsante, irradiante, gravitacional, magnético, energético, essencial num ser, vibratório, colorido, atrativo e congregados.

Os elementos ou energias elementais são irradiados de modos diferentes, já que existem sete magnetismos e sete padrões vibratórios. Vamos mostrar os sete tipos de irradiações que os sete magnetismos irradiam por meio de suas vibrações ou pulsações.

Bem, temos os sete tipos de magnetismos básicos que dão origem aos sete símbolos sagrados, que são sete tipos de captação de essências e irradiação de energias elementais. E tanto as captações de essências quanto a irradiação de elementos, cada uma corresponde a um padrão vibratório, pois não "toca" em nenhum dos outros magnetismos ou energias.

Tudo é tão perfeito que um ser elemental do fogo não sente ou capta os outros elementos, que também estão "passando" por ele e vice-versa, com todos os outros seres em relação ao elemento fogo, ou aos outros.

Por isso, existe um Orixá Ancestral para cada elemento. Ele absorve apenas a essência que o caracteriza e nomina e irradia, já polarizado, apenas o elemento que o distingue.

É o tipo de magnetismo que classifica os orixás. E magnetismo não é só qualidade, mas também polo e tipo de irradiação. Nunca devemos classificar o tipo de magnetismo de um Orixá como sendo de qualidades boas ou ruins.

Nós os classificamos como passivos se seus magnetismos forem positivos (corrente contínua) e de ativos se seus magnetismos forem negativos (corrente alternada).

Atentem bem para este detalhe senão nunca entenderão por que classificamos Ogum como passivo e Iansã como ativa, ou Iemanjá como passiva e Omolu como ativo.

A classificação de passivo ou ativo só se aplica ao magnetismo do Orixá, nunca às energias que ele irradia ou à sua forma de atuação e mesmo ao campo em que atua.

Ogum é passivo no magnetismo e ativo no tipo do seu elemento (ar). Já seu campo de ação é passivo, 2 pois, como aplicador da Lei Divina, ele sempre procede da mesma forma. Até sua irradiação é classificada como positiva e passiva, pois é contínua.

O fato é que existem sete magnetismos, sete padrões vibratórios, sete essências, sete elementos, sete energias e sete símbolos sagrados, que, de desdobramento em desdobramento, chegam-nos, já fracionados, até o nível terra, em que estas frações aparecem como símbolos ou signos religiosos.

Mas mesmo que seja somente uma fração de um símbolo sagrado, saibam que isso já é capaz de iluminar a vida de milhões de seres e de sustentar a evolução de todos os fiéis da religião que o adotou como seu símbolo maior e identificador do tipo de religiosidade que seus adeptos praticam.

O magnetismo é a base fundamental de todos os símbolos sagrados. E só o conhecendo bem que podemos interpretá-los corretamente.

Logo, se a cruz é o símbolo sagrado do Cristianismo, decifrem-no a partir dos sete tipos de magnetismos que existem, e que, aqui, foram mostrados em telas planas, uma vez que não temos como demonstrá-los na forma multidimensional.

12
As Sete Linhas de Umbanda

As sete linhas de Umbanda não são sete orixás, mas sim as sete Irradiações Divinas, que são sete vibrações de Deus que dão sustentação a tudo o que existe em nosso planeta.

São Irradiações Divinas e cada uma flui num padrão próprio e influencia quem é alcançado por ela, alterando sentimentos mais íntimos e o nosso padrão vibratório, tornando-nos afins com elas, que estimulam em nós a vibração de sentimentos nobres e virtuosos.

São sete irradiações, sete padrões vibratórios, sete sentidos da vida e sete sentimentos.

As sete irradiações dão origem a sete essências, que dão origem a sete elementos, que dão origem a sete tipos de matérias ou energias.

Essências: cristalina, mineral, vegetal, ígnea, eólica, telúrica, aquática.

Como essências, são irradiações "essenciais" que penetram nosso mental e espalham-se pelo nosso ser imortal, estimulando-nos de dentro para fora, ativando nossos sentimentos virtuosos.

Mas quando são irradiações energéticas ou elementais, elas estimulam nosso corpo energético, alterando nosso padrão vibratório, elevando-nos imediatamente. São essas irradiações que nos chegam por intermédio dos orixás.

Existem orixás que, por sua própria natureza, são polarizadores e irradiam essas vibrações de forma passiva ou ativa.

Enquanto no nível da essência, elas são imperceptíveis, pois nos chegam direto de Deus. Mas quando as recebemos dos orixás, elas são elementais e já foram bipolarizadas. Logo, as sete linhas assumem esta bipolarização, surgindo automaticamente dois polos em cada uma delas.

Assim, temos sete linhas, mas catorze orixás, pois uns ocupam os polos ativos e outros, os polos passivos.

É nesta bipolarização que os arquétipos dos orixás vão se formando; aí eles vão se individualizando e assumindo atribuições específicas, mesmo atuando sob uma mesma irradiação.

IRRADIAÇÕES	ESSÊNCIAS	ELEMENTOS POLARIZADOS	ENERGIAS BÁSICAS POLARIZADAS	CATORZE ORIXÁS
Fé	Cristalina	Cristalina	Cristalina	Oxalá/Logunã
Amor	Mineral	Mineral	Mineral	Oxum/Oxumaré
Conhecimento	Vegetal	Vegetal	Vegetal	Oxóssi/Obá
Justiça	Ígnea	Fogo	Ígnea	Xangô/Iansã
Lei	Eólica	Ar	Eólica	Ogum/Oro Iná
Evolução	Telúrica	Terra	Telúrica	Obaluaiê/Nanã
Geração	Aquática	Água	Aquática	Iemanjá/Omolu

Oxalá é passivo
Logunã é ativa
— atuam na linha da fé ou da religiosidade

Oxum é ativa
Oxumaré é passivo
— atuam na linha do amor ou da concepção

Oxóssi é ativo
Obá é passiva
— atuam na linha do conhecimento ou raciocínio

Xangô é passivo
Iansã é ativa
— atuam na linha da justiça ou razão

Ogum é passivo
Oro Iná é ativa
— atuam na linha da lei ou ordenação

Obaluaiê é ativo
Nanã é passiva
} – atuam na linha da evolução ou equilíbrio

Iemanjá é passiva
Omolu é ativo
} – atuam na linha da geração ou maternidade

Esses orixás dão sustentação vibratória a todos os trabalhos nos Templos de Umbanda Sagrada.

Um Orixá pode manifestar todas as sete essências e sustentar toda uma religião por si só. Um só aparece, mas todos os outros estão por perto, ainda que não se mostrem.

Um filho-de-fé pode ter como "Pai" o Orixá Ogum e como "Mãe", a Orixá Oxum; no entanto, seu Caboclo poderá ser de Oxóssi, seu Preto-Velho de Xangô, seu Exu de Obaluaiê e seu Erê de Iansã.

13
As Cores dos orixás

Comentar sobre as cores dos orixás é o mesmo que tentar equilibrar-se e manter-se ereto na crista de uma onda ou parar todos os movimentos no meio de um ciclone, pois nenhum Orixá tem uma única cor.

Isto tudo é apenas fruto da tentativa de individualizar o geral e generalizar o individual.

Como dar cor a uma energia?

Desde Oxalá, no extremo positivo, até Omolu, no extremo negativo, todos trazem em si tantas cores que, por não serem visíveis aos olhos humanos e serem ainda desconhecidas, é-nos impossível comentá-las.

Afinal, todo Orixá é um mistério em si mesmo, e, por ser um mistério, por sua própria essência divina, assume a cor que lhe atribuem, além de todas as outras, pois um mistério é a Manifestação Divina do Divino Criador, tornada visível aos olhos dos humanos, os quais, por mais que estudem, jamais serão capazes de penetrar no interior de um mistério para desvendá-lo.

Em verdade, um Orixá irradia todas as cores, pois irradia em todas as sete faixas ou padrões vibratórios, e cada tipo de vibração, ao graduar a velocidade do giro, que pode ser para mais ou para menos, dá uma cor a cada um dos elementos irradiados na forma de energias.

Por isso, uns dizem que Ogum é azul e outros dizem que é vermelho. Ou uns dizem que Xangô é vermelho e outros dizem que é marrom.

Os Oguns individualizados assumem a cor vermelha, na Umbanda, porque o próprio astral aceitou essa classificação que fixaria a sua identificação e facilitaria seu entendimento. E o mesmo ocorreu com o marrom de Xangô.

Mas nós sabemos que as cores dos Oguns variam de acordo com a faixa vibratória em que atuam. E o mesmo acontece com todos os orixás, pois temos Iansãs que irradiam a cor amarela, a cor vermelha, a cor azul, a cor cobre, a cor dourada, etc.

Logo, discutir a cor dos orixás é discutir sobre um assunto ainda desconhecido no plano material. O comprimento de onda ou a velocidade da irradiação é que determina se uma energia irradiada é azul, verde ou vermelha. E o comprimento de onda ou velocidade obedece ao tipo de elemento e ao padrão vibratório da faixa por onde ele está sendo irradiado.

No padrão vibratório cristalino, as cores das energias praticamente desaparecem. No padrão vibratório telúrico, elas assumem tonalidades tão densas, que temos a impressão de poder pegá-las com as mãos.

Além do mais, dentro de uma mesma faixa vibratória, temos os subníveis vibratórios. E aí a coisa se complica ainda mais, porque, nos subníveis mais elevados, as cores se sutilizam e, nos mais baixos, elas se densificam.

Mas todos os orixás são Mistérios Divinos e aceitam, sem discussões, as cores que já lhes atribuíram ou haverão de atribuir-lhes, pois, como mistérios, trazem em si todas as cores.

Então, que na mente das pessoas se afixe a cor que melhor irá permitir sua interação vibratória com seu querido Orixá, pois através dessa via colorida seu Orixá atuará em seu todo mental, espiritual, emocional e físico, e o fará com tanto amor que, no fim, no imenso oceano da vida, todos serão cintilantes e multicoloridos "pingos" de amor à criação e de fé, muita fé, no nosso amoroso Criador.

Agora passaremos aos nossos amados filhos-de-santo e filhos-de-fé, as cores que temos permissão de revelar, e que, se estudarem um pouco acabarão descobrindo fundamentos profundos no campo das irradiações energéticas que começam a acontecer após nossos "pedidos" e orações, invocações e firmezas, irradiações e cantos.

OXALÁ — branco, cristalino, furta-cor.
LOGUNÃ — azul-escuro, branco, preto.
OXUM — rosa, dourado, azul.
OXUMARÉ — azul, furta-cor, lilás.
OGUM — azul-escuro, prateado, vermelho.
IANSÃ — amarelo, dourado, vermelho-coral.
XANGÔ — marrom-claro, dourado, vermelho.
ORO INÁ — laranja, dourado, vermelho.
OXÓSSI — verde, azul-escuro, magenta.
OBÁ — magenta, dourado, vermelho.
OBALUAIÊ — branco, prateado, violeta.
NANÃ — lilás, azul-claro, roxo.

IEMANJÁ — branco azulado, prateado cristalino, azul-profundo (anil).
OMOLU — vermelho, preto.
EXU — preto, vermelho.
POMBAGIRA — vermelho, preto.

Portanto, fiquem com as cores que já se tornaram padrão, e está tudo certo para os nossos amados orixás, uma vez que eles querem vê-los a partir de sua fé, que deve ser pura e imaculada.

14
Orixás de Frente, Ancestral e Adjunto

Orixá Ancestral é aquele que magnetizou o ser assim que este foi gerado por Deus e o distinguiu com sua qualidade original e natureza íntima, imutáveis e eternas. Poderemos reencarnar mil vezes e sob as mais diversas irradiações, e nunca mudará nossa natureza íntima.

Orixá de Frente é aquele que rege a atual encarnação do ser e o conduz numa direção na qual o ser absorverá sua qualidade e a incorporará às suas faculdades, abrindo-lhes novos campos de atuação e crescimento interno.

Orixá Adjunto é aquele que forma par com o Orixá de Frente, apassivando ou estimulando o ser, sempre visando ao seu equilíbrio íntimo e crescimento interno permanente.

A cada encarnação, há a troca de regência de encarnação. E nessa troca, os seres vão evoluindo e desenvolvendo faculdades relativas a todos os orixás.

Na ancestralidade, todo ser macho é filho de um Orixá masculino e todo ser fêmea é filha de um Orixá feminino.

Existem sete naturezas masculinas e sete naturezas femininas tão marcantes que é impossível ao bom observador não vê-las nas pessoas.

Podemos identificar a ancestralidade de alguém observando o olhar, as feições, os traços, os gestos, a postura, etc., pois estes sinais são oriundos da natureza íntima do ser, apassivada pela regência de encarnação, mas não anulada por ela.

Podemos identificar o Orixá Adjunto nos gestos e nas iniciativas das pessoas, já que é por intermédio do emocional que ele atua.

15
Chacras

Os seres humanos possuem sete chacras principais que estão distribuídos assim:

Coronário — topo da cabeça ou ori.
Frontal — na testa, um pouco acima dos olhos.
Laríngeo — na garganta.
Cardíaco — no peito, sobre o coração.
Umbilical — um pouco abaixo do umbigo.
Esplênico — sobre o baço.
Básico — na região sacra.

Nenhum desses chacras pertence, exclusivamente, a um só Orixá, mas dependendo do Orixá que fatorou e rege a ancestralidade de uma pessoa, aí este Orixá é o regente do ori, da cabeça do médium e do chacra coronário. E neste mesmo chacra os outros orixás estarão presentes, mas como qualidades secundárias, pois a principal sempre será a do Orixá que o fatorou.

O mesmo acontecerá com os outros seis chacras, pois se Oxóssi, por exemplo, reger o coronário, ao redor dele estarão os outros orixás, numa distribuição que forma uma coroa, ou roda, só encontrada naquela pessoa, pois no chacra frontal será outro Orixá que o regerá e formará nova coroa frontal, ou roda, com nova distribuição de qualidades que secundarão a principal, que se sobressairá e marcará a evolução do ser.

Só para que entendam isso, digamos que Oxóssi rege o chacra coronário e o ser é regido pela irradiação do Conhecimento, sendo sua qualidade original o fator do raciocínio. A fé, a justiça, a lei, a evolução, a geração e o amor serão qualidades secundárias neste ser regido por Oxóssi, e uma delas qualificará seu conhecimento que, caso seja o fator de Oxalá, aí o chacra **frontal** será regido por esse Orixá que rege sobre a fé, pois é em si essa qualidade de Deus.

Então Oxóssi o regerá e Oxalá o direcionará, pois é um ser ligado verticalmente à irradiação do Conhecimento Divino, mas que sente atração pelas coisas religiosas, que lhe chegarão através da corrente eletromagnética cristalina, regida por Oxalá.

Saibam que só os chacras coronário e básico captam as irradiações verticais. O coronário capta de um polo positivo ou do "alto" regido pelo orixá que predominou em sua fatoração. Já os chacras laríngeo, cardíaco, umbilical, esplênico e, no nosso exemplo, o frontal só captam as correntes eletromagnéticas, que são captações horizontais.

Como esse ser do nosso exemplo é regido por Oxóssi e guiado por Oxalá, ele é estimulado pela irradiação do conhecimento e guiado na busca dos conhecimentos religiosos; então sua natureza íntima será especulativa nos assuntos da Fé, e ele será um teólogo, um místico, um sacerdote ou um profundo religioso.

Porém, se sua coroa for regida por Oxóssi, mas for Xangô quem rege seu chacra frontal, aí tudo muda, porque, em vez de ser atraído e guiado para os assuntos da fé, ele será atraído pela justiça e será um buscador dos conhecimentos jurídicos, os quais aplicará no seu dia a dia. E, com certeza, este ser será um consultor jurídico, um advogado, um conselheiro, um professor de assuntos jurídicos, etc.

Observem bem o que comentamos, pois o mesmo acontecerá no chacra laríngeo, no cardíaco, no umbilical e no esplênico. Já o chacra básico influenciará a distribuição que acontecerá em sentido inverso ou de baixo para cima.

Estas distribuições principais e secundárias dos orixás nos sete chacras dão tantas combinações que uma pessoa nunca será cem por cento igual a outra em todos os sentidos, e sempre haverá alterações na distribuição dos orixás, de pessoa para pessoa, caracterizando-as e diferenciando-as.

Se todos são semelhantes no aspecto geral, no individual ninguém é igual a ninguém, justamente por causa destas alterações.

Saibam que o que aplicamos aos chacras aplica-se à Astrologia: se um ser nasce sob a regência de um planeta, no entanto, outros também influirão sobre sua natureza íntima, diferenciando-o de alguém nascido sob a regência do mesmo planeta, mas em outra hora ou dia.

Nós já comentamos que uma qualidade está em todas as outras, e que um Orixá gera em si suas divindades intermediárias, que geram em si suas divindades intermediadoras.

Assim, se a irradiação do conhecimento rege o chacra coronário ou o ori de uma pessoa, essa irradiação receberá todas as outras, e o veremos assim:

Por intermédio do gráfico podemos visualizar como é a captação dos chacras e a posição dos dois que captam irradiações verticais e dos outros

Doutrina e Teologia de Umbanda Sagrada

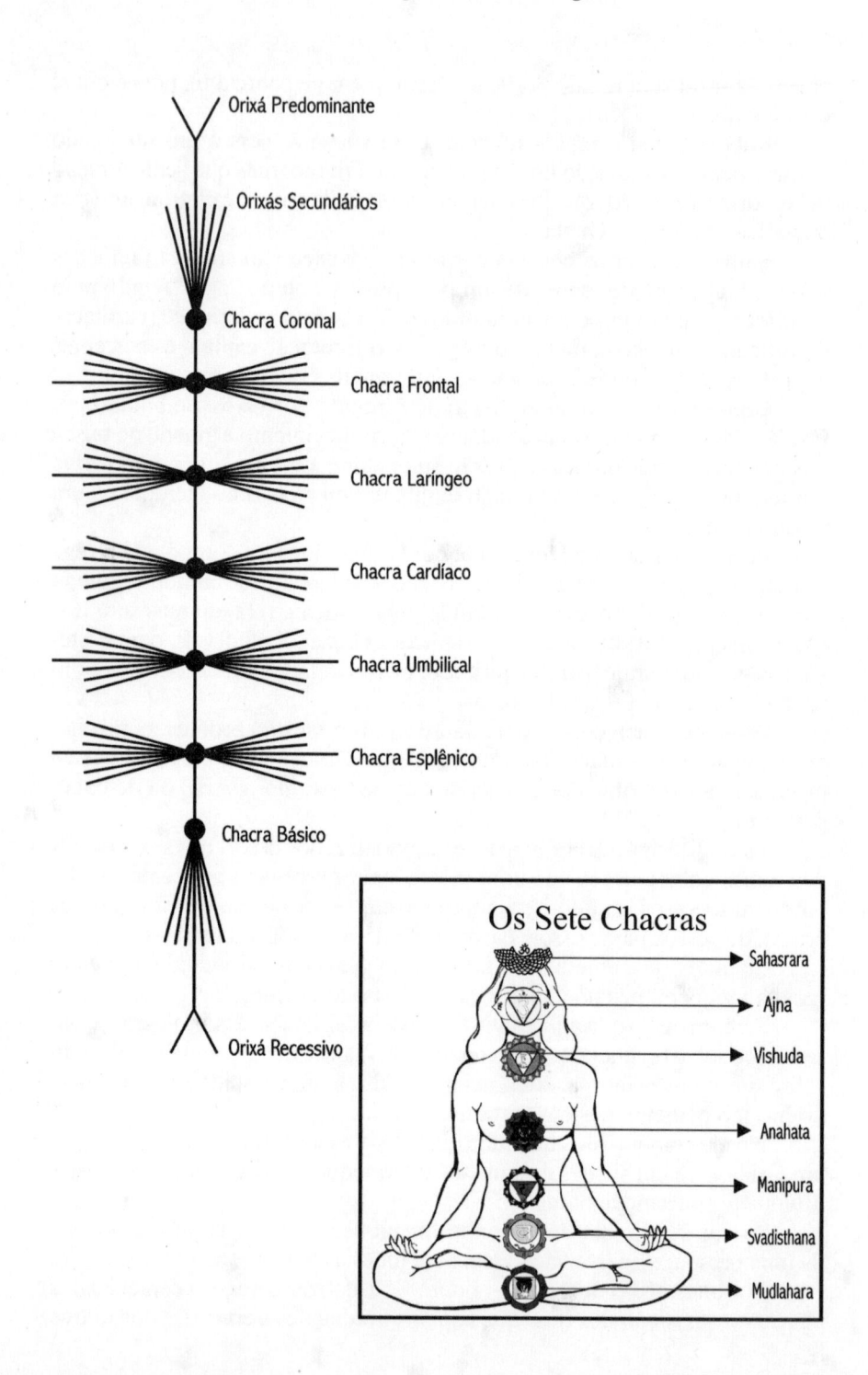

- Orixá Predominante
- Orixás Secundários
- Chacra Coronal
- Chacra Frontal
- Chacra Laríngeo
- Chacra Cardíaco
- Chacra Umbilical
- Chacra Esplênico
- Chacra Básico
- Orixá Recessivo

Os Sete Chacras

- Sahasrara
- Ajna
- Vishuda
- Anahata
- Manipura
- Svadisthana
- Mudlahara

seis, que em verdade são doze, pois são bipolares e, pela frente, captam energias positivas e, por trás, captam energias cósmicas.

Com isto comentado, então podem imaginar o imenso número de combinações possíveis. Mesmo que aconteça a repetição de combinações num chacra, nos outros dificilmente elas se repetirão. Com isso, cada ser, dentro de uma natureza geral, tem a sua, que é individual e o torna único entre todos os seres.

Então temos de nos manter dentro de certos limites em que as características dos seres podem ser identificadas pela observação e comprovadas pelas atitudes e reações de cada um. Foi isso que fizeram os babalaôs africanos quando formularam a "androgenia" ou Hereditariedade Divina dos filhos dos orixás, pois viram que, em alguns aspectos gerais, os filhos de um orixá se pareciam, assim como suas atitudes e suas reações tinham a ver com as dos seres naturais (orixás individuais) que eles incorporavam.

Então criaram todo um conhecimento simples e funcional para comprovarem o que os búzios revelavam no jogo de Ifá.

16
Mistérios de Umbanda

16.1 Íncubos e Súcubos

Seres que regrediram à fase dos instintos e são movidos por um desejo insaciável, pois se bestificaram a partir do sexo.

— Íncubos: demônios masculinos que vêm pela noite para copular com uma mulher, perturbando-lhe o sono e causando-lhe pesadelos.

— Súcubos: demônios femininos que vêm pela noite para copular com um homem, perturbando-lhe o sono e causando-lhe pesadelos.

Absorvem a energia vital de um encarnado, obsediando-o e descarregando suas energias negativas em quem foi possuído sexualmente.

A pessoa que sofre este tipo de obsessão deve ser tratada espiritualmente, mas também deve ser esclarecida de que a causa da obsessão está nela mesma e que só uma mudança de hábitos emocionais e postura mental a curarão.

16.2 O Vampirismo Energético

Vampirismo — ato de absorver (consciente ou inconscientemente) a energia vital de um semelhante.

Pode acontecer de várias formas:
• Absorção feita de encarnado para encarnado;
• Absorção feita por espíritos desencarnados (sofredores) que, pelas razões mais diversas, ficam retidos em nosso campo magnético absorvendo as nossas energias saudáveis e irradiando as suas, que são enfermiças;

• Absorção de energias localizadas nas faixas vibratórias existentes ao redor de todo ser humano, que derivam do nosso magnetismo mental. Este, quando negativo e atrativo, coloca a pessoa em sintonia vibratória com faixas espirituais negativas que muitas vezes atraem larvas astrais, que se alimentam das suas energias físicas ou carnais, esgotando-o e tornando-o sem vontade própria, incapaz de reagir e superar sua crise emocional;

• Magia Negra — atinge a aura da pessoa, abrindo buracos nela através dos quais escapam suas energias físicas e espirituais.

• Ovoides — são enviados ao campo eletromagnético da pessoa e atraídos para dentro do campo energético espiritual, onde se alojam e passam a transmitir suas dores ao seu hospedeiro, alimentando-se de suas energias (quistos).

16.3 O Mistério dos Cordões Energéticos

Os cordões energéticos são ligações eletromagnéticas que se estabelecem em nível espiritual, tanto entre pessoas e espíritos como entre espíritos e pessoas, pessoas e pessoas, espíritos e espíritos.

O surgimento dos cordões depende dos sentimentos vibrados e do magnetismo de quem os receber.

Sim, porque os cordões são ondas magnéticas projetadas por quem está vibrando intensamente um sentimento, seja ele positivo ou negativo.

Nossos chacras são polos eletromagnéticos captadores e emissores de energias, e é por eles que enviamos ou recebemos as ondas vibratórias que dão origem aos cordões energéticos.

Todo sentimento que alimentamos com intensidade fortalece nosso magnetismo mental e ativa algum ou vários dos nossos chacras, polarizando-os, já que são neutros.

Esta polarização pode ser positiva ou negativa: se o sentimento é positivo ou virtuoso, a polarização será positiva, mas se for negativo ou viciado, ela será negativa.

O sentimento transforma o magnetismo mental em positivo ou negativo. Em função disso, são ativadas as fontes geradoras de energias existentes no corpo energético dos seres, que gerarão tanto energias positivas como negativas. Tudo depende da intensidade com que ele é vibrado.

Assim, se alguém vibrar intensamente o sentimento de fé e direcioná-lo para uma divindade, imediatamente projetará uma onda vibratória até a estrela viva dela, que aceitará a ligação e um cordão surgirá, ligando o fiel à divindade de sua fé. Este cordão sairá do chacra coronal.

Se, além do sentimento de fé, a pessoa vibrar um sentimento de amor, aí será o chacra cardíaco que projetará uma onda vibratória até a divindade de sua fé. Porém, esta onda enviada à divindade não sairá do peito, mas sim subirá seu eixo magnético equilibrador e sairá pela coroa (disco eletromagnético mental), projetando-se até a estrela viva da divindade, que também a absorverá, estabelecendo mais um cordão energético que tanto transportará as energias de amor geradas pela pessoa quanto a inundará com as vibrações sustentadoras desse sentimento positivo que a divindade irá devolver-lhe, visando a fortalecê-lo ainda mais em seu íntimo.

Este processo de ligação entre os fiéis e suas divindades acontece por intermédio do eixo magnético e do chacra coronário, porque elas estão assentadas em níveis vibratórios mais elevados que o nosso, que é da crosta terrestre. Por isso, a saída das ondas é vertical e elas sobem para o alto, desaparecendo de nossa visão espiritual, pois assim que saem da nossa coroa já entram em outra faixa vibratória (a das divindades), invisível para nós.

Quando as ligações se estabelecem com os aspectos negativos das divindades, os cordões tanto podem sair da coroa e descer, já por fora do corpo da pessoa, como podem descer pelo eixo magnético e sair pelo chacra básico, localizado na base do sexo.

Toda divindade, ativa ou passiva, positiva ou negativa, irradiante ou absorvente, possui seus aspectos positivos e negativos.

Os aspectos positivos são protetores e estimuladores, e os negativos são punidores e bloqueadores das faculdades mentais dos seres.

Assim, se alguém está dando mau uso a alguma de suas faculdades regidas pela sua divindade, este mau uso projetará uma onda até o polo magnético negativo dela, que a absorverá e logo ativará um dos aspectos negativos, punidor e bloqueador da faculdade em questão.

Então o retorno energético visará a punir a pessoa e bloquear sua faculdade desvirtuada, desestimulando-a de dar um uso condenável a ela.

Pessoas que dão mau uso às faculdades da fé tornam-se descrentes e acabam afastando-se do universo religioso ou fanatizando-se.

Pessoas que dão mau uso às faculdades do conhecimento tornam-se esquecidas, dispersivas, etc.

Pessoas que dão mau uso às faculdades do amor tornam-se arredias.

Pessoas que dão mau uso às faculdades da geração tornam-se vazias.

Pessoas que dão mau uso às faculdades da lei tornam-se intratáveis.

Pessoas que dão mau uso às faculdades da justiça tornam-se intolerantes.

Pessoas que dão mau uso às faculdades evolutivas tornam-se apáticas.

Essas "patologias mentais" ocorrem porque pessoas deram mau uso às suas faculdades, ligaram-se a algum polo magnético negativo e ativaram alguns dos aspectos negativos de uma ou de várias divindades. Por esses cordões de ligação absorvem um fluxo contínuo de energias paralisadoras do mau uso e bloqueadoras da faculdade em questão.

Já o inverso ocorre quando a ligação é estabelecida com o polo positivo das divindades: se a onda vibratória envia-lhes as energias geradas pelo sentimento positivo, o refluxo vibratório enviado pela divindade estimulará ainda mais esse sentimento virtuoso, como abrirá um pouco mais a faculdade mental relacionada com tal sentimento positivo.

Todo sentimento ativa fontes geradoras de energias espalhadas pelo corpo energético (espiritual) das pessoas ou dos espíritos.

Se são sentimentos virtuosos, as fontes, que já geram naturalmente, passam a gerar muito mais energias e as enviam ao mental e ao emocional, assim como doam a quem receber de "frente" as vibrações irradiadas pela pessoa virtuosa. E quem as absorver se sentirá bem.

Por outro lado, o contrário acontece com quem alimenta sentimentos negativos, que recebe as vibrações de quem os está irradiando e logo se sente mal ou incomodado.

Isto é algo de fácil comprovação, portanto é científico.

Saibam que, em princípio, as ligações devolvem às pessoas ou aos espíritos só ondas vibratórias estimuladoras ou paralisadoras, mas, se os sentimentos se exacerbarem, as divindades passarão a enviar ondas energizadoras das faculdades virtuosas ou ondas esgotadoras das energias geradas a partir das faculdades desvirtuadas.

E se nem a pessoa nem o espírito estabilizar-se (positiva ou negativamente), então projetam ondas que alcançam outros seres (pessoas ou espíritos), caso estejam gerando energias positivas; ou alcançam criaturas (espécies inferiores), caso estejam gerando energias negativas, doando-lhes seu excesso de energias.

Com isso, quem está gerando, em excesso, energias positivas torna-se doador para seus semelhantes deficientes, e quem está gerando energias negativas em excesso começa a ser esgotado pelas criaturas com as quais se liga automaticamente.

Até aqui descrevemos os cordões que surgem naturalmente e a partir dos sentimentos íntimos.

Mas há outros tipos de cordões que são ativados conscientemente por seres dotados de magnetismos poderosos.

Geralmente são os responsáveis pela aplicação individual dos aspectos negativos das divindades.

Sempre que projetamos uma onda vibratória negativa que alcança seus polos magnéticos negativos, atraímos a atenção desses seres magneticamente poderosos, que não só puxam para si a onda que projetamos como também, através delas, começam a absorver nossas energias "humanas", descarregando em nós suas energias cósmicas, altamente nocivas aos nossos corpos carnal e espiritual.

Geralmente esses seres servem aos Senhores Tronos Cósmicos, guardiões dos polos negativos das divindades, mas acontece de serem deslocados para a dimensão espiritual em seu lado negativo, no qual acabam retidos, pois foram atraídos por magias negativas.

Como o magnetismo humano é muito atraente e as energias humanas são balsâmicas para eles, onde tiver alguém gerando-as em excesso, projetam cordões até o chacra cujo magnetismo seja análogo ao deles e passam a absorvê-las, assim como passam a descarregar na pessoa as energias que geram mas que não irradiam naturalmente por causa do magnetismo das faixas vibratórias negativas da dimensão humana, que não absorve energias naturais ou não humanas.

Estes seres cósmicos naturais são capazes de projetar dezenas, centenas ou milhares de cordões, cada um ligado a uma pessoa ou espírito, o que não ocorre com os espíritos comuns.

Sim, os espíritos comuns não conseguem projetar mais que um cordão para cada sentido, ainda que deem liga magnética a quantos cordões lhes forem projetados.

Já espíritos que trazem em si faculdades eletromagnéticas (porque já foram seres naturais irradiadores de alguma qualidade das divindades às quais serviam antes de se espiritualizarem) são capazes de projetar ou de absorver muitos cordões, dos quais tanto se livram das energias que geram quanto absorvem as que precisam para se equilibrarem magneticamente num meio energético adverso.

Mas há um terceiro tipo de cordão energético projetado a partir de magias negativas, as quais, quando ativadas, projetam ondas transportadoras de energias enfermiças, irritadoras, apatizadoras, etc.

Toda magia é feita com determinados elementos materiais, dos quais os espíritos senhores de processos mágicos extraem a parte etérica, potencializando, e depois a ativam, projetando, a partir dela, uma onda transportadora da energia potencializada de que irá inundar o corpo energético da pessoa alvo da magia negativa, enfraquecendo-a ou despertando sintomas de doenças no campo físico que, por estarem localizadas no corpo energético ou espiritual, não são identificadas pela medicina.

Muitas pessoas consultam os médicos. Estes, não encontrando doenças fisicas, receitam medicamentos inócuos ou taxam-nas de hipocondríacas, já que não aceitam a existência de doenças no espírito, originadas pela absorção de energias negativas nocivas por pessoas vítimas de Magia Negra ou de obsessores e inimigos espirituais.

Com isso, temos alguns tipos de cordões bem distintos, que podem energizar ou desenergizar, estimular ou paralisar, curar ou adoecer, magnetizar ou desmagnetizar, etc. Vamos a alguns tipos de cordões:

Cordões Divinos: surgem a partir da vibração íntima de sentimentos virtuosos e ligam mentalmente as pessoas às suas divindades. Se os sentimentos virtuosos deixarem de vibrar, os cordões rompem-se naturalmente.

Cordões cósmicos: surgem a partir da vibração íntima de sentimentos viciados; ligam mentalmente as pessoas aos polos magnéticos negativos e só se rompem caso se deixe de alimentar e vibrar tais sentimentos negativos.

Cordões naturais: surgem para direcionar as energias geradas em excesso pelas pessoas. Podem ser positivos ou negativos.

Cordões magnéticos: surgem a partir de vibrações magnéticas mentais e ligam seres ou espíritos magneticamente poderosos a outras pessoas ou espíritos.

Cordões energéticos: projetados por meio de magias, visam a vitalizar ou a desenergizar pessoas e até espíritos presos em cadeias mágicas astrais.

Cordões Divinos, cósmicos e os naturais surgem a partir da vibração íntima de sentimentos virtuosos, sentimentos viciados e geração excessiva de energia pelas pessoas, e desaparecem assim que os sentimentos deixam de ser vibrados ou a geração energética se estabilize.

Os cordões magnéticos podem ser anulados pela Lei Maior e pela Justiça Divina, se evocadas religiosamente por intermédio das divindades aplicadoras delas na vida dos seres.

Os cordões energéticos projetados por meio de magias podem ser rompidos por magias positivas, ou mediante evocação mágica das divindades.

Os tipos de ondas vibratórias que dão origem e sustentação aos cordões, pois é por meio delas que as energias fluem, são classificados assim:

- ondas magnéticas energizadoras e desenergizadoras;
- ondas energéticas magnetizadoras e desmagnetizadoras;
- ondas transportadoras de energias;
- ondas absorvedoras de energias;
- ondas naturais;
- ondas mentais;
- ondas elementais.

16.4 O Mistério das Fontes Mentais Geradoras e Ativadoras

O nosso mental é um mistério porque traz dentro de si toda uma Herança Genética Divina análoga à do núcleo celular, composta pelo DNA e RNA.

A herança contida no mental tem no seu "DNA" os recursos necessários à abertura de fontes geradoras de energias muito sutis, cuja finalidade é dar sustentação energética ao ser em si mesmo, assim como aos seus sentimentos mais íntimos.

Já o seu "RNA" projeta ondas codificadas que vão dando origem ao corpo energético dos seres.

Este "RNA" projeta, de dentro do mental, ondas transportadoras de "fatores" que se espalham dando o formato exato do corpo dos seres, de seus aparelhos e órgãos energéticos.

O primeiro corpo de um ser assemelha-se à membrana plasmática de uma célula alongada, e o chamamos de corpo elemental básico, dentro do qual o "RNA" mental vai formando os órgãos e os aparelhos do corpo energético dos seres. Nestes vão sendo abertas fontes geradoras de energias irrigadoras. Então, projeta ondas transportadoras de fatores que renovam os órgãos e aparelhos, mantendo-os em perfeito funcionamento.

O mental tem em seu interior muitas fontes que geram energias, sustentando nossas faculdades, e quanto mais as usarmos, mais energias gerarão, fornecendo-nos a essência básica para que nossa mente sustente suas atividades.

Mas muitas dessas fontes enviam energias a pontos específicos do corpo energético, formando um sistema circulatório energético cuja principal função é dar sustentação e estabilidade vibratórias ao corpo energético ou organismo espiritual, que, por sua vez, dá sustentação ao corpo carnal ou órgão físico das pessoas.

Para cada faculdade abre-se uma fonte geradora dessa energia essencial, que sustentará sua atividade.

Quando vibramos sentimentos, estamos consumindo dessa energia essencial. Quando raciocinamos, sonhamos, rezamos, falamos, observamos, meditamos, etc., estamos consumindo-a, pois ao fazermos estas coisas precisamos recorrer às nossas faculdades mentais.

No plano físico, sabemos que os olhos são os órgãos da visão, e não ela em si. Também sabemos que a boca é um dos órgãos da fala, e não a fala em si. Que os ouvidos são os órgãos da audição, e não ela em si. Que a língua e suas papilas são os órgãos da gustação. Que o sexo é o órgão da sexualidade, e não ela em si, etc. Visão, fala, audição, paladar, tato, olfato, sexualidade, etc. estão localizados no cérebro, a sede dos sentidos físicos, cujos órgãos estão conectados a ele por meio dos neurônios ou nervos transmissores de impulsos elétricos.

Já no plano espiritual, os espíritos têm esses mesmos órgãos com as mesmas funções, ainda que os seres vivam em outro padrão vibratório e outra realidade.

Estes órgãos dos sentidos não são os sentidos em si, mas tão somente recursos para que possam ser úteis, tanto no plano físico quanto no espiritual.

Se, no corpo físico, o cérebro concentra em si o processamento dos impulsos e a identificação de algo que está impressionando algum dos órgãos dos sentidos, no plano espiritual tudo se repete, porque o ser que é imaterial e muito mais sutil que as energias do seu corpo espiritual continua precisando desses órgãos, ainda que suprafísicos.

Então, quando falamos em sentidos, vêm-nos à mente seus órgãos, tais como tato - mãos, olfato - nariz, visão - olhos, etc.

Mas se falamos nos sentidos da Vida (o ser em si mesmo), aí estamos nos referindo a algo imaterial, pois mente, inteligência, criatividade, raciocínio, percepção, sensibilidade, emoção, etc. não são coisas palpáveis, mas sim perceptíveis.

Porém, ainda que sejam energéticas e estejam concentradas dentro do mental, que é a fonte dessas coisas abstratas, pois é a sede da mente e do intelecto, precisam fluir ou irradiar-se para que o ser se exteriorize, ou exteriorize seus sentimentos, pensamentos, emoções, etc.

Para exteriorizar-se, o ser tem seu corpo energético, seu espírito ou seu corpo físico, se encarnado. Para exteriorizar seus sentimentos, o ser tem seus órgãos físicos ou energéticos.

Uma coisa precisa ficar bem clara: a vida não é algo imaterial ou abstrato. Simplesmente, ela se mostra por meio dos órgãos dos sentidos agrupados na forma de um corpo bem definido para que possamos identificá-la: vida humana, vida vegetal, vida marinha, vida animal, etc.

A vida é múltipla e mostra-se por intermédio dos seres, das criaturas e das espécies, todos vivos e geradores de tipos específicos de energia que, quando condensados numa forma, diferenciam cada ser, cada criatura e cada espécie.

Isso é assim porque cada vida traz em si uma genética que, à medida que vai se desdobrando, vai gerando energias que vão sustentando sua geração, e vai lançando ondas ou dutos energéticos dentro da sua forma, cuja função é gerar energias que deem sustentação à própria forma que ela assumiu.

O mental tem a função de ser a sede e fonte dos sentidos e gerar a essência que fluirá pelos dutos ou ondas que alcançarão os seus órgãos, mas também tem outra função: conectar esses órgãos aos sentidos abstratos da mente, que são a fé, o amor, o conhecimento, a razão, a direção, o saber e a criatividade, que por sua vez conectam-se com as sete Emanações Divinas que dão sentido à vida: congregação, agregação, expansão, equilíbrio, ordenação, evolução e geração.

A congregação sustenta a fé.
A agregação sustenta o amor.
A expansão sustenta o conhecimento.
O equilíbrio sustenta a justiça.
A ordenação sustenta a lei.
A evolução sustenta o saber.
A geração sustenta a criatividade.

Como já explicamos em outros comentários, estas são as sete ondas fatorais vivas emanadas por Deus e individualizadas em Suas divindades quando se polarizam. Assim, afirmamos que todo ser humano tem seu mental conectado a Deus mediante um cordão vivo, que é sétuplo ou formado por sete ondas fatorais enfeixadas numa Onda Divina, que por sua vez está ligada ao seu "DNA" e "RNA", ou ao seu Código Genético Divino.

Esta ligação do ser com Deus, por meio de um cordão sétuplo, tem por função alimentar seu mental, de dentro para fora, assim como tem a função de regular o desdobramento energético (corpóreo), que vai acontecendo com o amadurecimento do próprio ser.

Este cordão provindo de Deus regula a vida do ser e abre, dentro do seu mental, sete fontes vivas e geradoras de Energias Divinas, que darão sustentação tanto à sua vida quanto à sua exteriorização.

Essas sete fontes originais, localizadas dentro do mental, ativam a Genética Divina do ser, assim como dão sustentação a todo desdobramento (formação do seu corpo) e também à exteriorização das sete emanações de Deus: fé, amor, intelecto, moral, caráter, sapiência e criatividade. Esses são os sete sentidos abstratos da vida, porque não nos é possível visualizar essa Energia Divina viva, que absorvemos de Deus quando vibramos em nosso íntimo nossos sentimentos e damos uso às faculdades relacionadas a eles.

Cada faculdade que o ser vai abrindo durante sua evolução está ligada a esse cordão sétuplo. De uma das ondas desse cordão aconteceu a projeção de uma onda viva transportadora da Energia Divina específica, que supre a fonte energética que alimentará uma dessas faculdades.

A fonte alimentadora de uma faculdade (imaterial) projetará outra onda que se ligará a algum ou vários órgãos dos sentidos, fazendo com que o corpo energético do ser seja todo cruzado por ondas vivas muito finas, tais como os neurônios, só que estes já são visíveis, pois pertencem ao corpo físico dos seres.

Se no corpo humano cada órgão desempenha uma função, todas comandadas pelo cérebro, no corpo energético o mesmo se repete, mas o comando pertence ao mental, que envia essências aos seis órgãos, nos quais elas brotam das pontas dos cordões, formando fontes irrigadoras dos órgãos dos sentidos.

Junto com esta alimentação essencial que dá sustentação ao ser, outra acontece através dos chacras, que têm dupla função, pois também absorvem energias do éter universal emitidas pelo mental por meio do emocional.

Quanto mais forte a vibração dos sentimentos íntimos, mais acelerada é a geração de energias e mais intensa é sua irradiação energética ou exteriorização dos seus sentimentos virtuosos.

Se os sentimentos não são virtuosos, as fontes geradoras negativam-se em função do negativismo mental do ser, e o tipo de energias que passam a gerar não é irradiante. Por isso, vão se acumulando no próprio corpo, dentro dos órgãos dos sentidos relacionados com os sentimentos que está vibrando.

Com isso, os dutos vão sendo obstruídos, até que alcançam as fontes mentais. Então, estas se fecham e o corpo energético começa a ser atrofiado ou a deformar-se.

Algo análogo acontece com o desequilíbrio do sistema nervoso e os aparelhos digestivo, circulatório, respiratório, reprodutor, etc.

Irritação, ansiedade, tristeza, etc. são sentimentos que desequilibram o sistema nervoso e mexem com o funcionamento tanto dos aparelhos e órgãos do corpo físico quanto os do corpo energético, cujo desequilíbrio mostra-se através da aura e das suas cores classificadas como negativas.

Como a sede da vida está localizada dentro do mental, a sua negatividade altera a vida de quem está vibrando estes sentimentos, pois eles não só não absorvem a Energia Divina emanada por Deus como atraem cordões energéticos projetados por polos magnéticos cósmicos, espalhados por todas as dimensões da Vida, cuja função é alimentar, de fora para dentro, quem não consegue alimentar-se em Deus.

16.5 Os Mistérios das Fontes Naturais Geradoras de Energia e das Correntes Eletromagnéticas

Nas dimensões paralelas ou mesmo no lado espiritual, é muito comum encontrarmos fontes geradoras de energias semelhantes a nascentes ou chafarizes, caso sejam aquáticas; lança-chamas ou vulcões, caso sejam ígneas; névoas ou fumaças coloridas, caso sejam vegetais; irradiantes, caso sejam minerais; nuvens coloridas de poeira, caso sejam telúricas; remoinhos ou ciclones estáticos, caso sejam eólicas; raiadas, caso sejam cristalinas. Essas fontes são, em verdade, energias transportadas de uma dimensão para outra, ou fontes que surgem com as projeções de ondas de um plano para outro.

Vocês já ouviram falar dos chacras planetários, que são gigantescos vórtices energéticos cuja função consiste em irradiar nossa dimensão humana com energias, elementos, essências e fatores recolhidos nos outros planos da Vida ou de transportar nossa energia "terráquea" para as outras dimensões.

Essa troca permanente de energias entre as dimensões paralelas acontece por intermédio das correntes eletromagnéticas horizontais, que tanto retiram energias da dimensão humana e as transportam para as outras dimensões naturais quanto retiram delas e trazem-nas para a nossa.

Quando estão absorvendo energias de uma dimensão para transportá-las para as outras, elas são densas e concentradas; quando as estão derramando, são irradiantes, enevoadas, gasosas, etc., dependendo do tipo de energia que estão irradiando.

Estas são as trocas dimensionais. Já as trocas energéticas entre os planos da vida acontecem de outra forma, pois cada plano localiza-se num grau magnético dentro da escala magnética universal. E a captação de energias acontece através do eixo magnético do nosso planeta, que capta energias de um plano através dos vórtices planetários e, após internalizá-las em seu giro contínuo, vai projetando-as para os outros planos ligados a ele que são: o Plano Celestial, o Plano Natural, o Plano Encantado, o Plano Dual, o Plano Elemental e o Plano Essencial. O Plano Fatoral não participa dessa troca, porque só a realiza com o Plano Essencial.

Então temos que os seis planos da Vida estão interligados entre si por intermédio do eixo magnético do nosso planeta, que tanto retira deles suas energias quanto inunda-os com as dos outros planos, demonstrando mais uma vez que, na Obra Divina, nada existe por si só, pois tudo está ligado a tudo, e tanto um plano sustenta os outros quanto é sustentado por eles.

O eixo magnético do nosso planeta é formado por um poderoso feixe de ondas eletromagnéticas que fluem no sentido vertical, e parte dele está descendo, parte está subindo, tornando-o eletrizado e dando-lhe dupla polaridade, já que no alto ele é positivo e embaixo é negativo.

Transportando isso para o magnetismo dos polos, podemos dizer que o polo Norte é positivo e o polo Sul é negativo. Esse magnetismo físico dos nossos polos está limitado à nossa dimensão humana em seus dois lados da vida e atende ao equilíbrio do próprio planeta e de seu campo gravitacional.

Então notamos que as ondas absorvidas ou irradiadas pelas correntes eletromagnéticas, que são horizontais, absorvem e irradiam na vertical. Já o eixo, que é vertical, capta e irradia na horizontal.

Com isso, eixo magnético e correntes eletromagnéticas formam uma quadriculação ou entrecruzamento, não deixando nenhum plano e nenhuma de suas dimensões desenergizadas.

Com isso explicado, saibam que uma onda projetada de um plano para outro, quando o alcança, deixa de fluir e começa a verter, derramar ou irradiar a energia que está transportando, criando em sua "ponta" uma fonte natural da energia que está absorvendo num plano e irradiando já em outro plano da Vida.

São como vasos comunicantes, em que o plano mais energizado doa seu excesso a outro e recebe dele seu excedente.

Em cada ponta "final" de uma onda, sempre surge uma fonte natural de enrgias, energizando tudo à sua volta. Quando alcança o equilíbrio gerador no novo meio, aí seu magnetismo começa a projetar novas fontes. Em verdade, é apenas a abertura ou o "desenfeixamento" das ondas enfeixadas num fluxo, que só assim conseguem "atravessar" de um plano para outro.

Quanto às dimensões paralelas, e dentro de um mesmo plano da Vida, as correntes atravessam todas e vão projetando ondas geradoras em todo o percurso. Essas ondas já são adaptadas ao meio de vida existente em cada uma das dimensões que cruzam, pois só assim não a desestabilizam.

Então está entendido que as correntes não geram fontes localizadas e estáveis, porque isso só acontece com as ondas projetadas de um plano para outro. E onde uma fonte surge, após ela alcançar seu limite máximo gerador, dali ela abre seu feixe de ondas, que se projeta na direção das correntes eletromagnéticas, que o absorvem e densificam seu fluxo, ora acelerando seu fluir, ora intensificando sua irradiação de energias e projeção de ondas.

Com isso, também fica entendido que as fontes são alimentadoras das correntes eletromagnéticas e que é destas que as ondas, que atravessam de um plano para outro, se originam.

• As fontes projetam ondas magnetizadas.
• As correntes projetam ondas energizadas.

As correntes magnetizadas são absorvidas pelas correntes que as eletrizam, polarizando-as e permitindo que sejam enfeixadas e projetadas verticalmente, ou para o plano da Vida anterior, ou para o posterior.

Saibam que, se aqui no plano material as pessoas procuram fixar-se às margens dos rios, lagos, oceanos, florestas, deltas, vales, oásis, etc., porque são lugares altamente energizados, o mesmo acontece nas dimensões paralelas, onde os seres preferem viver próximos das correntes eletromagnéticas ou das fontes naturais geradoras de energias.

16.6 O Mistério das Fontes Vivas Geradoras de Energias

Um dos mistérios mais fascinantes da Criação Divina, espalhado pelos planos da Vida, é o das fontes vivas geradoras de energias.

Nós classificamos estas fontes vivas geradoras de energias como espécies, pois não são seres (racionais) ou criaturas (instintivas), mas sim espécies (emotivas). Se as consideramos emotivas é porque, quando solicitadas, geram uma enormidade de energias e, quando desestimuladas, fecham-se, quase desaparecendo, porém sem nunca deixar de existir.

Às vezes, geram tanta energia que se densificam e assumem cores e formas, as mais belas e exóticas imagináveis.

Por serem emotivas, são os estímulos que recebem que determinarão sua vibração, cores e energias que gerarão.

Mas quando abertas e em estado de "repouso", umas assumem formas triangulares, losangulares, petaladas, estreladas, raiadas, quadriculadas, folheadas, pistiladas (de pistilos), caniculadas, "ondeadas", ciliadas, esporaladas (de esporos), escamadas (de escamas), "olhadas" (de olhos), onduladas, repolhadas (de repolhos), roseadas (de rosas), tubulares, espiraladas, estarneadas (de estarne), vulvares (de vulva), coronais (de coração), umbilicais (de umbigo), tentaculares (de tentáculos), bivalves (de conchas), bivalvulares (de válvulas).

São formas geométricas, florais, fractais, etc., mostrando-nos todo um campo em que o Criador exercitou artisticamente sua Criatividade Divina. Sim, porque, além de serem fontes vivas, são belíssimas obras de arte.

Não há ninguém (seres, espécies ou criaturas) nem nada (energias nos diversos estados) que não esteja ligado por finíssimos cordões energéticos a estas fontes vivas geradoras de energias, que não falam ou pensam, apenas se ligam às coisas através dos cordões e reagem aos estímulos de quem se ligou a elas.

No quarto e quinto planos da Vida, ou seja, nas dimensões duais e encantadas, elas são tantas que encantam nossos olhos. Desde esses planos da Vida, elas conseguem alcançar-nos aqui, no sexto plano da Vida, pois projetam seus cordões energéticos que, após se ligarem conosco, tanto nos enviam como absorvem energias.

Muitas chegam a se deslocar de planos, pois podem acompanhar o fluir das ondas fatorais e das correntes eletromagnéticas.

Até mesmo nas dimensões naturais, elas estacionam próximas dessas correntes transportadoras de energias, das quais tanto extraem energias para enviar aos seres, espécies e criaturas ligados a elas como descarregam nelas os excessos que absorvem pelos cordões de ligações.

Todos nós, espíritos ou encarnados, plantas ou animais, estamos ligados a fontes vivas geradoras de energias.

As ligações tanto podem estar localizadas nos órgãos do nosso corpo energético quanto nos chacras, e tanto nos principais quanto nos secundários.

Saibam que há fontes classificadas como positivas e negativas, pois umas geram energias que nos estimulam em algum sentido e outras nos envenenam.

Sim, envenenam energeticamente, intoxicando nosso corpo energético e fazendo surgir sintomas de doenças, inexistentes.

Assim como as plantas absorvem gás carbônico à noite e exalam oxigênio durante o dia, nas dimensões paralelas essas fontes vivas têm uma função análoga, retirando do meio ambiente as energias estranhas a ele e devolvendo-lhe as que são indispensáveis à alimentação energética dos seres que nelas vivem.

São verdadeiros filtros ambientais vivos e que vivem-se deslocando para onde há maior concentração energética estranha ao meio, ou vivem projetando cordões energéticos para os seres, criaturas e espécies, dos quais retiram energias saturadas acumuladas na raiz de seus chacras ou condensadas nos seus órgãos, sempre visando a purificá-los.

Mas também podem energizá-los, caso estejam precisando de energias específicas.

Saibam que há um campo da magia que lida com essas fontes vivas geradoras de energias e que pode ativar tanto as fontes classificadas como positivas, como as negativas.

Normalmente, a magia só potencializa as fontes já ligadas ao corpo energético de uma pessoa, energizando ou desenergizando, mas certas magias, muito comuns no Oriente Médio e na Índia, são fundamentadas nesse campo e são nefastas, porque esse é um campo regido pelos gênios da natureza, que por sua vez são regidos pelos Querubins.

Essa magia foi trazida para a Europa por volta do século XIII e deu início a muitos malefícios, pois sabiam, apenas, como ativá-la.

As descargas com pólvora, realizadas nos centros de Umbanda, têm o poder de cortar essas ligações nefastas com fontes vivas negativas, porque a explosão rompe os cordões e a energia liberada projeta-se por eles, alcançando as fontes e, causando-lhes "dor", fecha-as. Com isso, as magias negativas são desativadas imediatamente, deixando em paz quem estava sendo vitimado.

Agora, Mistério dos Mistérios, eis que muitos já comentaram sobre a existência de "cascões" e "egrégoras" ou espectros que estacionam no campo magnético das pessoas. Então, saibam que estas coisas nocivas são formações energéticas negativas projetadas por pessoas que estão vibrando sentimentos negativos, as quais alcançam seus desafetos, plasmando-se e alimentando-se de fontes emocionais existentes em quem as projetou.

Enfim, é vasto o campo das fontes vivas geradoras de energias, muitas delas alojadas no emocional de pessoas desequilibradas.

16.7 Ciclo Reencarnacionista: o Despertar da Consciência

Com. Pai Benedito de Aruanda.

Assunto interessante, pois é um mistério a razão de espíritos reencarnarem. E se todos escrevem sobre a reencarnação, no entanto tudo fica confuso porque até onde conseguem abordar, não chega à origem do ciclo, ou ao seu começo.

E aí reside o mistério por que todos se perguntam: "de onde vim e para onde estou indo se já reencarnei tantas vezes?"

Isso não tem fim, pois já reencarno há tantos milênios. Logo, para que evoluir se sempre retornarei ao plano material?

Comentamos no primeiro capítulo que os seres evoluem e vão vivenciando estágios que não precisam do plano material porque são dimensões naturais, certo?

Comentamos também que os seres que irão ser conduzidos ao ciclo reencarnacionista e passarão a viver nos planos matéria-espírito, têm seus corpos energéticos revestidos de um plasma que forma seus corpos plasmáticos ou espirituais.

Com tudo isso em mente, abordamos rapidamente a evolução não reencarnacionista, que chamamos de "natural".

Na evolução natural, o ser evolui naturalmente sem ter "adormecido" periodicamente.

Sua evolução é contínua, e quando atinge um determinado grau evolutivo numa dimensão energo-magnética, então é conduzido a uma outra, que é superior tanto em energias circunstantes formadoras do meio onde irá viver, assim como o magnetismo ali existente também é mais poderoso e irá atuar com muito mais intensidade, e em todos os sentidos sobre o ser.

Nós estabelecemos sete sentidos mais ou menos afins com os sete orixás ancestrais como os sete principais.

Amor	Oxum	Mineral
Fé	Oxalá	Cristalino
Razão	Xangô	Ígneo
Conhecimento	Oxóssi	Vegetal
Lei	Ogum	Aéreo
Saber	Obaluaiê	Terreno
Geração ou vida	Iemanjá	Aquático

Os sete, e mais poderíamos acrescentar, pois o mistério orixá é muito maior que nossas humanas concepções, nos bastam para comentarmos o ciclo reencarnacionista.

O fato é que, na evolução natural, os seres vão adensando seus magnetismos mentais de forma inconsciente, ou seja: vivenciam a fé, o amor, etc. o tempo todo, pois vivem numa dimensão onde as vibrações mentais de estímulos à vivenciação desses sentimentos são contínuas e lhes chegam por projeção direta dos orixás regentes das dimensões onde vivem.

Diria mesmo que a fé, o amor, a razão, etc. são estados permanentes do ser, pois estão "monitorados" pelos mentais planetários dos orixás ancestrais responsáveis por todas as evoluções que em nosso "todo planetário" acontecem.

Em cada estágio o ser vai expandindo seu magnetismo porque vai aumentando sua capacidade de gerar em seu íntimo vibrações afins com as que lhe chegam o tempo todo.

Nós, até onde nos foi permitido estudar, observamos que um ser natural possui só uma polaridade vibratória.

E isso o diferencia de nós, pois possuímos uma vibração de dupla polaridade.

Vibramos numa faixa própria (humana), em que as ondas vão do pico positivo até o fundo negativo. E que quando estamos harmonizados emocionalmente e equilibrados energicamente, essa vibração de padrão humano é estimuladora da consciência ou discernimento de tudo que à nossa volta acontece.

Já os nossos irmãos (ãs) naturais não têm essa faculdade, pois se são de polaridade positiva, só "compreendem" as vibrações positivas e não absorvem as negativas que lhes chegam na forma de ondas energéticas. E vice-versa quando são de polaridade negativa.

Negativo ou positivo, neste caso referem-se unicamente a magnetismos, certo?

Não vamos associar negativo com mal e positivo com bem, porque não é nada disso.

Temos nos elementos água e terra magnetismos positivos, e no ar e fogo os magnetismos negativos.

Temos no vegetal um magnetismo neutro, no mineral um magnetismo misto e no cristalino um magnetismo dual mais o polo neutro.

À medida que vão alcançando novos estágios e absorvendo novos padrões de energias, nossos irmãos naturais passam a irradiadores de energias afins com os regentes das dimensões onde vivem, mas sempre num magnetismo afim (positivo ou negativo) com seus estágios e níveis vibratórios.

A eles falta o que sobra no estágio espiritual: múltiplas vivenciações devido à bipolaridade magnética que se forma no mental de um espírito.

Essa bipolaridade permite ao ser "humano" vivenciar sentimentos opostos, ora estando magneticamente positivo, e em outra, negativo.

Se na evolução natural os seres agem de forma análoga às abelhas, em que cada membro da colmeia tem uma função específica e a desempenha naturalmente, sempre visando ao bem geral da colmeia, na evolução humana os seres formam grupos mais ou menos afins, e tendo o "livre-arbítrio", optam pela sociedade que mais os agradem, assim como falta religião, etc.

Essa pluralidade de estilos de vida numa só dimensão não acontece nas dimensões onde a evolução natural se processa.

Além do mais, aqui no plano material acontece o amálgama dos quatro elementos básicos mais a dimensão mineral, vegetal e cristalina que aqui têm seus vasos comunicantes pelos quais nos fornecem energias elementais e daqui colhem energias afins, mas de polaridades opostas que lá são usadas como "estimuladoras" dos níveis vibratórios.

Existe toda uma ciência sobre o que aqui acabamos de revelar, mas que não cabe em um simples comentário.

Assim, se a evolução natural é "inconsciente" porque o ser é como é, e não é colocado em contato com forças opostas, sejam elas mentais, racionais, emocionais ou mesmo religiosas, no entanto na evolução humana o ser terá de recorrer continuamente ao discernimento para comparar se o que está vivenciando é bom ou não.

Ele deixa de agir automaticamente e tem de recorrer ao raciocínio e à memória para ir fixando padrões comportamentais afins com os ditames da sociedade onde vive: clã, tribo, cidade, estado, país, estudo, profissão, família, etc.

São tantas as coisas que o ser tem de ir assimilando no curto espaço de uma encarnação, que de muitas ele precisará para alcançar uma consciência plena do "mundo" à sua volta e disposição.

O despertar da consciência, ainda que seja lento e gradual, é a finalidade básica do estágio humano da evolução.

Em função dos níveis de evolução, nem sempre os valores são os mesmos para os membros de uma família, clã, tribo, estado ou nação. E o livre-arbítrio concede a todos o direito de vivenciarem os valores mais afins com o íntimo e a natureza pessoal de cada um.

O Estágio Humano também tem por função dotar o ser do desejo, faculdade esta que o torna criativo e criacionista, pois o estimula a adaptar-se aos meios mais adversos ou a transformá-los até que se tornem afins com seus desejos e necessidades.

Constrói-se moradas afins com o padrão de gosto pessoal; estuda-se o que desejar aprender; come somente o alimento que melhor lhe apetecer; une-se ao par que mais lhe falar ao coração; vivencia a fé como melhor acredita estar em comunhão com Deus; acumula-se muitos bens num momento e noutro os perde ou desencarna e descobre que de nada poderá usufruir.

Enfim, o ser vai conscientizando-se de tantas coisas ao mesmo tempo, que ao fim de algumas encarnações já está apto a assumir sua parcela de responsabilidades... e as assume, pois ainda que não tenha consciência desse seu crescimento íntimo, no entanto já evoluiu no sentido de "individualizar-se".

E após uma certa individualização, volta a preocupar-se com o grupo familiar, o clã, a tribo, o estado ou a nação, e começa a liderar.

Neste ponto, o ser avança rumo à sua "universalização", onde, dotado de uma consciência ampla e de um mental de dupla polaridade magnética, está apto a julgar qual é a melhor opção, mesmo diante das situações as mais adversas imagináveis.

Uns tornam-se juizes, outros instrutores, outros religiosos, outros políticos, etc., e as sociedades vão amadurecendo até que esgotam todo um ciclo, quando fenecem e dão lugar a outras, renovadas, e mais dinâmicas, já num grau superior de conhecimentos.

Assim tem sido nas civilizações conhecidas pelos historiadores, e assim foi com aquelas que em outras eras neste plano material já cumpriram suas missões e serviram de meio para que muitos irmãos naturais fossem deslocados das dimensões paralelas, cujas evoluções naturais são inconscientes, para a nossa, onde o despertar da consciência é o imperativo número um.

Sim, só um ser consciente está apto a emitir os mais amplos julgamentos sobre tudo que o cerca e envolve.

E um ser assim tem tudo para, um dia, mais adiante, tornar-se um ser "semelhante" ao seu Criador, pois criou coisas, inventou artefatos, gerou vida e, "conscientemente" se voltou a Ele, e retornou já como um anjo humano retornou.

Essa é a saga do ciclo reencarnacionista porque é a saga da humanidade, que cresce continuamente... e encanta até os encantados da natureza: os orixás naturais!

Nesta saga guerreiam, matam-se, amam-se, anulam-se, mas, no fim, todos se irmanam e de mãos dadas, e numa só e humana vibração, reúnem-se com seus irmãos naturais que, evoluindo em dimensões paralelas, mas não isoladas, nos enviaram o tempo todo vibrações de amor, fé e confiança, e de nós, por osmose energética, aprenderam a sorrir e a chorar, a meditar e a refletirem, e a nos esperar!

Sim, pois nossos afins que seguiam na evolução natural podiam nos ver o tempo todo, ainda que o mesmo a nós não fosse permitido porque assim quis nosso Divino Criador.

É por isso, e muitas outras coisas mais, que o Ritual de Umbanda Sagrada é tão concorrido por espíritos de toda a "orbe" espiritual, e orixás encantados de todas as dimensões ou reinos da natureza.

É uma pena que disso não tenham ainda consciência os médiuns dirigentes das tendas de Umbanda, e que, por isso mesmo, pouca atenção dedicam ao aspecto orixá em suas vidas.

Oxalá permita que, no mais breve tempo possível, essa consciência se sobreponha sobre o imediatismo que predomina no meio umbandista que vive à procura de "resultados", e aí sim ensinarão as verdades a respeito dos sagrados orixás que são ancestrais e regentes das evoluções, das muitas evoluções que neste nosso abençoado planeta se processam, todas em paralelo, regem a dos umbandistas também.

Quem sabe um dia mais adiante, com essa plena consciência, então todos os centros e tendas se reúnam num só pensamento, numa só direção, e realizem o ritual que já foi, um dia no passado, o de irmanação dos encantados da natureza com os encantadores humanos, quando a cada dia da semana um dos sete regentes era invocado, cantando, amado e adorado, e numa troca de vibrações muito intensa, até a evolução humana era considerada natural e encantadora.

Sabem os dias da semana e os elementos invocados em cada um deles? Não?

Pois aqui vou revelá-los com a autorização expressa do sagrado Oxalá-yê:

Dia	**Elemento**	**Orixá**
Segunda	Terra	Obaluaiê – Nanã
Terça	Vegetal	Oxóssi – Obá
Quarta	Fogo	Xangô – Iansã
Quinta	Ar	Ogum – Oro Iná
Sexta	Água	Iemanjá – Omolu
Sábado	Minerais	Oxum – Oxumaré
Domingo	Cristalinos	Oxalá – Oiá

Obs: Os nomes sagrados não eram estes, mas isso não importa, pois a herança que nos restou dos orixás sagrados, e o africano nos legou, foi com essas designações mais ou menos afins.

17
Formas Plasmadas

17.1 O Plasma Energético que Forma o Corpo Plasmático do Espírito

Corpo plasmático é o que permite a um espírito assumir, "conscientemente", as mais variadas aparências, ou inconscientemente ser induzido a se prender numa aparência em nada parecida com a humana.

No astral negativo, em suas esferas mais densas, é muito comum encontrarmos espíritos devedores da Lei Maior ocultados em aparências "bestiais" de animais como cães, cobras, morcegos, etc., ou então prisioneiros delas. São espíritos de criminosos, homicidas, suicidas, infanticidas, genocidas, blasfemos, apóstatas, governantes inescrupulosos, traficantes, escravagistas, policiais assassinos, juízes ímprobos, advogados corruptores da lei, religiosos indignos, etc.

Essas aparências servem para preservar esses espíritos deste meio adverso que é o astral negativo mais denso.

Em contrapartida, os espíritos nobres, que possuem sentimentos virtuosos, fraternais, de sapiência, assumem aparências luminosas, coloridas e irradiantes. Eles também podem recorrer às aparências que possuíram em outras encarnações, plasmando-as após despertá-las de suas memórias ancestrais.

Toda essa "plasmabilidade" é possível a um espírito humano devido ao plasma energético que reveste o corpo energético formado dentro do seu corpo básico ou elemental.

O corpo plasmático é a cristalização de diferentes energias amalgamadas, cada uma numa certa quantidade, formando um envoltório que irá sustentar o corpo energético durante todo o ciclo reencarnacionista e que tem por função isolar esse corpo energético e protegê-lo, impedindo que energias não afins penetrem ou sejam absorvidas, incorporando-se ao todo energético do ser, no qual o incomodariam e o desestabilizariam.

Esse corpo plasmático envolve todo o ser de energia e o torna um ser espiritual, possibilitando-lhe, quando for encarnar, que seja reduzido ao tamanho de um feto dentro do ventre materno.

À medida que o corpo carnal for crescendo, o corpo plasmático o acompanhará. Ele o estará revestindo junto à epiderme, crescendo também.

E quando o ser desencarnar, no corpo plasmático ou "espiritual", estarão impressas todas as suas características pessoais, como manchas, pintas, verrugas, cicatrizes, etc.

A aparência que o ser possuía quando encarnado será ostentada após o desencarne.

Esse corpo (envoltório) plasmático sofrerá alterações, pois muitas aparências o ser terá em suas múltiplas encarnações.

Esse corpo também expressa todos os sentimentos do ser, suas deformações, lesões, doenças físicas ou psíquicas, as quais geram energias desequilibradoras que tanto podem atrofiar quanto deformar os "órgãos" dos sentidos do corpo energético.

Tudo isso é possível porque o corpo plasmático ou espiritual é a aparência "externa" do ser, assim como é uma tela refletora do ser "interior".

No plano material, porque o corpo físico não é plasmável, um ser pode alimentar certos vícios (ódio, inveja, ambição, volúpia, etc.) e tudo estará oculto. Mas assim que desencarnar, esses sentimentos negativos "explodirão" com intensidade e o deformarão, deixando visíveis os seus vícios, não mais ocultáveis.

Quando o ser é virtuoso, o corpo plasmático ou espiritual também é tela refletora de seu íntimo, pensamentos e sentimentos. Neste caso, a aura do ser torna-se irradiante, luminescente e colorida, pois cada sentimento irradiado possui uma cor que o distingue de outros sentimentos virtuosos.

Nos sentimentos negativos, a aura não é irradiante, mas sim concentradora, e sua cor (tonalidade) é monocromática (cinza, preta, mostarda, rubra, etc.), mostrando-se de acordo com o sentimento negativo que o ser vivencia naquele instante de sua vida.

A tela refletora, a aura, está intimamente ligada aos sentimentos (emocional) e ao mental (corpo plasmático).

A tonalidade determina se o sentimento é positivo ou negativo e qual a sua intensidade.

Já a aparência mostra o estado em que se encontra o mental (se positivo ou negativo) e o estado do corpo energético ao qual ele reveste externa e internamente.

Esse corpo plasmático pode sofrer deformações acentuadas, mas caso o ser venha a ter suas faculdades mentais (psique) reequilibradas, o corpo plasmático também será regenerado e deixará de ostentar o que o ser já não vivencia em seu íntimo.

É por isso que pessoas que desencarnaram em idades avançadas, mas com a psique equilibrada, com pouco tempo no lado espiritual, já começam a rejuvenescer sem que se apercebam. Os sentimentos que vibram as predispõe a externarem a beleza interior (nobreza, virtuosismo).

O inverso também ocorre e acontece de pessoas jovens no plano material assumirem aparências de anciões porque se sentiam velhas, cansadas ou incapazes de vivenciar a vida com jovialidade.

17.2 As Formas Plasmadas

Vimos que o corpo espiritual é um plasma que recobre o corpo energético e que, justamente por ser um plasma, pode assumir várias aparências.

No Ritual de Umbanda Sagrada, isso acontece com frequência e vem explicar as hierarquias existentes nos planos espirituais, nos quais os espíritos incorporados a elas assumem a "aparência" do seu chefe de falange.

O chefe é o guardião de um mistério mágico que é único e do qual se servem todos os membros da hierarquia no cumprimento de suas missões ou na realização de trabalhos espirituais junto aos mediadores umbandistas.

Todos os membros de uma hierarquia ostentam aparências mais ou menos parecidas e adotam o nome simbólico do chefe dessa hierarquia, facilitando a ação dos espíritos integrados nas falanges de trabalhos magísticos ou espirituais e individualizando-os quando em meio a outros membros pertencentes a outros mistérios.

Essa distinção é uma imposição da própria Lei regente dos mistérios, assim como das hierarquias, onde o ser anula sua identidade pessoal e assume a coletiva, que é identificadora da hierarquia que o acolheu, instruiu-o, preparou-o e permite-lhe atuar dentro dos limites e ditames do senhor do mistério. E serão amparados pelo mistério enquanto se mantiverem dentro dos seus limites.

Todos os espíritos que movimentam as forças e poderes magísticos energéticos magnéticos de um mistério só podem fazê-lo quando assumirem a forma plasmada que está codificada na memória imortal do próprio mistério. Se tentarem movimentá-las sem ostentar sua forma plasmada, o próprio mistério os punirá imediatamente e, se um espírito vier a desequilibrar-se por conta de alguma falha pessoal, não acessará o mistério nem o ativará, mas se no desempenho de uma missão ou ação, um espírito vier a ser atingido por algum outro mistério que o desequilibre, imediatamente será socorrido pelo Guardião do Mistério e todas as suas hierarquias de ação e reação, assim como pelas próprias forças e poderes energéticos e magnéticos do mistério.

No entanto, se essas formas plasmadas servem para ocultar a identidade individual de um espírito que aceitou os ditames da Lei, elas não ocultam dos olhos dos outros espíritos as deformações ocorridas nos corpos energéticos, pois elas ocorreram a partir da deformação dos sentidos básicos dos quais o ser se servia.

Logo, a forma plasmada é como uma máscara que oculta o real estado do espírito.

17.3 As Vestimentas Energéticas que Cobrem os Corpos dos Espíritos

No astral não existem fábricas têxteis que produzam tecidos exóticos para as vestimentas dos guias espirituais, orixás ou encantados da natureza.

Tal como as formas plasmadas, as vestimentas energéticas também são um mistério que agora vamos comentar.

Os espíritos já despertos para suas faculdades mentais são capazes de movimentar energias, dispersá-las ou condensá-las unicamente recorrendo ao "pensamento", que pode ser direcionado tal como uma "mira telescópica".

O fato é que muitos espíritos costumam plasmar mentalmente suas próprias vestes, ou até cobrir o corpo espiritual de outros espíritos.

Conseguem isso porque sabem como retirar energias do invisível "oceano energético", que flui tanto na dimensão material quanto na espiritual.

Os espíritos, já aptos a plasmarem mentalmente suas vestes, as "confeccionam" com essa energia que condensam e amoldam-na ao próprio corpo, cobrindo-o. Quando desejam cobrir outros espíritos, plasmam mentalmente um fluxo energético e o moldam sobre o corpo espiritual de quem estão vestindo. Uns irradiam o fluxo com as mãos, outros com a mente. Cada um tem o seu modo de agir.

Mas os espíritos podem também retirar de uma roupa material sua cópia astral e usá-la. Uma veste material, por ser energia materializada e condensada, pode fornecer quantas cópias astrais se desejar sem que deixe de ser o que é, uma energia material inesgotável. Muitos espíritos recorrem a este recurso, retirando cópias astrais, absorvendo-as e guardando-as para usar em ocasiões apropriadas.

Mas estas vestimentas só se sustentam brancas ou coloridas se existir uma correspondência "íntima" em quem as ostenta, pois se o íntimo do espírito for negativo, com certeza a sua vestimenta se tornará cinza ou escura.

Outro ponto curioso é quanto aos lençóis, cobertores, etc., utilizados em hospitais astrais. O fato é que, nos hospitais astrais, criados pelos mentais superiores (celestiais), existem matrizes energéticas que, quando acionadas pelos responsáveis pelos "almoxarifados", produzem (plasmam) um número grande de lençóis ou cobertores, que distribuem aos quartos ocupados por espíritos enfermos. Estes lençóis e cobertores precisam ser trocados periodicamente, pois têm por função absorver as emanações de energias "enfermas" irradiadas pelos doentes ali em tratamento.

Quando os lençóis começam a ficar cinzentos ou manchados de preto, são retirados e levados a uma matriz energética que anula tudo, tanto os lençóis mata-borrões quanto as energias negativas nele acumuladas.

Os medicamentos aplicados no corpo espiritual, ou mesmo no corpo energético, são plasmas específicos gerados por matrizes muito especiais existentes nos hospitais ou abrigos espirituais e, quando aplicados nos corpos dos espíritos, vão sendo absorvidos e vão curando os "ferimentos".

Também ocorrem casos em que os espíritos virtuosos, ao desencarnarem, conservam sobre seus corpos espirituais a cópia astral das roupas que cobriam seus corpos físicos.

Mas em muitos casos os espíritos, ao serem desligados de seus corpos físicos, simplesmente ficam "nus".

Nesses casos, se o desencarnante está sendo amparado por servos da Luz, imediatamente eles cobrem o corpo espiritual de seu protegido. Mas quando a Luz não espera pelos desencarnantes, na maioria das vezes ficam nus após a dissolução da cópia astral das vestes que cobriam seus corpos físicos e nus permanecem.

17.4 Vestimentas Simbólicas

As vestimentas simbólicas são um caso à parte, porque só os espíritos incorporados a alguma ordem religiosa, iniciática ou de ação e trabalho as ostentam.

O fato é que quando um espírito, afim com uma dessas ordens iniciáticas a ela se filia, recebe uma vestimenta simbólica que irá ostentar dali por diante, renunciando aos seus hábitos e vestimentas "mundanos".

O mesmo acontece com as hierarquias de trabalhos do Ritual de Umbanda Sagrada que também têm sua vestimenta simbólica identificadora, que as individualiza dentro da linha de ação.

Na hierarquia, todos assumem a forma plasmada do hierarca e cobrem-se com vestimentas iguais, pois elas lhes chegam juntamente com as formas que o mistério lhes irradia.

A única diferença entre os membros de uma hierarquia são as "armas simbólicas" pessoais e a luz própria que cada espírito irradia, que é conquista (evolução) pessoal ou individual.

As vestes simbólicas só podem ser ostentadas pelos espíritos incorporados a linhas de ação e trabalho regidas pela Lei dos Mistérios. E quem ousar plasmar uma delas para si próprio sem ter sido incorporado a uma hierarquia corre sérios riscos de ser punido pelo próprio mistério.

17.5 O Mistério das Formas Plasmadas

Todo espírito traz a aparência que teve em sua última encarnação porque o plasma que reveste seu corpo energético amoldou-se ao seu corpo carnal.

Esse plasma tem a mesma função da pele do corpo carnal, já que o corpo energético não suporta as energias que permeiam tudo o que existe nos mais variados níveis das muitas dimensões da vida.

O corpo energético dos espíritos também é formado por "aparelhos" e órgãos energéticos dos sentidos. Esses órgãos dão sustentação energética às funções mentais dos espíritos e, por isso mesmo, tanto podem atrofiar-se como podem sobrecarregar-se. Tudo depende do bom ou mau uso que se dê às suas faculdades mentais e também ao tipo de magnetismo mental que desenvolvem.

Se um espírito negativa seu magnetismo, automaticamente deixa de irradiar energias para o meio onde vive e começa a absorver energias nocivas aos órgãos dos seus sentidos, as quais vão atrofiando alguns órgãos e sobrecarregando outros, até que levem o ser a uma descarga emocional em que seu magnetismo negativo é esgotado e ele se torna o que costumam chamar de "espírito sofredor".

Existe outra função para o revestimento plasmático que se destina a tolher os espíritos cujo negativismo é tão grande que bloqueia suas faculdades e abre suas primitivas fontes instintivas.

Mistérios negativos, análogos ao negativismo do ser e que são responsáveis pelo amparo a criaturas naturais, envolvem o mental do ser negativado pelo ódio, ambição, sensualismo, etc., e amoldam este plasma de revestimento em uma forma específica, afim com alguma criatura regida pelo mistério que o atraiu e o aprisionou. Estes espíritos aprisionados em forma de criaturas não conseguem libertar-se delas enquanto não forem movidos pelo desejo de se reajustarem.

Estes espíritos que regridem são recolhidos nestas formas por duas razões:

1ª — Porque bloquearam suas faculdades racionais e despertaram seus instintos mais primários, dispensando os órgãos dos sentidos existentes em seus corpos energéticos, os quais atrofiaram quando deram uso negativo às suas faculdades.

2ª — Porque assim, recolhidos em formas primárias, estão sendo amparados pela Lei, protegidos de ataques vingativos por parte dos seus desafetos, e também porque assim preservam seus ovóides, dentro dos quais estão protegidas suas Heranças Genéticas Divinas, às quais desdobrarão novamente quando voltarem-se para Deus.

Há um terceiro tipo de formas plasmadas que atende aos interesses de espíritos astutos, os quais se ocultam atrás delas para não se revelarem ou para não serem descobertos por seus inimigos, que foram conquistados quando ainda viviam no corpo carnal e dos quais ocultam-se por medo ou vergonha.

Essas formas lembram animais conhecidos ou aberrações imaginárias, com as quais assustam seus desafetos visando a afastá-los ou desequilibrá-los emocionalmente.

Também é comum clarividentes verem formas que guardam semelhanças com corpos humanos, mas só até certo ponto, porque não são espíritos humanos.

Existem dimensões paralelas à dimensão humana que se destinam à evolução dos seres, cujas formas até guardam semelhanças com o corpo humano, mas na verdade são formas autênticas de seres naturais, muitos tão inteligentes quanto os espíritos, e outros, nem tanto.

Enfim, são seres com formas próprias e imutáveis, mas que muitos videntes descrevem como sendo espíritos plasmados em formas angelicais ou infernais.

18
Pontos de Força e Oferendas

18.1 Os Orixás e a Natureza

Por que a Umbanda cultua, oferenda e reverencia as divindades associadas à natureza terrestre?

Ora! Se analisarmos as divindades (os orixás) a partir da natureza, nós os encontraremos nos próprios processos genésicos ou criadores de Deus, o que justifica os cultos nos santuários naturais (rios, mares, pedreiras, tempo, etc.). Tudo o que há de visível na criação de Deus é a concretização ou materialização do que não podemos ver, pois existe em uma dimensão e realidade anterior ao nosso plano material.

Oxum não é as pedras minerais. Mas estas são a concretização ou materialização de sua energia total agregadora de coisas úteis às criaturas e à própria criação, em todas as suas dimensões.

Iemanjá não é a água do mar. Mas esta é a concretização em nível físico ou material de sua energia fatoral geradora que desencadeia todos os processos genéticos, porque só a água tem este poder.

Poderíamos explicar todos os orixás a partir desse raciocínio, pois ele é correto e verdadeiro.

Sim. Os orixás são as divindades de Deus que concretizam sua criação e dão sustentação a ela o tempo todo, pois são, em si, os processos criadores de Deus.

As energias agregadoras de Oxum estão no processo formador das pedras minerais e estão sendo irradiadas o tempo todo por elas. Portanto, cultuá-la nas cachoeiras pedregosas ou na própria água doce que corre nelas é o meio mais natural de sintonizá-la vibratória, energética e magneticamente, pois é por meio do material ou físico que chegamos ao imaterial, ou espiritual, ou Divino.

Oxum não é o cobre ou as pedras minerais. Mas ambos são concretizações de Oxum, Orixá dos Minerais.

E o mesmo raciocínio se aplica ao culto à Iemanjá realizado à beira-mar ou à beira dos rios. Se só a água desencadeia os processos genéticos e sustenta seus desdobramentos posteriores, a água é a concretização física desse seu Poder Divino geracionista.

Nem os índios nativos, nem os povos africanos adoravam a natureza em si, mas sim as potências associadas aos muitos aspectos desta natureza viva e capaz de alimentá-los ou de castigá-los com inclemência, se lhes fugisse ao controle.

Logo, tanto é correto um católico evocar Santa Bárbara durante uma tempestade quanto um umbandista evocar Iansã e oferendá-la após a passagem da tormenta, pois ambos estão submetidos a um fenômeno climático incontrolável por eles, mas não pelas divindades (a santa ou o Orixá).

Para Deus, não importa muito como O cultuam ou às Suas divindades, mas sim, importa como fazem isso: com fé, muita fé mesmo!

18.2 Os Pontos de Força da Natureza

Existem locais cujas energias ou cujos magnetismos são mais "puros" e facilitam o contato com o outro "lado" da vida.

Estes locais são chamados de pontos de forças ou santuários naturais, porque é neles que devemos realizar cerimônias "abertas" nas quais cultuamos, evocamos e entramos em contato mediúnico com nossos guias espirituais e nossos amados pais e mães orixás.

• A beira-mar é um ponto de forças natural e é tido como o altar aberto a todos pela nossa mãe Iemanjá.

• As cachoeiras são pontos de forças e santuários naturais de nossa mãe Oxum.

• As matas são pontos de forças e santuários naturais do nosso pai Oxóssi.

• As pedreiras são pontos de forças e santuários naturais do nosso pai Xangô e das nossas mães Iansã e Oro Iná.

• Os cemitérios são pontos de forças e santuários naturais dos nossos pais Omolu e Obaluaiê.

• O campo aberto é o santuário natural das divindades regidas pelo tempo, entre as quais estão nosso pai Oxalá, nossa mãe Oiá e nosso pai Oxumaré.

• Os caminhos são os pontos de forças do nosso pai Ogum.
• Os lagos são os pontos de forças e santuários naturais de nossa mãe Nanã Buruquê.
• As matas e bosques à beira dos lagos e rios são os pontos de forças e os santuários naturais da nossa mãe Obá.
• Os jardins, a beira-mar e as cachoeiras são os pontos de forças dos erês ou encantados da natureza.
• As encruzilhadas são os pontos de forças dos nossos irmãos Exus de lei de Umbanda.

Enfim, muitos são os pontos de forças naturais existentes à nossa disposição para cultuarmos, oferendarmos e evocarmos nossos guias e nossos pais e mães orixás.

18.3 Os Santuários Naturais

O culto aos orixás, sempre que possível, deve ser realizado nos seus pontos de forças ou santuários naturais, porque nesses locais a energia ambiente é mais afim com a deles, e os magnetismos ali existentes diluem possíveis condensações energéticas existentes no campo vibratório das pessoas.

Sim. Nós, no nosso dia a dia, vamos acumulando em nosso espírito certas energias que são prejudiciais ao bom funcionamento do nosso corpo etérico ou energético. E às vezes nem nos damos conta disso e acabamos nos tornando "pesados", apáticos, desinteressados ou sofremos distúrbios digestivos, metabólicos e hormonais, pois os nossos chacras têm a função de absorver energias refinadíssimas e positivas, com as quais nosso corpo energético alimenta o nosso corpo físico ou carnal.

Já o corpo carnal, em equilíbrio energético, magnético e vibratório, tem a função de alimentar nosso corpo energético, mantendo saudável o nosso espírito.

Sim. Há uma troca permanente entre nossos corpos carnal e espiritual: se um estiver debilitado ou com disfunções acentuadas, elas se refletem no outro, adoecendo-o e debilitando-o.

Saibam que, quando os guias espirituais recomendam banhos de ervas, estão limpando o espírito por intermédio do corpo carnal.

Quando recomendam banhos de cachoeira, é porque o magnetismo e a energia ali existentes desagregam energias negativas enfermiças acumuladas no espírito e já internalizadas nos órgãos etéricos do espírito.

Quando recomendam banhos de mar, é porque a energia salina ali existente cura enfermidades existentes no espírito das pessoas. Também, a água do mar queima larvas astrais resistentes a outros tipos de banhos (ervas, sementes, raízes, etc.).

Os santuários naturais não são uma invenção humana, mas sim todos somos beneficiados pelas energias e pelo magnetismo existente neles. E, se recomendamos a realização periódica de cultos religiosos neles, é porque nesses momentos as energias e o magnetismo específicos deles ficam saturados com os das divindades ali evocadas, e somos beneficiados de forma sensível, pois os absorvemos junto com as energias geradas naturalmente nesses locais altamente magnéticos.

As religiões naturais, por serem muito antigas, não dispunham dos nossos conhecimentos atuais. Mas as divindades que se manifestam nos seus santuários naturais sempre souberam tudo o que hoje já sabemos e do que nunca saberemos.

Logo, se um banho de mar, de cachoeira ou de ervas é bom, se evocarmos a divindade associada a estes locais, ou aos seus elementos, então ele será ótimo. Divino mesmo!

Saibam que um culto realizado ao redor de uma fogueira queima miasmas ou larvas astrais e energiza positivamente o espírito das pessoas alcançadas por suas ondas quentes.

Um culto realizado à beira da água (cachoeira, rio, lagoa ou mar) limpa e sutiliza o corpo energético das pessoas e as magnetiza positivamente.

Um culto realizado nas matas fecha aberturas na aura, sutiliza o magnetismo mental e purifica os órgãos etéricos do corpo energético (espírito) das pessoas, expandindo seu campo áurico.

Um culto realizado no tempo, em campo aberto, dilata os sete campos magnéticos das pessoas e as tornam muito "leves".

Um culto realizado na terra arenosa densifica o magnetismo mental e concentra as energias das pessoas, fortalecendo-as vibratoriamente.

Enfim, cada local tem sua divindade, que tanto deve ser oferendada e adorada como deve incorporar os espíritos associados a ela, pois são membros de suas hierarquias espirituais, todos voltados para nós e imbuídos dos melhores sentimentos para conosco, os seus irmãos encarnados.

As divindades sempre souberam disso e sempre intuíram as pessoas sobre onde devem cultuá-las, pois assim, imantando com suas irradiações vivas e Divinas tanto seus santuários quanto seus frequentadores, mais vivas se tornam em nosso íntimo e em nossa fé.

18.4 Ritual de Umbanda e os Antigos Cultos às Forças Regentes da Natureza

Houve um tempo em que as religiões eram praticadas de uma forma muito simples.

Os povos cultuavam Deus, que se mostrava sob a forma de uma boa colheita, de um bom tempo, de prosperidade para todos. A seu modo, agradeciam com oferendas, cantos, danças, enfim, com festividades.

Para eles, Deus era o Sol que germinava as sementes lançadas à terra; era a própria terra que alimentava e dava vida às sementes; era a chuva bendita que vinha do céu para molhar a terra e fazer crescer as plantações, matar a sede e encher seus poços de água.

As árvores que davam bons frutos também eram respeitadas, e algumas eram objeto de culto.

Consequentemente, a Natureza era sagrada para aqueles povos simples. Eles encontravam Deus em todos os lugares; toda manifestação da Natureza era uma Manifestação Divina.

Chamavam essas manifestações de nomes que sobreviveram, ao longo dos milênios, até nossos dias. Em cada religião essas manifestações receberam nomes diferentes, mas seus fundamentos são sempre os mesmos.

E por que isso? Porque Deus se manifesta a todos, em todos os momentos e em todos os lugares. Eles eram simples e Deus era encontrado nas coisas simples.

Com o passar dos séculos, a humanidade evoluiu em todos os sentidos. No que diz respeito à religião, foram criadas doutrinas e leis que regulavam o modo de se cultuar Deus. Quem não se adaptasse a elas era considerado um herege, pagão, infiel, bárbaro e outras coisas ainda piores.

O sacerdote deixou de ser um igual aos seus, passou a ser um guardião das leis por ele mesmo criadas. Passou a ditar normas de conduta ritual, deixou de auxiliar seus irmãos com o conhecimento das forças da Natureza e deixou de responder às indagações mais simples sobre o seu dia a dia, seus problemas, suas angústias, suas aflições.

Os sacerdotes eram a única ligação com Deus, e assim ninguém mais conseguia encontrar Deus nas coisas simples, nos lugares comuns, mas apenas nos templos, a cada dia mais grandiosos, mais ornados, mais bonitos. Deus passou a viver no céu, num lugar que ninguém sabe onde fica.

Deixaram de dizer que Deus está conosco no nosso dia a dia e que podemos encontrá-Lo em tudo e em todos os lugares, pelas Suas manifestações mais diversas.

Esqueceram-se de que, na Trindade Divina, o Pai é o Criador, o Filho é a Sua Criação, e que o Espírito Santo é a sua Manifestação entre nós.

Esqueceram-se de que Deus se manifesta nas mais diversas formas, a todos e em todos os lugares, e que o Espírito Santo nada mais é que a manifestação de seus mensageiros, que nos acompanham em nossa caminhada rumo a Ele, o Pai, o Criador.

A Umbanda nada mais é que um retorno à simplicidade em cultuar Deus, em aceitá-Lo como algo do qual nós também fazemos parte, em vermos, nas manifestações dos espíritos, a manifestação dos nossos mentores espirituais, ou como nós os chamamos: os nossos "guias".

O templo de Umbanda é o local destinado a essas manifestações espirituais. Os mediadores de Umbanda nada mais são do que os antigos sacerdotes da Natureza, sempre dispostos a ouvir a quem quer que seja, sem lhe perguntar de onde vem, qual o seu credo religioso, qual a sua posição social, porque nada disso importa. O que interessa é que eles estão ali e que foram conduzidos por Mãos Divinas.

Na simplicidade do ritual umbandista é que reside a sua força, pois não adianta um templo luxuoso cheio de pessoas ignorantes sobre a natureza do Ser Divino.

Quantas vezes encontramos pessoas que nada sabem a respeito das Forças Divinas que habitam na Natureza? Sobre isso um médium pode falar com um pouco de conhecimento, já que os orixás são os regentes dessas forças, todas elas colocadas à nossa disposição desde o tempo da criação do mundo.

Quando vamos a um local, um ponto de força da Natureza, muitos nos olham como tolos, ou como pagãos. Isso não é verdade! Se somos pagãos no modo de cultuarmos o Criador através de suas mais diversas manifestações, bárbaros são eles, que estão distorcendo a essência do próprio Deus que cultuam.

A Umbanda é um movimento espiritual muito forte no astral e que sempre esteve ativo, muitas vezes com nomes diferentes, mas sempre ativo. Cultuar os orixás na Natureza nada mais é que reconhecer o lugar onde a Árvore da Vida dá os seus melhores e mais saborosos frutos.

O crescimento de uma religião deve ser horizontal, nunca vertical. O crescimento vertical das religiões levou os homens a se antagonizarem usando o nome de Deus como desculpa.

Entenda-se por "crescimento vertical" a hierarquização do culto, colocando-se vários sacerdotes sob as ordens de uns poucos. No processo de "crescimento horizontal", todos os sacerdotes são iguais e têm os mesmos poderes e obrigações perante o "conselho invisível dos orixás".

Todo crescimento vertical é perverso na sua execução, porque poda os mais capazes em detrimento dos mais espertos, intrigantes ou astutos.

Essa "poda" se dá no momento em que os mais capacitados em levar a mensagem ao povo são bloqueados. O dom natural, em relação a qualquer religião, não é algo que se adquire numa escola. O máximo que uma escola pode ensinar é o ordenamento das forças desse dom e o aprendizado de seu uso em benefício dos que praticam aquela religião.

Quando alguém tem um dom natural muito evidente, os menos dotados logo começam a bloqueá-lo por simples inveja. Isso é comum em todos os rituais e religiões. Se aqueles que bloqueiam o dom natural de alguém dentro de uma crença religiosa soubessem o erro que cometem, não iriam fazê-lo em hipótese alguma, pois o preço de tal atitude é muito alto.

O que importa atualmente é manter o maior contato possível com as forças da Natureza, pois aí está o maior mistério do Ritual de Umbanda, o ritual aberto a todos os povos, sem distinção de cor, credo ou raça, já que as forças da Natureza atuam em todos os pontos do globo terrestre, quase sempre de forma oculta.

Antigamente, a Natureza regulava a vida dos seres, e não o contrário. Eis porque havia um equilíbrio natural das populações e do meio de sustento das mesmas. O equilíbrio permaneceu por milênios incontáveis.

Quando o expansionismo das religiões verticais se fez sentir nesses locais, o culto das divindades naturais foi suprimido a ferro e fogo, a Natureza foi desprezada e destruída, a lógica simples do seu ritual foi suprimida.

Os espíritos guardiões olham para a Natureza e, vendo-a ser destruída, tentam lutar contra isso.

O Ritual de Umbanda é uma tentativa de os espíritos guardiões da Natureza reverterem esse processo de destruição da fonte da vida no planeta. Porém, muita resistência está sendo colocada por parte dos adeptos das grandes religiões estabelecidas de forma vertical, que não querem perder o poder, em detrimento da livre manifestação dos cultos à Natureza.

Que Oxalá permita que possamos reverter esse processo de destruição, porque, se não conseguirmos isso, virá o dia em que a falta de pontos de força para a livre manifestação do Divino trará como consequência a esterilização do nosso planeta.

Que o Ritual de Umbanda consiga, na simplicidade do culto às forças da Natureza em seus pontos de força, realizar a comunhão dos homens com o Criador por meio da sua melhor e mais saudável forma de culto: o culto na Natureza.

18.5 Os Sacrifícios ou Oferendas

A ordenação religiosa da Umbanda Sagrada segue sua ritualística própria, toda ela fundamentada em rituais estabelecidos no decorrer do tempo pelos seus sacerdotes e pelos orixás.

Sim, pelos orixás, porque existe uma forma correta de dirigirmo-nos a eles, e ela tem de ser obedecida, já que somos seus beneficiários. Ao contrário de muitos, que creem que eles é que serão beneficiados por nós.

Se oferendamos uma divindade, nada mais estamos fazendo que prestar-lhe um sacrifício, uma oblação ou uma reverência, sem a qual ela continua intacta, imaculada e sendo o que nunca deixará de ser: uma divindade.

Agora, quanto a nós, com ou sem a realização de oferendas, continuamos a ser o que somos e sempre seremos: beneficiários das divindades de Deus, individualizadas nos seus mistérios vivos: os sagrados orixás!

Ao oferendá-los, só estamos cumprindo com nossos deveres religiosos e estamos dando demonstração do nosso apreço, amor, respeito e fé nas divindades que se oferendaram e se sacrificaram por nós ao assumirem o compromisso Divino de zelarem por nós, seus filhos amados.

As oferendas devem revestir-se de um caráter sóbrio e o ofertador deve portar-se de modo condizente com o ato que realiza, ou seja, deve revestir-se com sua fé e uma postura religiosa diante de sua divindade.

Toda oferenda tem de ser realizada com sobriedade, respeito, reverência, fé e religiosidade, senão não passará de um ato profano e profanador do santuário natural da divindade ofertada, que é seu ponto de forças localizado na natureza terrestre. Posturas inconsequentes, pensamentos dispersivos, conversas profanas, desleixo e falta de sobriedade não são aceitos como procedimentos religiosos diante dos sagrados orixás, e quem assim se mostrar a eles está mostrando-se indigno do amor que emanam por nós e para nós, seus filhos amados.

A riqueza de uma oferenda não está na quantidade de elementos ofertados, mas na intensidade com que vibrarmos nosso amor, respeito e fé pela divindade oferendada em seu santuário natural, já que os elementos materiais são o que são: recursos materiais usados num ritual religioso e que variam conforme os objetivos das oferendas ou conforme as divindades oferendadas.

Portanto, para a realização de uma oferenda, devemos ser objetivos, compenetrados e reverentes.

18.6 O Sentido das Oferendas

As oferendas rituais são assunto controverso, e, no entanto, todos só as fazem quando as suas dificuldades os assoberbam, enquanto que o mais correto seria fazê-las regularmente.

As oferendas muito usadas nos cultos naturais (Umbanda e Candomblé) têm um sentido religioso e outro magístico.

O sentido religioso é quando oferendamos nossas divindades reverenciando-as com amor, fé e respeito.

O seu sentido magístico é quando oferendamos nossas divindades e clamamos para que nos auxiliem em nossas dificuldades profissionais, amorosas, familiares ou espirituais.

É certo que, quando oferendamos nossas divindades e guias espirituais apenas como ato de reverência, ainda assim costumamos pedir proteção. Mas não são ativados pelas nossas mentes os seus poderes magísticos, que só o são caso, aí sim, façamo-nas com esses objetivos.

Isso é assim, porque a oferenda religiosa consiste em nos colocar em sintonia vibratória, mental e religiosa com nossas divindades.

Já a oferenda magística consiste em ativar os poderes de determinadas divindades e colocá-los em ação visando a beneficiar-nos rapidamente, seja anulando atuações espirituais negativas, seja cortando demandas ou propiciando acontecimentos fortuitos.

Também temos as oferendas de "assentamentos" de divindades, de guias espirituais da direita e da esquerda.

Essas oferendas já têm outro sentido, pois consistem na obtenção permanente de poderes que não possuímos, mas que estarão à nossa disposição o tempo todo, bastando-nos ir até o assentamento e direcionarmos seu poder segundo nossa necessidade.

A oferenda ritual de assentamento é a concessão de poderes, e quem os concede (as divindades ou guias espirituais) espera que nos portemos com dignidade, discrição e responsabilidade, tanto com os poderes quanto para com quem os concedeu.

O sentido da troca (obediência, discrição e responsabilidade com os doadores do poder) está implícito na própria oferenda e na necessidade de renová-la periodicamente no ponto de forças das divindades, assim como na de alimentar o assentamento e de limpá-lo, depurá-lo e mantê-lo iluminado e isolado dos curiosos ou profanadores do seu axé ou poder magístico, ativável mentalmente por quem o recebeu e tem o dever de cuidar bem dele.

Oferendar ritualmente propicia um auxílio efetivo.

Realizar oferendas de assentamentos implica deveres a serem cumpridos religiosamente.

18.7 As Consagrações de Materiais Condensadores de Axé

As consagrações dos materiais usados durante os rituais religiosos de Umbanda Sagrada visam a sacralizar objetos que também têm uso profano no nosso cotidiano.

Sim, porque certos materiais, tais como taças, colares de contas ou de pedras minerais, de cristais, etc., são usados por muitas pessoas como simples adornos ou enfeites, despidos de qualquer função religiosa.

Então, a consagração dos objetos usados nos rituais tem de se revestir de toda uma ritualística, assim como os objetos consagrados devem ser preservados unicamente para o uso ritualístico e devem ser cercados de toda uma religiosidade e cuidados.

Não é admitido o uso profano de objetos consagrados ou o uso religioso de objetos profanos.

A religião é só um dos aspectos da vida das pessoas. Mas um sacerdote tem nos seus objetos ritualísticos a identidade religiosa de sua vida, dedicada àqueles que o procuram porque creem na sua superioridade nesse aspecto da vida dos seres.

Portanto, um sacerdote tem de ter profundo apreço e cuidados excepcionais com os objetos que consagra para a realização de seus rituais, sejam religiosos ou magísticos.

Sim, porque alguns objetos têm função religiosa, outros têm função magística e outros são de funções mistas, prestando-se a rituais religiosos e magísticos.

19
Templo, Centro, Tenda ou Terreiro

19.1 Os Espaços Religiosos

Vamos comentar os espaços religiosos existentes dentro dos templos e que dão sustentação a todas as ações iniciadas dentro deles.

Todo templo tem seu espaço físico, dentro do qual se acomodam as pessoas que o frequentam e as que moram e trabalham nele. Mas também tem o espaço etérico ou espiritual, cuja finalidade é encapsular todos os pensamentos e todas as ações religiosas realizadas dentro do espaço físico pelos seus sacerdotes e pelos seus frequentadores.

Toda religião possui seu grau vibratório e magnetismo específico, dentro dos quais estão localizados todos os graus vibratórios e magnéticos individuais dos templos abertos pelos seus sacerdotes, cujo objetivo é impedir que as ações iniciadas em um templo ressonem nos outros da mesma religião ou extrapolem e alcancem os templos de outras religiões, criando um caos vibratório religioso.

Cada templo, no seu lado etérico ou espiritual, assemelha-se a uma célula viva que tanto se expande quanto se contrai, sempre em função das suas necessidades, pois assim conserva dentro de si tudo o que ali se iniciou.

Esta expansão do espaço etérico acontece num grau vibratório e magnético específico do próprio templo e somente dentro do grau vibratório e magnético da religião à qual o templo pertence, pois, com isto, o espaço material fora dos templos não é influenciado pelas ações realizadas dentro deles pelos seus sacerdotes, e elas não influenciam a vida das pessoas que moram à volta ou próximo deles, pois todos vivem dentro de um grau vibratório e magnético neutro e comum a todos nós.

Saibam que cada religião recebe de Deus um grau vibratório e magnético específico que se assemelha a uma tela vibratória, e dentro dele ressonarão todas as ações iniciadas dentro dos seus templos, pois estes, etericamente, estarão localizados justamente dentro deste grau vibratório e magnético específico.

19.2 Os Altares

Um altar é um ponto de força religioso e, se devidamente erigido e fundamentado, por meio dele as irradiações das divindades alcançarão a todos os fiéis diante dele.

A principal função de um altar é criar um magnetismo em nível terra, através do qual as irradiações verticais das divindades descerão até ele e se espalharão na horizontal, ocupando todo o espaço destinado às práticas religiosas.

Encontramos nos altares várias imagens representantes de variadas religiões.

O uso de cristais, minérios, flores, colares de pedras semipreciosas, armas simbólicas, símbolos mágicos, etc., explica que muitas linhas de forças intermediárias, intermediadoras ou espirituais, ali representadas e ativadas, estão prontas para intervir em benefício de quem for merecedor do auxílio dos espíritos ou dos orixás.

Os fundamentos religiosos e mágicos de um altar, só quem o erigiu pode explicá-los, mas o Fundamento Divino de sua existência nos templos é que, se nos postarmos reverente diante dele, estaremos bem de frente e bem próximos de Deus e de Suas divindades humanizadas.

Existem também os altares naturais, que são locais altamente magnetizados ou vórtices eletromagnéticos, que, se consagrados às práticas religiosas, tornam-se um santuário natural, no qual as pessoas entrarão em comunhão com as divindades naturais regentes da natureza (Montanha Sagrada de Moisés, Monte Olimpo, Montanhas Sagradas do Budismo, Monte Fuji no Japão, Monte das Oliveiras, etc.).

Na Umbanda, a montanha é o santuário de Xangô, e uma pedra-mesa é um altar onde o oferendam.

Os rios são o santuário de Oxum, e uma cachoeira, o seu altar.

O mar é o santuário de Iemanjá, e a praia é o seu altar.

As matas são o santuário de Oxóssi, e um bosque é o seu altar.

19.3 As Imagens

As imagens têm o poder de impor um respeito único aos frequentadores dos templos. Possuem a finalidade de induzir as pessoas a uma postura respeitosa, silenciosa e reverente.

Algumas religiões julgam errado o culto a imagens, mas cultuam outros ícones, praticando a litolatria, fitolatria, hidrolatria, etc.

• Litolatria — culto às pedras tidas como sagradas;
• Fitolatria — culto às arvores tidas como sagradas;
• Hidrolatria — culto a rios ou lagos tido como sagrados;
• Antropolatria — culto a pessoas tidas como "deuses" ou divinizadas ainda em vida, na carne (Jesus Cristo, Buda, São Francisco, etc.).

Antigamente, as divindades eram identificadas com um elemento da natureza e por meio deste eram cultuadas.

Depois, foram endeusadas algumas pessoas tidas como superiores e, após a sua morte, abriam o culto a elas por meio de suas figuras entalhadas em pedras ou troncos (totemismo).

Então, o culto ou a postura reverente diante de imagens sacras é um recurso humano muito positivo, pois elas despertam nas pessoas o respeito, a reverência, a fé e a religiosidade.

Os que condenam a idolatria praticam a "simbololatria" ou a "verbolatria" (respeito, obediência e sacralização a símbolos e frases, mantras, orações, etc.), que, num determinado nível vibratório, ativam mistérios de Deus e poderes de suas divindades.

19.4 Os Templos

Os templos são os locais criados pelos homens para cultuarem Deus e suas divindades pela dificuldade de cultuá-los nos pontos de forças ou santuários naturais.

Nos templos consagrados às práticas religiosas, existe um campo eletromagnético criado pelas Irradiações Divinas que descem até ele, inundando-o de essências religiosas despertadoras da fé.

Esse campo magnético é maleável (aumenta ou diminui de tamanho, conforme a necessidade).

Exu e Pombagira são guardiões dos templos, por isso seu assentamento localiza-se no lado de fora.

Devemos pedir licença ao entrar em um templo de qualquer religião e nele devemos nos comportar religiosamente.

19.5 Androlatria

Androlatria é o Culto Divino tributado a um ser humano.

A Umbanda, em alguns aspectos, possui a androlatria, pois, no seu culto aos ancestrais divinizados, cultua alguns orixás que humanizaram seus mistérios através de divindades intermediárias, as quais encarnaram para espiritualizarem-se e tornarem-se, em si mesmas, uma via evolutiva que reconduz o ser à sua Origem Divina e o religa com seus Ancestrais Divinos, os Tronos de Deus. Mas cultuar não é idolatrar ou adorar.

O Culto Divino tributado a um ser humano é muito mais comum do que parece. Várias divindades espiritualizam-se, pois assim falam melhor aos homens, já que adotam a linguagem humana para transmitirem oralmente a religiosidade que irradiam mentalmente. Essas divindades são mistérios em si mesmas e, ao espiritualizarem-se, assumem, em definitivo, uma face humana, pela qual são vistas, entendidas e adoradas, além de falarem de Deus segundo a visão humana do Divino Criador.

Jesus Cristo e Buda são duas divindades que se humanizaram recentemente, e suas vidas ainda estão bastante intensas na memória das religiões que eles geraram em si a partir da divindade de Deus.

Nem Jesus nem Buda disseram que eram deuses. Apenas pregaram a fé aos seus discípulos, e estes criaram uma doutrina fundamentada na religiosidade que manifestavam de si.

Então, Jesus e Buda são os elos humanos da Divina Corrente evolutiva, pois renovaram a fé em Deus e criaram, a partir de si, duas novas vias evolutivas religiosas.

O mesmo, muitos milênios atrás, fizeram Krishna, Zoroastro, Hermes Trismegisto, Ishtar (Iansã Sete Pedreiras), os Xangôs das Pedreiras, Kaô e D'Jacutá, e muitas outras divindades, pois encarnaram, espiritualizaram-se e assumiram uma face humana.

Todas essas divindades eram Tronos naturais de Deus, pois haviam sido gerados numa de Suas qualidades e a conservaram, mas a qualificaram com sua qualidade humana, tornando-se Tronos humanos.

Jesus era um Trono Cristalino e um Orixá Oxalá intermediário. Portanto, é em si um mistério da fé, porque foi gerado na onda vibratória da fé, na qual foi imantado e fatorado por esta qualidade. Depois teve sua qualidade original da fé qualificada pelo Divino Trono da Agregação, Concepção e Amor, tornando-se um Oxalá do Amor ou um Trono da Fé e do Amor.

Mas, após se espiritualizar e se humanizar "religiosamente", seu mistério da fé e do Amor Divino tornou-se um Trono Humano da Fé e do Amor em Deus.

Afinal, o mesmo cidadão que blasfema contra os orixás naturais que regem a Umbanda e chama os umbandistas de pagãos, em verdade, adora o homem Jesus Cristo, achando-se o já salvo e o eleito por Deus, para ser o novo juiz "carnal" de seus semelhantes que não professarem sua fé fanática e não se curvarem diante do homem Jesus, adorando-o como a única divindade de Deus que "salva".

Enfim, a androlatria é a tônica de todas as religiões, pois um ser humano vai, pouco a pouco, assumindo uma condição superior entre seus discípulos, que o veneram e o distinguem com um grau único entre os homens.

Isto é androlatria e a vemos na origem de todas as religiões. Nós a vemos na reverência que dedicam aos profetas, aos apóstolos, aos santos, aos mestres ascencionados, aos homens santos tibetanos e hindus, etc.

19.6 Idolatria e Iconolatria

Idolatria é a adoração de ídolos.
Iconolatria é a adoração de imagens.

A idolatria é controvertida e tão válida quanto todos os outros recursos religiosos que afixam a religiosidade na vida de um ser. Apenas não devem levá-la a extremos e não confundir uma simples imagem fixadora da fé com a própria divindade adorada.

Uma imagem tem o poder de concentrar e direcionar a atenção de uma pessoa, dirigindo sua religiosidade para níveis vibratórios superiores ou inferiores.

Sim, porque imagens "infernais" têm o poder de rebaixar a vibração de quem as vê, assim como as imagens de santos têm o poder de elevar a vibração de quem as contemplar.

As imagens têm um poder, inerente a quem está sendo cultuado por meio delas. E isto não é misticismo, mas sim ciência pura, pois o apego a imagens é inerente à própria natureza humana. E, se não tivermos nas imagens nossos ícones religiosos, então temos de recorrer a outros, tais como os signos, os símbolos, as mandalas, os versículos, as frases sagradas, etc. E, desde que concentrem a fé e direcionem a religiosidade para Deus e suas divindades, ótimo, dizem os mentores da Umbanda.

19.7 Iconoclastia

Iconoclastia é a destruição de imagens religiosas ou ídolos.

Um aspecto religioso muito discutível é a destruição de imagens ou de ídolos consagrados como objetos sagrados para uma religião, pois quem se arvora iconoclasta, na verdade, é movido por um tipo de ódio, punido rigorosamente pela Lei Maior: o ódio à religião e à religiosidade alheia.

Deus rege absoluto sobre sua criação e sobre todas as criaturas, os seres e as espécies, e nada escapa à Sua onipotência, onisciência e oniquerência. Logo, desde que Deus seja o centro de uma crença e o objetivo a ser alcançado pela fé, pouco importa como uma religião conduza seu rebanho de fiéis.

Isso desde que ela seja mantida dentro dos limites codificados como éticos pelos Tronos de Deus, os regentes da evolução humana.

Quanto a uma imagem, ela tem o poder de trazer ao plano Terra toda vibração espiritual ou Divina, dependendo de quem esteja "mentalizando-a", e um ídolo tem o poder de trazer para a Terra o mistério que está sendo "ativado" por meio dele.

Mas sempre surgem iconoclastas que tentam destruir os ícones sagrados das outras religiões, porque o objetivo é destruí-las. E o sentimento que os movem não tem nada a ver com Deus, mas tudo a ver com o desejo de serem os únicos donos da verdade e os únicos com o direito de indicarem o que é certo ou errado neste campo religioso.

Por trás de todo iconoclasta estão mentes astutas que manipulam as pessoas, induzindo-as a destruírem ícones religiosos alheios, pois assim criam o caos e o ambiente próprio para desferirem golpes contra quem desejam destruir política ou religiosamente.

Também visam a criar um terrorismo religioso e não se pejam ao classificar como "demônios" as divindades das outras religiões e classificar como adoradores do diabo os fiéis seguidores de outras doutrinas religiosas.

Agora, o desejo obsessivo de serem os "primeiros" em número, aí está o objetivo escuso não revelado, pois ser a maior religião em um país significa adquirir poder político.

20
Magia

20.1 O Que é Magia

Magia é o ato de evocar poderes e Mistérios Divinos e colocá-los em ação, beneficiando-nos ou aos nossos semelhantes.

Muitas são as magias já reveladas e abertas ao plano material da vida. Há magias astrológicas, lunares, solares, elementais, espirituais, telúricas, aquáticas, ígneas, eólicas, minerais, etc.

Ninguém sabe ao certo quem as recebeu e as iniciou no plano material. Mas grandes iniciados, cujos nomes se imortalizaram na história religiosa, iniciática, esotérica e ocultista da humanidade, com certeza foram os responsáveis por elas e foram os seus doadores, pois todo grande iniciado é um mensageiro Divino e traz, em si, atributos e atribuições Divinas não encontradas nas outras pessoas, às quais beneficiam com suas revelações.

Todo grande iniciado já encarna preparado, em espírito, e tudo para ele é tão natural que, dispensando os procedimentos religiosos, magísticos, ocultistas ou iniciáticos existentes, dá início aos "seus" próprios procedimentos, pois traz em si uma outorga Divina e é "iniciador" natural das pessoas que se afinam com ele e o adotam como tal.

Só ativa ou desativa magias quem já tiver sido iniciado magisticamente, porque as divindades só reconhecem como aptos para esse mistério quem cumpriu as etapas iniciáticas estabelecidas pelo seu iniciador.

• Magia é o ato de ativar ou desativar mistérios de Deus;
• Magia é a "manipulação" mental, energética, elemental e natural de mistérios e poderes Divinos;

• Magia é o ato de, a partir de um ritual evocatório específico, ativar energias e mistérios que, só assim, são colocados em ação;
• Magia é um procedimento paralelo aos religiosos ou, mesmo, parte deles.

20.2 Elementos de Magia

As práticas mediúnicas são fundamentadas na movimentação de elementos mágicos ou magísticos.

Mágico = movimentação de energias.
Magístico = ativação de processos mágicos.

Normalmente, uma oferenda contém vários elementos materiais que à primeira vista, parecem não ter fundamento. Mas, na verdade, todos têm e são facilmente explicáveis.

Frutas, velas, bebidas, flores, perfumes, fitas, comidas, etc., tudo obedece a uma ordem de procedimentos, todos afins com o objetivo a que se destinam.

Os frutos são fontes de energias que têm várias aplicações no campo etérico. Cada fruta é uma condensação de energias que forma um composto energético sintético, o qual, se corretamente manipulado pelos espíritos, torna-se plasmas astrais usados por eles até como reservas energéticas durante suas missões socorristas.

As frutas também servem como fontes de energias sutilizadoras do corpo energético dos espíritos e como densificadoras dos corpos elementares dos seres encantados regidos pelos orixás e que atuam na dimensão espiritual, na qual sofrem desgastes acentuados, pois estão atuando num meio etérico que não é o deles.

Para efeito de comparação, podemos recorrer aos trabalhadores que manipulam certos produtos químicos e precisam ingerir grandes quantidades de leite para desintoxicá-los ou aos que trabalham em fornalhas e precisam ingerir grandes quantidades de líquidos para se reidratarem. Sim, os encantados são seres que, quando fora das suas dimensões de origem, sofrem fortes desgastes energéticos.

E esse mesmo desgaste sofrem os espíritos que atuam como curadores, quando doam suas próprias energias aos enfermos, tanto os desencarnados quanto os encarnados.

É certo que, para si só, um espírito ou um encantado não precisa de alimento algum, mesmo da luz de uma vela. Mas os que atuam nas esferas mais densas sofrem esgotamentos parecidos com os mineiros que trabalham em minas profundas. E os que atuam como curadores doam tanto de suas energias que muitos precisam descansar um pouco após socorros mais demorados junto aos enfermos.

Romã, mamão, manga, uva, abacaxi, laranja, jabuticaba, pitanga, etc. fornecem energias que podem ser armazenadas dentro de "frascos cristalinos" existentes no astral, e, depois de armazenadas, basta aos seus manipuladores acrescentar-lhes uma energia mineral para que o conteúdo do frasco transforme-se numa fonte irradiante, e inesgotável, de um poderoso plasma energético, ao qual recorrerão para curar espíritos enfermos ou pessoas doentes sempre que precisarem.

Uma oferenda é um ato religioso realizado no ponto de forças de um Orixá, que irá fornecer ao espírito que trabalha com o médium um de seus axés, utilizado de imediato, ou posteriormente, nos mais diversos trabalhos.

Uma oferenda obedece a todo um ritual magístico que, por isso mesmo, ou é feito religiosamente, ou não passará de uma panaceia. Orixá algum admite panaceias em seus campos vibratórios e domínios energéticos (axés)!

A oferenda ritual, seja ela como ou qual for, é um procedimento religioso, e tem de ser entendida e respeitada como tal, pois no lado oculto e invisível sempre há uma divindade que nela atuará diretamente, ou através de seus encantados, ou de espíritos incorporados às suas hierarquias ativas.

Esse procedimento é correto, recomendável e fundamentado em preceitos religiosos. Só durante uma oferenda ritual, os guardiões dos axés, após certificarem-se de que eles terão um uso amparado pela Lei Maior, liberam-nos para o uso particular dos espíritos atuantes nas tendas. Ou alguém acredita que os axés são liberados para uso profano?

Existe toda uma Ciência Divina nos processos ritualísticos.

20.3 Os Símbolos Mágicos

Os símbolos sagrados encerram e ocultam mistérios sequer imaginados por nós. Eles são, ao mesmo tempo, chaves e portas para infinitos vestíbulos totalmente ocupados por mistérios da criação, que têm por função nos conduzir ao "interior" de Deus.

Temos a cruz, a estrela de seis pontas, o yin e yang e mais alguns, para não nos aprofundarmos muito, que atendem a todas as necessidades imediatas da humanidade no seu atual estágio cultural e evolutivo.

Mas no passado longínquo, tivemos outros símbolos, também sagrados, e que ainda encerram e ocultam em si mesmos todos os mistérios da criação.

Vamos a alguns deles:

• **A cruz gamada**

Infelizmente, um ser alucinado e possuído por fúrias infernais tornou este símbolo sagrado de toda uma era e civilização num símbolo do mal, da morte e da dor. Mas se a besta humana, Hitler, a usou com propósitos condenáveis, também foi absorvido pelo lado negro (plano infernal) da religião que encerrava e ocultava os mistérios da criação neste símbolo. Esta religião está cristalizada na Luz e petrificada nas Trevas, mas continua a irradiar o inconsciente coletivo da humanidade.

• A estrela de cinco pontas

Este símbolo sintetizou, em si mesmo, tantos mistérios sagrados que até hoje ainda é muito influente no plano material. Jamais a humanidade conseguiu esgotá-lo na matéria. E, se desde outras eras ele continua a irradiar o inconsciente coletivo, então nunca será recolhido ou se recolherá em si mesmo na faixa celestial.

Isto acontece porque ela, a estrela de cinco pontas, foi absorvida pelos regentes planetários e incorporada à emanação religiosa contínua do Setenário Sagrado, tornando-se um símbolo universal.

• A serpente do arco-íris

Este símbolo sagrado pertenceu à era em que a religiosidade era transmitida pelos magos da natureza. Nas sete cores, eles sintetizavam os sete sentidos da vida: a Fé, o Amor, o Conhecimento, a Razão, a Lei, o Saber e a Geração da Vida.

O arco-íris, com suas sete cores, encerra tantos mistérios da criação que, por nunca terem sido esgotados no plano material seus mistérios estimuladores da religiosidade nos seres humanos, também foi absorvido pelos regentes planetários e é irradiado pelo Setenário Sagrado por intermédio das religiões naturais. Os orixás sagrados, com suas cores, sintetizam o Arco-íris Sagrado.

• A Pirâmide Equilátera

Esta pirâmide nada mais é que a simbolização dos Degraus, a hierarquia celestial regente da criação.

Este símbolo não é um privilégio do Antigo Egito, mas tem nele toda uma civilização que foi influenciada, em grande parte, por este símbolo sagrado, assim como por muitos outros, pertencentes a eras já apagadas da memória consciente da humanidade, mas muito ativas em seu inconsciente coletivo.

Restos de pirâmides simbólicas podem ser encontrados em várias partes do planeta, e não só no Egito. Elas simbolizavam os Degraus regentes da natureza planetária e por isto é muito ativa no inconsciente coletivo.

• O Triângulo Equilátero

Este símbolo pertence a uma era muito antiga. Foi incorporado pelos mestres egípcios à sua religião. Só não se recolheu porque, durante o êxodo, os seguidores de Moisés, o Grande Mago das Sete Montanhas Sagradas, incorporaram à tradição "judaica", revitalizaram-no e imortalizaram-no no plano material.

Se eles fizeram isto foi porque os sacerdotes egípcios, ao reavivá-lo no plano material, potencializaram-no tanto que ele se tornou imortal (inesgotável) no plano material. O triângulo sagrado foi absorvido pelo Setenário Sagrado, que o irradia através de quase todas as religiões atuais.

• O Círculo Quadriculado

Este símbolo, enigmático por forma e excelência, predominou numa era e numa civilização que atrai muito os estudiosos da história e os espiritualistas em geral.

Isso porque a religião era, toda ela, assentada nos regentes da natureza, os atuais "orixás", e fundamentava-se nos quatro elementos (terra, água, ar e fogo), em que cada quadrante simbolizava um deles. Na religião atuante às vezes usava-se a cruz cujos "braços" possuíam as mesmas medidas, na qual o segmento de reta na vertical simbolizava o alto e o baixo, Luz no alto e Trevas embaixo, e o segmento na horizontal simbolizava a direita e a esquerda. Unindo-os em cruz, temos num só símbolo o alto, o baixo, a direita e a esquerda, que, recolhidos dentro do círculo (o Todo), dá origem a toda a criação, que encerra dentro de seus limites todas as criaturas.

Deste símbolo sagrado, recolhido após haver cumprido suas funções religiosas, ainda nos chegam suas irradiações poderosas enviadas ao inconsciente coletivo da humanidade. Ele foi incorporado pelo Setenário Sagrado, que o irradiou posteriormente, originando o sagrado símbolo do I Ching, no qual yin (positivo) e yang (negativo), ou os opostos, entrelaçam-se ocupando tudo o que está contido no todo, que é o "círculo".

É um símbolo inesgotável, pois é Divino por excelência e elemental por sua formação.

• **A Cobra-Coral**

Este símbolo, que se perdeu no tempo, mas que ainda é encontrado no esoterismo mágico, é a serpente que morde o próprio rabo e é visto, em algumas descrições imperfeitas, como fonte de uma infinidade de mistérios sagrados.

A cobra-coral, multicolorida, venenosíssima e devoradora de outros ofídios, pertenceu aos magos, que receberam há muitos milênios a missão de revitalizar, no plano material, a tradição do Arco-íris Sagrado.

É um símbolo mágico por excelência, que na Umbanda Sagrada está representado pela hierarquia espiritual que atende pelo nome simbólico de Caboclos e Exus Cobra-Coral.

Foi trazido ao plano material pelos magos em uma era já não identificável pelos arqueólogos ou historiadores e jamais foi recolhido à faixa celestial. Dizem os magos, ou entre eles, Sete Espadas M.L., que, quando a Lei solta uma de suas serpentes mágicas, nem a própria Lei consegue recolhê-la sem antes matá-la. Como a Lei não mata nada, muito menos um de seus mistérios trágicos por excelência, a Coral da Lei continua ativa.

Afinal, a Cobra-Coral da Lei é a única serpente (simbólica) que consegue anular a grande Cobra Negra sem ter de matá-la: apenas a devora e incorpora seu veneno nas suas listras negras, tornando-se, assim, ainda mais poderosa.

Todo aquele que tem uma "coral" à sua direita está sendo amparado pela Lei. E quem a tem à sua esquerda, pela Lei está sendo "vigiado".

Interpretem isso como quiserem ou puderem, mas não deixem de meditar sobre este comentário, pois ele é simbólico.

- **A Serpente Dourada**

Este símbolo também foi aberto ao conhecimento humano em uma era fora do alcance da história. Mas simbolizava, e ainda simboliza, o saber puro e, tal como a Cobra-Coral, jamais foi recolhido à faixa celestial, pois a Serpente Dourada (o Saber) é a única que consegue eliminar a Serpente Negra (a ignorância) sem sofrer nenhuma contaminação.

Este símbolo encerra em si mesmo tantos mistérios da natureza que jamais conseguiremos esgotá-lo.

- **As Sete Luas**

Este símbolo, a Lua, pertenceu às religiões naturais ligadas à geração e estava relacionada à agricultura, à fecundidade e à renovação da vida em seus ciclos sempre repetitíveis.

Pertenceu a uma era muito anterior à atual e, a despeito de sua antiguidade, até hoje irradia tanto o inconsciente religioso quanto o iniciático da humanidade. Sua penetração é tão profunda que no Ritual de Umbanda há toda uma hierarquia (Degrau) regida pelo símbolo das Sete Luas, e que são os Caboclos Sete Luas.

Hoje representamos uma pequena relação de religiões que predominaram em civilizações do passado e influíram na vida dos "nossos antepassados" que, com certeza, fomos nós mesmos. E suas hierarquias estão atuantes no Ritual de Umbanda Sagrada.

Estes símbolos, todos eles, nos conduzem a mistérios Divinos que, se neles fixarmos nossos olhos e nossa curiosidade, nos atrairão com tanta força que, quando nos dermos conta, já estaremos sendo envolvidos por suas influências, convidando-nos a mergulhar nas imortais fontes de conhecimentos ocultos que eles têm guardado para nós, os visionários e curiosos de sempre.

A Tradição, em seus centros de estudos localizados na faixa celestial, tem, codificados e guardados, todos os símbolos sagrados já ativados no meio material pelas hierarquias celestiais naturais regentes do nosso todo planetário. Eles foram codificados pelos guardiões dos mistérios quando se "abriram" para o meio material. E quando cumpriram suas missões foram recolhidos ao plano espiritual, de onde continuam a atuar no inconsciente coletivo da humanidade.

Bem, com isto comentado, vamos às grafias.

Nas grafias, entendemos línguas escritas por meio de símbolos, números, letras e signos. A grafia divide-se em três categorias:

1. Popular ou aberta (genérica);
2. Iniciática ou fechada (esotérica);
3. Divina ou sagrada (secreta).

- A grafia aberta mostra a relação entre os dois "lados" da religião;
- A grafia iniciática mostra seu lado oculto sem, no entanto, revelá-lo;
- A grafia sagrada ativa os mistérios sem, no entanto, abri-los ou revelá-los.

Por isso, é comum as hierarquias da Umbanda Sagrada (linhas de ação e de trabalhos) recorrerem a estas três grafias quando riscam seus pontos de firmeza, de trabalho, de descargas de energias negativas ou de fixação de energias positivas.

Muitos creem que existe só uma grafia e olham todas as outras com reservas. Mas isto não é verdade, pois cada uma destas religiões aqui citadas, e que já cumpriram suas missões no plano material, possuem toda uma grafia completa que, sem precisar recorrer a outras, sustentam todas as suas hierarquias espirituais.

A exemplo da cabala judaica, toda ela fundamentada em números, letras e sons hebraicos, formam uma hierarquia celestial muito ativa que ocupa todo o espectro astral da religião seguida pelos seus adeptos.

É certo que, ao partirem do Egito, os hebreus levaram muitos conhecimentos e alguns mistérios cultivados pelos egípcios. Também é certo que, anteriormente, absorveram mistérios da Caldeia e mais tarde da Babilônia, assim como adquiriram outros dos magos persas, que acabavam codificados numa nomenclatura simbólica e numerológica próprias, só interpretadas pelos seus codificadores: os "rabis hebreus"!

Toda esta suposta cabala, que pulula nos meios iniciáticos materiais, nada mais é que uma sombra da verdadeira cabala, nunca revelada até hoje em seu todo e, mesmo para a maioria dos judeus, ela não se revela ou é revelada pelos verdadeiros guardiões de seus mistérios.

Muitos tentaram apossar-se de seus mistérios, mas o máximo que conseguiram foi facilitar o trabalho dos seus guardiões, pois ao difundirem que haviam penetrado em seus mistérios desviaram o foco da verdadeira cabala e o centraram numa sombra, numa ilusão e numa cópia sabiamente embaralhada para melhor enganar os "curiosos".

Portanto, aos umbandistas, em grafia, contentem-se com a que seus mentores são portadores e a ela recorrem quando acham necessário, e saibam que ela se processa em três níveis:

1. O material;
2. O espiritual;
3. O celestial.

Quanto ao mais, confiem neles, pois, mais do que cabalistas, vocês devem ser bons médiuns e virtuosos filhos-de-fé do Ritual de Umbanda Sagrada.

20.4 Magia: Transmissão

Magia é o ato consciente de ativar e direcionar energias elementares positivas ou negativas, universais ou cósmicas.

O verdadeiro mago não ativa uma energia, se antes não possuí-la já padronizada em seu todo mental e energético.

Vamos aos processos mágicos:
1. Transmissão limitada
É a transmissão de um processo mágico com duração limitada (tempo) e alcance limitado (espaço).
2. Transmissão localizada e parcial
É a transmissão, do guia ao seu aparelho, de um recurso mágico totalmente potencializado e pronto para ser usado por ambos, caso seja necessário, e sem que o médium tenha de se deslocar até algum ponto de força da natureza velado por aquele Orixá sagrado que, por transmissão de poderes, potencializa algum objeto e o torna portador de poderes iguais aos do ponto de força, guardado por ele.

O Orixá só concede isto porque, no astral, aquele guia do médium está ligado a uma hierarquia regida por ele. E o guia responderá pelo bom ou mau direcionamento que o médium vier a dar ao poder potencializado naquele objeto.

• O Orixá é doador do poder;

• O guia é o manipulador das energias potencializadas.

• O médium é o ativador de todo um processo mágico que, quando ativado, abre uma comunicação energética com aquele ponto de forças em que consagrou seu objeto portador de poderes mágicos.
3. Transmissão total de poderes mágicos
Acontece quando alguém adquire um grau consciencial de tal nível que está pronto para, finalmente, despertar em si poderes análogos aos existentes na natureza e velados pelos seus guardiões naturais: os "orixás".

A transmissão só ocorre depois de um "ato de fé", em que o magista se consagra ao Orixá e está consciente de que o mau uso que der aos poderes que serão despertados em si o conduzirão ao encontro do seu negativo, sendo punido com severidade.
4. Magia por apropriação
Neste caso, extremamente grave, pode acontecer de um médium extremamente poderoso, mentalmente falando, cair sob a influência de algum "ser das Trevas", que se apropriou de processos mágicos levados até as trevas na memória imortal de magos que se desvirtuaram no plano material.

Estes seres das Trevas, senhores de vastos domínios da escuridão, não têm nenhum escrúpulo, nenhum limite a respeitar, e usam dos poderes adquiridos à custa da anulação dos reais portadores deles contra tudo e contra todos.

Então, centram seus poderes mentais sobre o mental dos médiuns também poderosos e, num processo de envolvimento por afinidades negativas, aos poucos vão enfraquecendo-os, até que os levam a um ponto em que, ao vislumbrarem na magia um poder que já não possuem, recorrem aos mais negativos "servos das Trevas" e começam a se escravizar para sempre.

20.5 Magia: Ativação

A ativação de processos mágicos implica aquisição de todos os "apetrechos" necessários para que isso se torne possível.

Estes apetrechos ou "meios" são de suma importância ao médium magista. Sem eles, a tendência é o médium esgotar a si mesmo na realização de suas ações mágicas. De nada adianta ativarmos um processo mágico se não possuímos seus fixadores, seus canalizadores, seus direcionadores e seus finalizadores.

20.6 Magia: Deveres e Obrigações

Deveres e obrigações, eis aí as palavras que um médium magista deve ter em mente o tempo todo.

Um dever do médium magista é cuidar de manter "limpos" todos os seus objetos mágicos.

Quanto às obrigações, uma delas é vigiar a si mesmo, pois em dado momento poderá extrapolar-se em suas ações e "invadir" limites alheios. Sempre que isto acontece, a reação é instantânea e fulminante.

Ser ungido com um mistério não dá a ninguém o direito de usá-lo contra seus semelhantes. E se não puder usá-lo em benefício do todo, não o use contra ninguém, pois o primeiro a ser atingido poderá ser você.

20.7 As Mandalas de Força dos Orixás

As mandalas são símbolos sagrados riscados no solo ou em objetos e visam a criar um polo magnético, cuja vibração afina-se imediatamente com o símbolo identificador de uma divindade, de um campo eletromagnético ou de um ponto de forças.

O magnetismo é a chave ou base fundamental de tudo o que existe. E se o entendermos como o recurso Divino que ordenou a criação, então temos nele a chave de interpretação dos símbolos, dos signos, da cabala e das mandalas.

20.8 Magia Cabalística ou Pontos Riscados

Pontos cabalísticos são pontos riscados que alguns chamam de "lei de pemba". São riscados com algum objetivo magístico pelos guias de Lei.

20.9 Os Pontos Riscados na Umbanda

Os pontos riscados são um mistério e um dos Fundamentos Divinos da religião umbandista, pois, desde as primeiras manifestações espirituais, os guias de Lei de Umbanda já riscavam seus pontos de "firmeza" de trabalhos, de identificação da sua "linha", de "descargas", etc.

Isso é de conhecimento amplo, e muitos escritores umbandistas da primeira metade do século XX registraram em seus livros muitos pontos riscados dos "seus" guias ou de outros, coletados por eles em seus estudos sobre esse mistério da Umbanda.

Os pontos riscados sempre despertaram a curiosidade dos médiuns umbandistas e não foram poucos os que se dedicaram ao estudo deles, procurando entender o segredo das suas funcionalidades assim como os significados dos signos e símbolos "cabalísticos" inscritos neles pelos guias espirituais.

Muitos livros com pontos riscados foram publicados, e seus autores visitavam centros e copiavam os pontos que os guias riscavam, pois era comum o hábito de se riscar pontos para firmeza, descarga ou virada de magias negativas.

Mas se os guias deixavam que fossem copiados e publicados, no entanto eram reticentes quanto aos significados dos signos e símbolos que inscreviam.

O máximo que revelavam era sobre a "falange" à qual pertenciam ou qual eram as linhas de orixás ali firmadas.

Esse silêncio dos guias levou muitos umbandistas a buscar informações em autores estrangeiros e em antigos livros de magia importados da Europa, pois o assunto era instigante, e muitos dos signos e símbolos riscados nos pontos eram iguais aos dos "selos", pentáculos e alfabetos mágicos coletados por iniciados e pesquisadores europeus que se dedicavam ao estudo da magia e da simbologia.

Mas, como faltavam os reais fundamentos dos alfabetos mágicos, dos signos e dos símbolos, porque desconheciam o mistério das divindades que os regem, os umbandistas continuaram sem saber muita coisa sobre os pontos riscados pelos seus guias espirituais, que pouco revelavam sobre este mistério.

Se um espírito não se assentar na irradiação de um ou vários orixás, ele não tem a permissão de riscar pontos de firmeza, de descarga ou de anulação de magias negativas, pois não ativará nada e só estará "mistificando", porque não assumiu o grau de guia de Lei de Umbanda.

E o mesmo acontece com as pessoas que não se iniciaram, pois podem aprender tudo sobre a escrita mágica dos orixás, mas não receberam a outorga para ativá-los.

Os pontos riscados da Umbanda são um mistério da Magia Divina e só quem for iniciado e se consagrar como instrumento mágico da Lei Maior e da Justiça Divina poderá trabalhar com ela sem estar incorporado, só sendo instruído pelo seu mentor espiritual ou guia de Lei da Umbanda.

20.10 As Escritas Mágicas do Passado

As escritas mágicas foram desenvolvidas no decorrer dos tempos, e só quem as desenvolveu sabia os seus significados e qual a funcionalidade delas dentro de uma cabala ou ponto riscado.

Os fundamentos das magias não são revelados em nenhum dos livros que pesquisamos. O que vimos foi a transcrição, ainda que travestida de uma aura científica ou de alta magia, de letras de antigos alfabetos sem revelar a Potência Divina correspondente e sua ação vibratória. Ativá-las é perda de tempo, porque nada será ativado e a magia será nula.

Tudo o que circula na literatura mágica, encontrarão no livro *Magus*, de Francis Barret, que compilou o que existia, mas não nos transmitiu os fundamentos ocultos, pois estes já se haviam perdido no tempo.

Compilar e mostrar o que existe à disposição do público é algo louvável.

Já copiar e dar significados e interpretações próprias é condenável, pois quem segui-los irá percorrer um caminho tortuoso que não levará a nada, já que, sem seus fundamentos, os signos e símbolos não passam de belos traços ou riscos.

A Umbanda tem a sua escrita mágica, riscada pelos guias de Lei que, incorporados nos seus médiuns, riscam pontos ou cabalas que funcionam, porque eles sabem o significado de tudo o que inscrevem e, silenciosamente, evocam os orixás "donos" dos signos, símbolos ou ondas vibratórias.

Mas muitos tentaram, copiando os copiadores de Barret, criar uma magia riscada desprovida de fundamentos, na qual os signos, símbolos e ondas vibratórias inscritas não correspondiam "de fato" aos orixás ali aludidos.

Com isto, com toda a confusão criada pelas "magias de pemba" impostas por alguns autores renomados, a simples, prática, funcional e bem fundamentada escrita mágica dos guias de Lei de Umbanda foi sendo deixada de lado por muitos dirigentes de tendas e seus médiuns, pois os tais livros traziam coisas diferentes nesse campo da magia.

E ainda havia o problema das críticas feitas por tais autores, que tentavam desacreditar as "flechinhas", "estrelinhas", "espadinhas", etc., inscritas pelos guias de Lei, dizendo que não passavam de emblemas sem nenhum fundamento.

Saibam que os guias de Lei de Umbanda, se usam espadas, estrelas, ondas, signos e símbolos já há muito conhecidos, também conhecem seus Fundamentos Divinos e sabem a quais orixás pertencem e sabem como evocá-los, porque foram iniciados pelos guias chefes de falanges.

20.11 Orixás, os Senhores da Magia Divina

A Magia Divina é dividida em duas vertentes: uma religiosa e outra energética.

• Na magia religiosa, os orixás são evocados quando são oferendados em seus santuários naturais, e o ritual é um ato religioso, revestido de preceitos e posturas religiosas por quem o realiza;

• Na magia energética, os orixás são ativados a partir de uma escrita mágica ou grafia de pemba, e são usados elementos mágicos específicos;

• Na magia religiosa, as velas são usadas para iluminar as oferendas propiciatórias e como sinal de respeito e de reverência às divindades às quais elas são consagradas e firmadas;

• Na magia energética, as velas são apenas mais um dos elementos mágicos usados pelo médium magista e não têm sentido de iluminar algo, mas sim se destinam a projetar ondas energéticas ígneas que queimarão egrégoras e energias negativas, etc.

Os orixás têm duas hierarquias ou vertentes, sendo uma religiosa e outra mágica.

A vertente religiosa auxilia os seres por intermédio da fé e os guia em sua religiosidade, não importando qual a crença seguida pelas pessoas. Eles transcendem as religiões estabelecidas aqui na Terra e cuidam de todos os seres gerados por Deus, e muitos dos nossos irmãos nunca encarnaram e seguem uma evolução chamada de "vertical", porque nela não existe o deslocamento para o nosso plano material da vida.

Já a vertente magística caminha em paralelo com a vertente religiosa e auxilia os seres por meio de procedimentos mágicos, aos quais as pessoas recorrem para a rápida solução de suas dificuldades.

A vertente magística tem seus procedimentos próprios, e os orixás têm uma escrita ou grafia específica, também denominada "magia de pemba", que é ativada a partir de pontos cabalísticos riscados com o giz, ou pemba. A vertente magística dos orixás não ativa espíritos, pois é toda energética, magnética e vibratória, e são suas irradiações vivas que agem quando eles são ativados magisticamente.

Toda magia tem de estar associada a alguma divindade. E todas as divindades regentes religiosas provêm das hierarquias dos Sete Tronos de Deus, que são os regentes da evolução dos seres.

20.12 Os Espaços Mágicos

Os espaços mágicos são fundamentais à magia, e sem eles muito bem delimitados não haveria magia, mas sim o caos desordenador.

Logo, é fundamental que o mago delimite o espaço onde ativará sua magia, pois dentro dele tudo deverá acontecer.

O mago só ativa uma magia caso tenha um objetivo em mente. Mas, como fatores impensados podem interferir, então deve criar o espaço mágico e dotá-lo de um campo eletromagnético, energético, vibratório e irradiante que permitirá que suas determinações mágicas se cumpram somente dentro do espaço que criou, pois só assim o caos não se estabelecerá logo que tudo se iniciar.

Nós sabemos que o espaço religioso dos templos tem uma finalidade análoga, pois o que acontece dentro deles não afeta a vida das pessoas que moram ao seu lado.

Sim, nada do que acontece dentro de um templo extrapola suas paredes físicas e, mesmo que alguém more numa casa que tenha uma parede em comum, ainda assim não será afetada pelo que os sacerdotes realizam do outro lado dela.

Isto ocorre porque todo trabalho religioso, ao ser aberto pelo sacerdote, abre-se em um campo vibratório específico e diferente da vibração comum a todo plano material, que é onde vivem as pessoas.

Logo, os espaços religiosos são limitados ao interior dos templos das muita religiões existentes, e cada religião possui seu magnetismo específico e só dela.

Sim, senão haveria o caos religioso! Se todos os sacerdotes das muitas religiões existentes evocassem, numa mesma vibração religiosa, Deus e suas divindades, todos os trabalhos religiosos seriam vulneráveis às projeções mentais contrárias, irradiadas pelos fiéis de uma religião contra os fiéis das outras religiões.

Saibam que o único acesso que nos conduz a Deus está em nós mesmos, e é a nossa fé n'Ele. Quanto às religiões, elas são potencializadoras dessa nossa fé, porque a intensificam e orientam muitos numa mesma direção, assim que são aceitas como vias evolutivas.

Não há uma religião melhor que as outras, mas sim religiões que acolhem em seus espaços religiosos as pessoas que têm afinidades religiosas.

Com isso esclarecido, saibam que todas as religiões também têm seus céus e seus infernos específicos, pois, para uns, certos hábitos humanos são tidos como pecados e, para outros, são tidos como virtudes. Veja o monoteísmo judaico e o politeísmo hindu; veja a monogamia cristã e a poligamia islâmica.

Os homens estabelecem doutrinas e determinam a conduta dos fiéis de uma religião, codificando suas leis e determinando o comportamento religioso e civil dos seus seguidores, acolhidos dentro dos espaços religiosos das religiões que criam.

Se todas prometem o céu ou ameaçam com o inferno, então isso está implícito a todos os fiéis de todas as religiões existentes na face da Terra. E os caminhos que conduzem a estes dois lados opostos estão dentro dos espaços religiosos de cada uma, pois o seu magnetismo positivo conduzirá para o "alto" (céu) os seus fiéis virtuosos e conduzirá para o "baixo" (inferno) os não virtuosos.

E cada um encontrará, do outro lado da vida, aquilo que lhe foi prometido aqui na Terra pelo seu sacerdote.

Agora, no campo de ação da magia, os princípios que a regem são os da Lei Maior e os da Justiça Divina de Deus, dos quais temos pouco conhecimento e aos quais não dominamos, pois escapam ao nosso poder humano.

Saibam que os princípios ou leis "humanas" de uma religião só se aplicam aos seus fiéis e não têm o menor poder sobre a vida e o espírito dos fiéis das outras religiões, assim como não influenciam a vida dos seres de outras dimensões da Vida, existentes nesse nosso planeta ou em outros, às quais desconhecemos e que desconhecem a nossa.

Já as leis e os princípios da magia são comuns a toda a Criação Divina, porque seus fundamentos mágicos estão assentados em Deus e nos Seus Mistérios Vivos, denominados por nós "Divindades de Deus".

Mas o mago deve ter em mente que os princípios e mistérios da magia são comuns a toda a Criação Divina, e a mesma evocação que ativa uma magia aqui no plano material a ativa no plano espiritual, ambos dentro da dimensão humana da vida, assim como a ativa nas outras dimensões da vida existentes dentro desse nosso pequeno planeta. Também a ativa em outros planetas e nas suas muitas dimensões.

O mago não evoca Mistérios Divinos limitados a uma religião ou dimensão da vida.

Se o mago evocar o Divino Trono da Fé, estará evocando um mistério vivo de Deus que está presente em toda a Criação Divina. E, ao ativar uma magia na sua Irradiação Divina, estará ativando princípios que têm suas formas de se aplicarem e que são comuns a todos os seres.

Logo, o mago não é igual a um sacerdote, que evoca os mistérios vivos de Deus, mas limitados pelas feições humanas que o sacerdote determinou que Ele tivesse.

Já o mago ativa ou desativa as Irradiações Divinas que são comuns a toda a criação de Deus, e uma ativação religiosa judaica, cristã, islâmica, budista, etc. pode ser desativada por ele, assim como pode ser revertida ou anulada. Já o inverso não é possível e só outro mago pode desativar, reverter ou anular uma evocação e uma ativação feita por um mago.

Não que um mago lide com valores superiores, ou seja, superior moralmente a um sacerdote. Apenas os magos lidam, evocam e ativam valores muito mais abrangentes que os dos sacerdotes.

• Os limites dos sacerdotes são os que sua doutrina ensina e estão codificados nos princípios que cultivam e que diferenciam uns dos outros;

• Os limites dos magos são os da própria Criação Divina (ilimitados).

As religiões, ao limitarem a fé dos seus fiéis aos seus valores, limitam a si mesmas e aos seus sacerdotes, sempre preocupados com seus rebanhos e com as investidas dos outros sacerdotes sobre eles. Essas investidas são vistas como o avanço de demônios que querem destruir sua igreja e dizimar seu rebanho.

Já o mago não tem essa preocupação, pois sua magia não é cristã, judaica, budista, islâmica, etc., mas sim Divina, comum a todos os seres, a todas as criaturas e a todas as espécies criadas por Deus.

Saibam que o mago lida com aspectos de caráter universal encontrados em todos os quadrantes da Criação Divina. Ele lida com Princípios Divinos e evoca mistérios vivos (divindades de Deus) comuns a tudo e a todos.

Logo, uma magia religiosa realizada dentro do campo do judaísmo, ou do hinduísmo, etc. será anulada, ou revertida, ou desativada pelo mago, porque este tem a permissão de evocar o regente religioso de todas essas religiões e ativar seus Princípios Divinos, que são anteriores e superiores aos dessas religiões.

Um mago é mago na Terra, no céu ou no inferno. Um mago é mago neste planeta ou em qualquer quadrante da Criação Divina, pois é, em si, um ativador de princípios e mistérios vivos comuns a toda a criação e que regem tudo e todos.

Por isso, o mago abre, em qualquer lugar, espaços mágicos dentro dos quais ativa sua magia, podendo abri-los dentro dos espaços religiosos de todas as religiões existentes na face da Terra, ou nos santuários naturais das divindades de Deus.

Um mago, se precisar atuar dentro do campo específico de uma divindade, vai até ela, pede a permissão dela e ali, dentro do seu campo religioso natural, abre seu espaço mágico e ativa sua magia, que acontecerá naturalmente.

O campo do mago é ilimitado e ele pode atuar nos campos vibratórios de todas as religiões, porque ele sempre se curva diante de suas divindades regentes, sauda-as e as reverencia e depois pede permissão para ativar sua magia, regida pelos Sete Princípios Divinos e sustentadas pelos Sete Mistérios Vivos de Deus, que são os Seus Sete Tronos.

Os Sete Princípios Divinos são estes:

• Princípio da Fé (campo da Religiosidade);
• Princípio do Amor (campo da Concepção);
• Princípio do Conhecimento (campo do Saber);
• Princípio da Justiça (campo do Equilíbrio);
• Princípio da Lei (campo da Ordenação);
• Princípio da Evolução (campo da Transmutação);
• Princípio da Geração (campo da Criatividade).

Os Sete Tronos de Deus são:

• Trono da Fé — rege a religiosidade;
• Trono do Amor — rege a união;
• Trono do Conhecimento — rege a sabedoria;

- Trono da Justiça — rege a razão;
- Trono da Lei — rege a ordenação;
- Trono da Evolução — rege o estado;
- Trono da Geração — rege a natividade.

Os Sete Princípios citados são comuns a toda a Criação Divina e cada um regula um aspecto desta. Os Sete Tronos citados são os mistérios vivos de Deus que animam e imantam tudo o que Ele criou, porque são em si mesmos essas qualidades vivas d'Ele, exteriorizadas, cada uma, numa de Suas sete divindades.

Um mago só é limitado por si mesmo, seja pelo seu grau evolutivo, seja pelo seu poder mental, seja por sua fé nas suas evocações e determinações mágicas, pois até para o mal um mago é ilimitado.

Não são poucos os magos que se desvirtuaram e colocaram seus "poderes" a serviço de causas injustas ou a serviço de sua soberba, cobiça, ambição, inveja ou ira. Mas todos perderam, e sempre perderão, a luz de suas coroas e terão seus símbolos sagrados invertidos, perdendo, com essa inversão, o poder de evocar as divindades das hierarquias dos Sete Tronos de Deus.

Mas desses magos caídos, que cuidem deles seus desumanos senhores, porque o "mago" não é positivo ou negativo, mas tão somente um servo de Deus. É um instrumento vivo, ativo e dotado de raciocínio, que se consagrou a serviço dos seus Sete Tronos Divinos e só ativa sua magia após evocar Deus e saudá-Lo com amor, fé e reverência.

O verdadeiro mago não diz que é poderoso ou que é ilimitado.

Não. O verdadeiro mago tem consciência de que é um instrumento de Deus, colocado por Ele a serviço de Seus Sete Tronos Divinos e das divindades que formam Suas Hierarquias Divinas.

21
Tronos: Símbolos Sagrados e Pontos de Forças Mentais

Com: Pai Benedito.

Em alguns de nossos livros o assunto Tronos simbólicos foi abordado num contexto e aqui vamos comentá-los a partir de seus mistérios.

Todo umbandista praticante conhece seus guias da direita ou da esquerda através de nomes simbólicos.

Por "Porteira" subentende-se as passagens de um domínio para outro.

Por "Caminhos" entende-se a evolução dos espíritos.

Por "Matas" entende-se um domínio guardado no alto pelo orixá Oxóssi, e no embaixo pelo senhor Exu das Matas (ça-gue-fer-yê).

Por "Cruzeiro" entende-se o cemitério, o domínio cujo alto é regido pelo orixá Obaluaiê e o embaixo pelo senhor Omolu.

Enfim, cada nome simboliza um campo de ação no qual atuam muitas hierarquias de ação e trabalhos espirituais, cujos membros sempre se apresentam com nomes simbólicos.

O simbolismo é fundamental dentro do Ritual de Umbanda Sagrada, pois, no astral, a Umbanda é uma religião iniciática assentada em hierarquias muito bem organizadas, e cujos membros conhecem seus limites de atuação, e jamais invadem limites alheios...

Nem é preciso adentrar nos domínios alheios, pois os mentores, que são hierarcas assentados em Tronos simbólicos, atuam pelo alto e solucionam todos os problemas, assim como dirimem quaisquer dúvidas surgidas no decorrer de uma missão, ação ou atuação individual dos membros de suas hierarquias ativas.

Comecemos por definir "Tronos":

Tronos são divindades celestiais responsáveis pela evolução das espécies (todas as espécies). São seres celestiais assentados em lugares fixos e, por isto, são chamados de Tronos. Eles regem os pontos de forças e seus mistérios afins.

Há toda uma hierarquia: Serafins, Querubins, Tronos, Arcanjos, Anjos, etc., que a "angeologia" bem define.

Mas, como o nosso campo são os orixás, então abordemos segundo nossos "limites", certo?

Já houve em eras remotas uma evolução humana mais natural e menos "abstrata" que a atual. Dizemos abstrata porque ao ser é dado imaginar como devem ser as coisas do alto, mas não as podem ver. Então, o ser tem de acreditar no que lhe ensinam, mesmo que nada lhe seja possível comprovar.

Uns ordenam todo um panteão celestial afim com suas culturas; outros fundamentam sua fé na crença genuína de um Deus bastante afim com seus anseios imediatistas. E assim por diante.

Enfim, muitas religiões cumpriram suas missões redentoras e evolucionistas fundamentadas unicamente em uma idealização ou concepção abstrata do que seja Deus e suas hostes celestiais, pois em todas as religiões há um céu à espera dos virtuosos e um inferno para recolher os faltosos.

E não estão erradas essas concepções ou abstracionismo acerca do "Divino".

Mas essas religiões abstratas limitam os seres, porque aos seus "céus" só ascendem os seus fiéis mais fervorosos, e ao inferno irão todos os faltosos... e os adeptos de outras religiões... bem...

A Bíblia Sagrada é prodígia em aclamações dessa natureza, que levaram milhões incontáveis de seres humanos a desprezarem, torturarem e matarem seus semelhantes só porque professaram outra fé fundamentada numa outra concepção abstrata acerca de Deus.

— Estamos falando novidade?
— Não.
— Estamos sendo repetitivos?

— Sim.

— Por que ser repetitivo se tudo isso outras pessoas já comentaram?

— Bem, estão aí os novos inquisidores neocristão a chafurdarem com sua ignorância, má-fé e interesses escusos os sagrados orixás, que são os Tronos regentes da Natureza Planetária. O prazer insano que sentem ao blasfemarem contra seres celestiais demonstra muito bem o quanto são frágeis os fundamentos da crença religiosa que os sustentam.

Para crescerem precisam macular as divindades alheias e acusar de adeptos das "trevas" todos os adeptos das outras religiões.

Eles negociam Cristo e vendem Deus, e ainda julgam-se os ungidos pelo "Espírito Santo". Pregam a teologia do mercantilismo e já se acham senhores do paraíso. E se só não estão crucificando fisicamente os umbandistas ou espíritas, é porque ainda não compraram todas as mentes formadoras de opinião na imprensa, senão, não tenham dúvidas, já teriam levantado campos de concentração para confinar os fiéis de outras religiões.

— Por que agem assim?

É muito simples a resposta: precisam matar todas as verdades alheias, senão suas concepções abstratas se esvanecem como a essência dos perfumes baratos e muito mal elaborados, pois não possuem uma sustentação concreta de tudo o que pregaram, e muito menos do que "vendem" caro aos seus seguidores.

Nesse meu comentário não poupo uma ou outra seita neocristã porque todas se regozijam quando um adepto da Umbanda, do Espiritismo, ou do Candomblé comete algum erro, falha ou pecado.

Alardeiam aos quatro cantos os erros, mas omitem os acertos.

E um procedimento assim, insano, é geral e comum a todos eles, os já "salvos". Logo, ou assumimos uma verdade ou nos calamos. E prefiro assumir minha repulsa a uma tão grande insensibilidade por parte dos "caídos". É isso mesmo: dos "caídos" das religiões naturais e espiritualistas.

Lá, bem do alto do púlpito, estão os falsos filhos e filhas-de-"santo" que tentaram mercantilizar a Umbanda Sagrada, mas porque os sagrados orixás os abandonaram, lá se arvoram em juízes da consciência e fé alheias.

Mas que anotem isso: cada blasfêmia, cada ofensa, injúria ou falsidade propagada, por quem quer que seja, contra os sagrados orixás, terá de ser reparada no seu devido tempo. E nesse tempo, não tenham dúvidas: lá, bem aos pés de um Trono natural, haverão de ajoelhar e clamarem por perdão.

E se assim será, e será, é porque orixá é Trono Regente da natureza planetária que não se limita apenas aos umbandistas, mas amparam todas as evoluções que se processam em outras dimensões da vida ou nessa onde evoluímos.

Com o tempo, todos haverão de descobrir que só se desligarão do plano material e deixarão o ciclo reencarnacionista caso retornem, harmo-

nizados com todos e reequilibrados, emocionalmente, aos domínios dos Tronos regentes.
— Existem as esferas da Luz?
— Sim, elas existem.
— Todos alcançam as mais elevadas?
— Não. Só os que se universalizam e amam a todos indistintamente e respeitam as formações religiosas de todos. Os que não respeitam as religiões e as divindades alheias, não tenham dúvidas: não ascenderão, por mais evoluídos que possam parecer ou julgarem-se, uma vez que estarão ligados aos tronos negativos assentados no lado negativo dos pontos de forças da natureza.

Bem, agora vou adentrar mais profundamente nos "Tronos".

Imaginem um rei assentado em seu trono e recebendo emissários de outros reis, também senhores de outros reinos cujos tronos eles ocupam.

Imaginem um rei dando audiências aos seus súditos ou despachando com seus conselheiros sobre todos os assuntos relativos ao reino, aos habitantes, etc.

— Já criaram essa imagem?
— Ótimo!

Então retornemos no tempo até uma era na qual a Terra era quase tão povoada quanto hoje, e que não havia duas religiões ou duas formas diferentes de se cultuar a Deus, porque o culto era uniforme e assentado em fundamentos verificáveis por todos os encarnados.

Sim, isso que hoje é tão raro, a "clarividência", ou terceira visão, a visão espiritual, era comum a todos.

Esse era um tempo no qual a evolução humana se processava de forma natural, pois as divindades regentes (os Tronos naturais) eram visíveis a todos em certos dias da semana e em horários fixos.

Os cultos eram realizados ao amanhecer (6 horas) ou ao anoitecer (18 horas).

Havia regras fixas para a realização dos cultos que valiam para todo o planeta Terra.

Os espíritos podiam ver, durante o culto, as divindades naturais "assentadas" em tronos semelhantes aos tronos dos reis, tal como imaginaram.

Os sacerdotes eram os "magos" ou hierarcas responsáveis pela abertura e fechamento dos cultos, durante os quais os regentes e suas cortes celestiais se projetavam para a dimensão material humana e irradiavam com tanta intensidade que alcançavam a todos os fiéis reunidos diante de seus pontos de forças, pois não era dentro de templos que eles se manifestavam.

Havia locais específicos para que eles se tornassem visíveis.

No alto de "pedreiras",
No alto de "cachoeiras",
Na beira de "lagos",

Na beira do mar,
Nos bosques,
Nos campos especialmente jardinados para tal fim.

E... em certos locais denominamos de pontos de forças celestiais porque são enormes chacras planetários irradiadores e captadores de energias.

Os vórtices ainda estão aí, pois interagem em todas as dimensões trocando energias entre elas. Quanto aos pontos de forças localizadas citados (lagos, cachoeiras, pedreiras, etc.), estes são portais de acesso a dimensões específicas onde evoluções naturais, já comentadas, se processam em paralelo com a dimensão espiritual.

Esses pontos localizados são altamente magnéticos e irradiadores de energias; desse modo, eles as captam no plano material e as irradiam do outro "lado", já em outra dimensão.

Com isso explicado, comentemos os Tronos:

Quando os cultos eram realizados, as divindades naturais (orixás regentes) se mostravam assentados em tronos "energéticos" magnificantes, multicoloridos, porque irradiavam tantas cores e energias quanto um imenso "arco-íris celestial".

Conta-se 77 tonalidades num Trono celestial de um orixá regente. Os orixás maiores (planetários), nos é impossível precisar suas policromias, pois irradiam cores desconhecidas e inomináveis.

Os orixás naturais, policromáticos e assentados em seus Tronos celestiais localizados em pontos específicos da natureza, enviam (e ainda são) senhores de "Degraus" formados por muitos graus, uns à sua direita e outro tanto à sua esquerda.

Os graus da direita, todos ocupados por seus auxiliares para as outras dimensões, são todos de magnetismo positivo.

Os Degraus da esquerda, todos ocupados por seus auxiliares para as outras dimensões, são todos de magnetismo negativo.

Observem que estamos falando "magnetismo", e não "bem ou mal" como pode parecer positivo e negativo, certo?

Não confundam as coisas e não se confundam com abstracionismos infundados!

Já classificamos isso em outro comentário quando mostramos os sete elementos formadores do todo planetário (água, terra, fogo, vegetal, cristalino, mineral), certo?

Água = (+) positivo no magnetismo;
Ar = (-) negativo no magnetismo;
Terra = (+) positivo no magnetismo;
Fogo = (-) negativo no magnetismo;
Vegetal = (Ø) neutro no magnetismo;
Cristalino= (+ -) dual, pois tanto é positivo quanto negativo;
Mineral = misto (+, Ø, -) = Misto, pois possui as três polaridades.

Um exemplo de Trono:

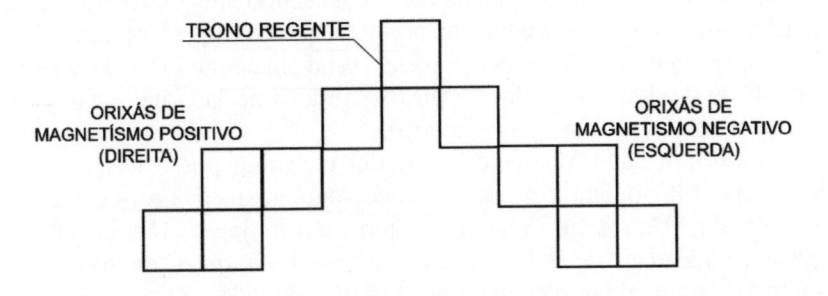

```
                    TRONO REGENTE
                   ┌──────┐
                   │      │
    ORIXÁS DE      │      │      ORIXÁS DE
MAGNETÍSMO POSITIVO│      │  MAGNETISMO NEGATIVO
    (DIREITA)      │      │      (ESQUERDA)
           ┌───────┘      └───────┐
           │                      │
    ┌──────┤                      ├──────┐
    │      │                      │      │
    │      │                      │      │
    └──────┘                      └──────┘
```

Esses Degraus simbólicos em cujo topo ou trono celestial se assentam os orixás regentes, e em cuja à direita se localizam os seus auxiliares para as dimensões positivas, e em cuja à esquerda se localizam os intermediadores para as dimensões negativas, ainda se conservam parcialmente intactos, faltando-lhes, em alguns, os auxiliares para a dimensão humana.

Se lhes faltam os graus humanos (positivos e negativos) é porque, em dado momento da evolução, o Divino Criador achou por bem alterar a evolução dos seres que entravam na dimensão humana.

Sim, pois não era outra a finalidade de seres naturais encarnarem senão a de se tornarem bipolares, ou portadores de dupla polaridade magnética, quando então retornavam aos domínios dos orixás e passavam a servi-los com maior liberdade de movimentos, pois aí podiam adentrar em dimensões ígneas, terrenas, aquáticas, aéreas, vegetais, cristalinas ou minerais.

Mas nem todos os naturais que encarnavam conseguiam em uma única encarnação adquirir uma dupla polaridade em equilíbrio energético (emocional) e harmonia magnética (mental).

Estes desequilibrados e desarmonizados eram atraídos, após o desencarne, para o lado "negativo" dos Tronos regentes.

Esse "lado negativo" sim, já pode ser classificado como ruim, pois era, e ainda é, o "embaixo" dos pontos de forças localizados, que por possuírem uma energia e uma vibração magnética opostas ao Trono do alto, não é irradiador, mas sim absorvedor das energias geradas pelos seres que se desequilibram emocionalmente e se desarmonizam mentalmente.

E isso também ocorre nas evoluções naturais!

Os seres naturais, incapacitados de evoluírem porque se desequilibraram e se desarmonizaram, são atraídos naturalmente pelo lado negativo onde, recolhidos, esgotarão seus negativismos emocionais e seus magnetismos mentais desequilibradores.

Acontece que muitos "milhões" de seres naturais já viviam no lado negativo dos pontos de forças, e a eles foram sendo juntados outros milhões que haviam encarnado, criando um problema para os regentes planetários: as hierarquias naturais (Degraus completos) estavam entrando em desequilíbrio vibratório devido à ação dos "espíritos" retidos no lado negativo (revolta do anjo Lúcifer — o mito verdadeiro).

Sim, em dado momento, o Criador e Senhor nosso Deus alterou o ciclo encarnacionista e o tornou reencarnacionista. E isso ocorreu com a troca do "Demiurgo" planetário, pois seu ocupante (Lu-ci-fer-yê), o Senhor da Força e do Poder da Luz, encarnou e abriu o "ciclo reencarnacionista", no qual tanto os naturais afastados do lado luminoso dos pontos de forças quanto os espíritos "caídos" adentrariam numa nova evolução que para cada um só cessaria quando alcançassem o equilíbrio emocional e harmonização magnética em seus mentais.

Lucifer-yê, o Senhor da Força e do Poder da Luz, encarnou e abriu esse ciclo reencarnacionista que visava a esvaziar o lado negativo (absorvente de energias) dos pontos de força, devolvendo-lhes o equilíbrio energo-magnético sustentador das hierarquias naturais (Tronos regentes e seus Degraus multidimensionais), que amparavam as evoluções naturais e humanas.

O "mito" Lucifer-yê é a própria pisque humana, inconformada com a sua não ascensão ao lado positivo dos Degraus e pontos de forças naturais localizados em pontos magnéticos que lhe permitiriam retornar à luz (paraíso).

Lucifer-yê abriu o ciclo reencarnacionista, e com ele todos os "lados" projetados para a dimensão humana o acompanharam.

Tronos, antes completos, ficaram privados de seus lados humanos, conservando apenas os voltados para as outras dimensões que continuam a reger totalmente até hoje.

Os lados humanos, os que eram vistos durante os cultos, que já comentamos como eram, formados por hierarquias naturais, adentraram no ciclo reencarnacionista para auxiliarem os que ainda não haviam evoluído e ascendido.

Houve uma separação nos pontos de forças e os lados de "baixo" dos Degraus foram separados (afastados) dos lados de cima, como podem ver no exemplo:

Na Figura 2 mostramos que, assim que reencarnavam, os seres naturais e os espíritos retornavam à faixa neutra que nominamos de meio reencarnacionista e evolucionista humano.

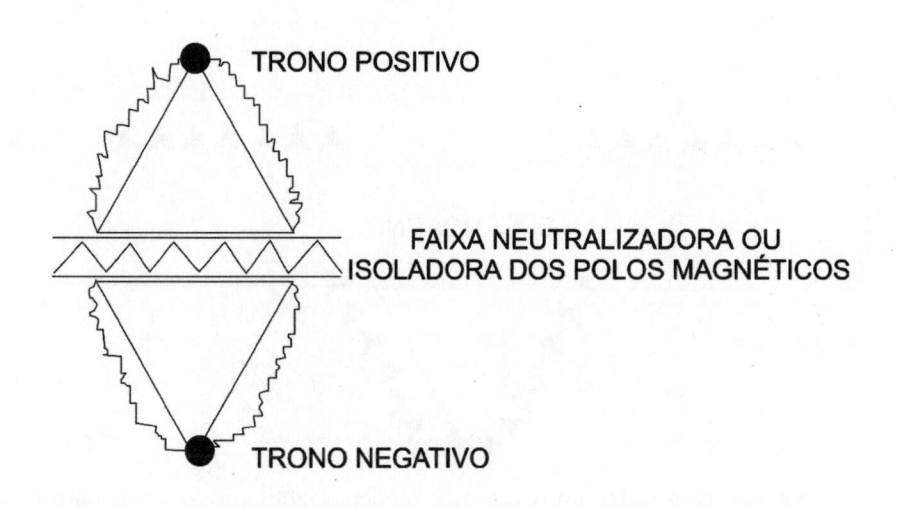

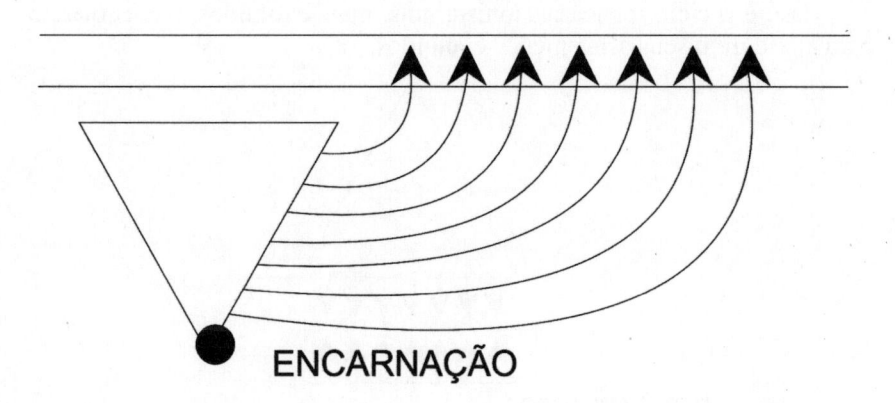

TRONO POSITIVO

FAIXA NEUTRALIZADORA OU ISOLADORA DOS POLOS MAGNÉTICOS

TRONO NEGATIVO

ENCARNAÇÃO

Na Figura 3 mostramos o destino dos espíritos após o desencarne: uns, reequilibrados e re-humanizados ascendiam, e outros, continuando magnética e energicamente "negativos", desciam.

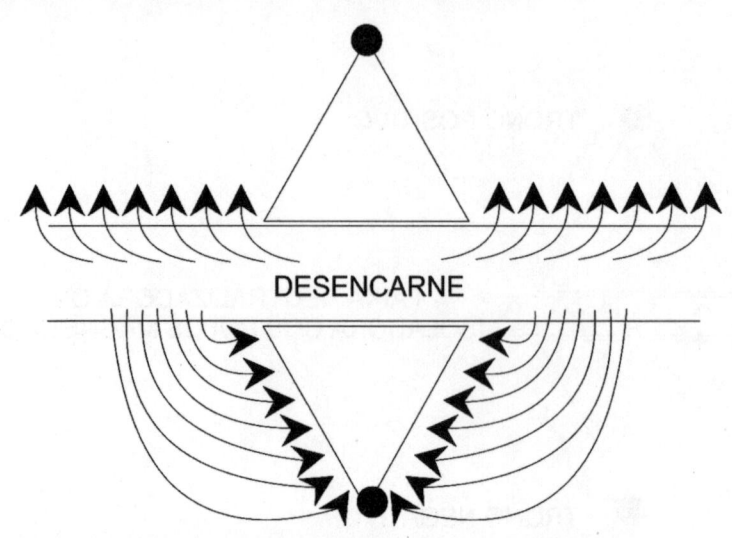

DESENCARNE

Na Figura 4 mostramos que nas reencarnações uns descem para o plano material para auxiliarem os que vieram de baixo.

Isso é o ciclo reencarnacionista: uns, mais evoluídos, reencarnaram para auxiliarem seus afins menos evoluídos.

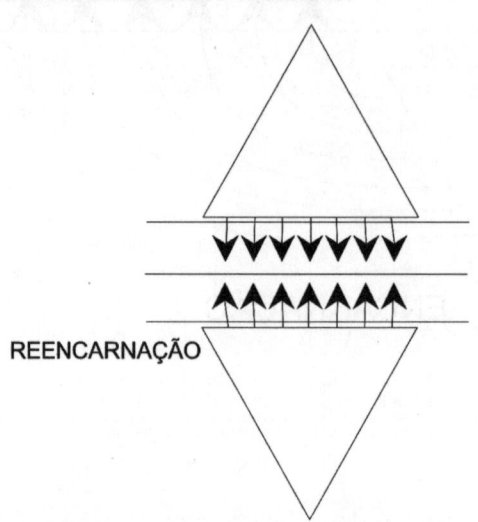

REENCARNAÇÃO

Tronos das hierarquias do alto, ocupados por mentais equilibrados, mantiveram-se em seus locais originais, mas outros, cujos ocupantes naturais, também eles, se desequilibraram e desarmonizaram, foram deslocados de seus lugares originais nas hierarquias e "caíram" para o lado de baixo, pois tornaram-se absorvedores em vez de irradiadores de energias.

Os Degraus ocupados pelos orixás regentes, por abrirem-se para muitas dimensões, assumem a forma de poliedros, pirâmides, pentágono, cubos, etc.

Suas estruturas "energéticas" assemelham-se em alguns casos aos sistemas cristalinos da cristalografia.

Muitos outros símbolos sagrados encontram correspondência com as estruturas cristalinas.

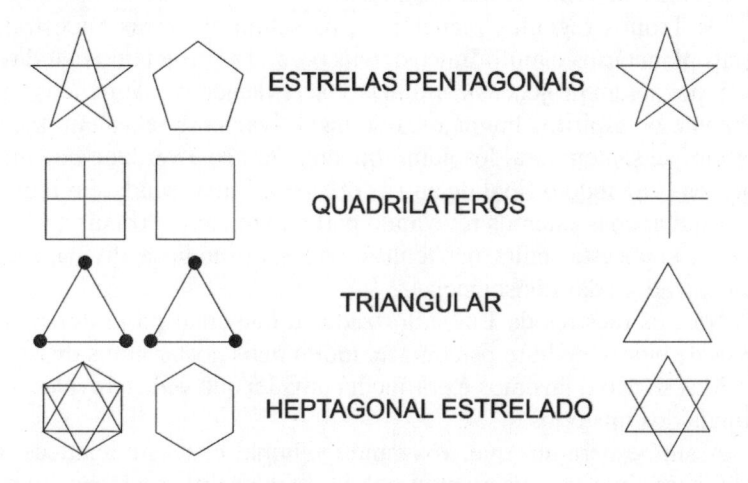

ESTRELAS PENTAGONAIS

QUADRILÁTEROS

TRIANGULAR

HEPTAGONAL ESTRELADO

Se isso acontece é porque os fundadores de religiões, já no ciclo reencarnacionista, eram orixás que adentraram no ciclo reencarnacionista para auxiliarem na evolução dos espíritos.

Atualmente falam em símbolos sagrados, mas poucos podem explicar por que perdeu-se o contato com a dimensão original que o projetavam para a dimensão humana... e que os sustentam até hoje.

À medida que um Trono projetava para a dimensão humana seu lado voltado para ela, então não mais foi possível ver o Trono celestial em todo o seu esplendor multicolorido e multiirradiante. Sem seus lados humanos, invisíveis aos olhos humanos, eles foram se fechando... e perdemos o contato visual que antes se tinha sempre que o culto era realizado.

Com o "fechamento" dos Tronos, os pontos de forças foram deixando de ser o local dos cultos abertos... e aos templos foram se recolhendo os fiéis.

Tudo isso durou milênios. E chegou um tempo que muitas transformações aconteceram e alteraram a própria geografia terrestre (o mito Atlântida, Lemúria, etc.), mas o culto às divindades naturais (orixás) não deixou de ser praticado.

Em todos os continentes eles estiveram presentes até recentemente, só vindo a ser apagados porque o poder político, econômico e militar concentrou-se nos domínios das religiões abstratas, que só se sustentam justamente graças ao poder material que possuem.

É certo que, se esse poder sofrer uma derrocada, imediatamente as religiões naturais eclodirão em Roma, Meca, Jerusalém, Constantinopla, ou onde quer que elas, as religiões abstratas, tenham seus pontos de forças econômicos mentalistas-mercantilistas.

Isso acontece naturalmente, sem que seja necessário um grande esforço nesse sentido.

Se assim é, é porque os sustentadores planetários dos símbolos sagrados são os orixás, tal como já comentamos.

Os Tronos regentes planetários, os senhores orixás ancestrais são mentais planetários e multidimensionais porque se projetam em todas elas.

E por serem projeções contínuas, e serem energo-magnéticos, atraem facilmente os espíritos humanos, que instintivamente se voltam para eles e por eles se sentem atraídos naturalmente. Ou não é verdade que milhões de pessoas vão todo o final de ano às orlas marítimas saudarem Iemanjá?

Aqui apenas estamos revelando parte do mistério "orixás". Mas a ciência que ainda está oculta, não tenha dúvidas, é grandiosa, divina, ancestral e humanizadora das consciências.

Nós, os mestres da Luz autorizados a comentar parte dessa ciência através de nosso médium psicógrafo, muito mais gostaríamos de revelar.

Mas se não o fazemos é porque há uma lei que veda a revelação mais profunda dos mistérios.

Assim, esperamos que, vos dando algumas chaves iniciáticas, vocês a usem para abrirem seus mentais e dons de raciocínio onde, em equilíbrio racional e harmonizados com os mistérios orixás, venham a vislumbrar numa cachoeira, pedreira ou beira-mar, muito mais que os simples lugares da natureza onde cultuam vossos orixás e guias protetores.

Esperamos que vislumbrem nesses lugares os Tronos celestiais regentes da natureza planetária, ainda que as brumas do tempo os tenham ocultado dos vossos olhos humanos.

Saibam também que nem todos aqueles nomes do panteão são realmente de orixás. Lá estão classificados como orixás muitos mistérios que são apenas guardiões dos pontos de forças localizados.

Mas isso será em outros comentários que os abordaremos.

Com. Pai Benedito de Aruanda.

21.1 Tronos Regentes
(Unidimensionais e Multidimensionais)

Tronos Unidimensionais

Como já abordamos os Tronos sob vários aspectos no capítulo anterior, e num deles afirmamos que são "Divindades" planetárias regentes da evolução, e dissemos que são mentais planetárias, que atuam por projeções, vibrações e irradiações, vamos nos aprofundar ainda mais no mistério Tronos a partir de agora.

Recordemos as sete dimensões básicas:

1 — Cristalina.
2 — Mineral.
3 — Vegetal.
4 — Ígnea.
5 — Aérea.
6 — Telúrica.
7 — Aquática.

Essas sete dimensões são irradiadoras de energias puras que nos chegam até o plano material tal como nós as vemos: cristais, minerais, vegetais, terra, ar, fogo e água.

Nessas sete classificações estão assentados os sete orixás ancestrais, que são Tronos celestiais sustentadores de todas as formas e essências existentes nas muitas dimensões existentes no todo planetário.

Os sete Tronos celestiais são o que são e nós não temos como idealizá-los.

Então nós os concebemos como emanações ou projeções divinas do nosso Criador e senhor nosso Deus, e ponto final, pois mais que isso e cairemos no abstracionismo que tem inundado o conhecimento humano sobre as origens divinas das coisas: formas, essências e seres.

Essas sete emanações divinas são os Tronos regentes que fornam o Setenário Sagrado, que identificamos com os sete sentidos capitais ou as sete virtudes, etc.

Alguma coisa anterior a isto não nos permitimos idealizar, pois é abstracionismo puro.

Mas a partir do Setenário Sagrado, então temos condições de abordagens. Estes se projetam e vão dando origem a hierarquias naturais que até nós, espíritos humanos, nos chegam como os senhores orixás naturais regentes dos pontos de forças da natureza.

Aqui ressaltamos que os nomes adotados no Ritual de Umbanda Sagrada nem sempre referem-se às essências, mas sim aos guardiões delas, mas nem por isto deixam de ser válidas as classificações já assentadas.

Sim, porque nas sete dimensões básicas encontramos as essências puras, que são indiferenciadas, pois são emanações divinas. Logo, assexuadas, ou seja: não são ativas ou passivas, mas tão somente isto: essências.

Por analogias, comparações, ou mesmo idealizações e identificações, chegamos a esta classificação que predominou no Ritual de Umbanda Sagrada:

1- Cristalino..Oxalá
2- Mineral... Oxum
3- Vegetal .... Oxóssi
4- Ígnea...Xangô
5- Aérea .... Ogum
6- Terrena ....Obaluaiê
7- Aquática .... Iemanjá

Observem que aí temos diferenciações, pois são masculinos ou femininos, e já não são essências, mas tão somente fórmulas classificatórias do "Estado" das coisas que se nos apresentam.

Afinal, Oxóssi, tal como se nos mostra no Ritual de Umbanda Sagrada, ele não é a essência vegetal, mas sim o guardião de seus mistérios.

E o mesmo encontramos se nos aprofundarmos nos orixás apresentados no Ritual de Umbanda Sagrada, pois uns são de natureza positivas, ativas, masculinas, e outros são negativas, passivas, femininas.

Positivo e negativo, neste caso assume o sentido de macho e fêmea, ou de energia irradiante e vibrante. Mas é só, certo?

Por isto não podemos estudar ou comentar os Tronos unidimensionais ou básicos recorrendo aos nomes dos orixás naturais, pois eles não refletiriam as essências fundamentais.

Como proceder então?

O melhor é nos mantermos no essêncial e básico, sem nos preocuparmos com nominações dos Tronos básicos sustentadores de todas as hierarquias que se nos mostram por projeções das sete essências naturais básicas.

Com isto estamos afirmando que nos dispensamos de classificá-los por nomes, correto?

Afinal, nós bem sabemos que nem Oxóssi nem Ossaim são a essência vegetal, mas sim que um guarda os mistérios vegetais (Oxóssi) e outro as essências ou axés vegetais (ossaim).

É certo que isto jamais foi colocado antes dentro da literatura disponível aos umbandistas. Mas nós não nos pautamos pelo que está escrito no meio material. Afinal, nossas fontes informadoras são bem outras: os próprios orixás naturais que sustentam todo o Ritual de Umbanda Sagrada, dos quais recebemos estímulos mentais para que passemos para o lado material da dimensão humana os verdadeiros conhecimentos sobre os mistérios regentes das evoluções.

Com isto entendido, adentremos nos sete mistérios originais: os Tronos unidimensionais!

Trono Cristalino

Esse Trono "essencial" rege uma dimensão básica que tem por função "estruturar" todos os magnetismos. Essa essência cristalina básica é fundamental para as estruturas mentais, e reveste todos os "ovóides" em cujo interior está codificada a herança genética divina de todos os seres, sejam eles de que natureza forem. Um ser cuja natureza é ígnea, no entanto, terá sua estrutura mental sustentada pela essência cristalina.

Trono Mineral

Esse Trono "essencial" rege uma dimensão básica que tem por função energizar todos os seres e dar sustentação aos seus corpos energéticos.

Essa essência mineral é energo-magnética e torna todos os seres irradiadores de energias. "Identifica-se no ser humano como a linfa circulante e purificadora da corrente sanguínea."

Trono Vegetal

Esse Trono "essencial" rege uma dimensão básica que tem por função dotar todos os seres de uma seiva que os sutilizam e os tornam magneticamente atrativos, assim como os individualiza e os inunda com sua essência vegetal que os estimulam para o "alto", ou a voltarem-se para a "Luz".

Trono Telúrico

Esse Trono "essencial" rege a formação dos seres, e tem por função sustentar as formas (corpos energéticos) em cujos mentais as heranças genéticas divinas vão se desdobrando em cada estágio da evolução dos seres.

Trono Eólico

Esse Trono "essencial" tem por função dar mobilidade aos seres, e isso em todos os sentidos, pois mobilidade significa capacidade de mover-se fisicamente, espiritualmente e mentalmente.

Essa essência estimuladora da evolução inunda o ser e o impulsiona a avançar, pois em caso contrário estacionaria.

Trono Ígneo

Esse Trono "essencial" tem por função dinamizar os seres, estimulando-os por meio das correntes de energias cósmicas que interpenetram todas as dimensões e estágios da evolução. O "calor" às vezes intensifica-se e aumenta o estado vibracional do ser e anula-se, baixando as vibrações mentais e aquietando-o.

Trono Aquático

Esse Trono "essencial" tem por função estimular nos seres a geração em níveis os mais diversos possíveis. Com isso os seres são dotados de um instinto de preservação da vida.

Essa colocação das essências básicas podem ser desdobradas e aí chegaremos até os orixás naturais regentes, que dão sustentação ao Ritual de Umbanda Sagrada.

1 — Cristalino = Oxalá — que tem por função estruturar os magnetismos... sustentador da fé.

2 — Mineral = Oxum — que tem por função energizar os seres... doadora do amor.

3 — Vegetal = Oxóssi — que tem por função estimular a evolução dos seres... caçador.

4 — Terreno = Obaluaiê — que tem por função dar forma aos seres... sustentador dos estágios da evolução, ou passagem de um estágio para outro... senhor das passagens.

5 — Aéreo = Ogum — que tem por função estimular a mobilidade nos seres... senhor dos caminhos.

6 — Ígneo = Xangô — que tem por função dinamizar os seres... recoloca cada um no seu devido nível vibratório energo-magnético... senhor da justiça.

7 — Aquático = Iemanjá — que tem por função estimular a geração de vidas... atua na sexualidade... mãe geradora.

Em uma nova interpretação analógica temos esta colocação:

1 — Cristalino = Oxalá — mental irradiador do sentimento de religiosidade... fé.

2 — Mineral = Oxum — mental irradiador do sentimento de amor... concepção.

3 — Vegetal = Oxóssi — mental irradiador do sentimento de fraternidade... sociabilidade.

4- Terreno = Obaluaiê — mental irradiadora do sentimento de estabilidade... equilíbrio.

5- Aéreo = Ogum — mental irradiador do sentimento de lealdade (fidelidade)... lei.

6 — Ígneo = Xangô — mental irradiador do sentimento de justiça.... razão.

7 — Aquático = Iemanjá — mental irradiador do sentimento de preservação... geração.

Muitas outras interpretações por analogias podemos idealizar já que as essências básicas são passíveis de nos fornecer fundamentos às mais diversas concepções, desde que não nos entreguemos a abstracionismos ou criacionismos.

Por isso é comum caracterizar-se o orixá Ogum como fogo, água, ar ou terra.

Mas se isso ocorre, é porque Ogum, enquanto guardião por excelência, projeta-se através dos orixás regentes de níveis, que são Tronos localizados em pontos de forças específicos e têm por função velar os mistérios.

Logo, o Trono Ogum se presta a muitas idealizações, e todas corretas, pois o ar está na água, no fogo, no vegetal, na terra, no mineral e no cristalino.

— Sempre como guardião?

— Nem sempre, pois o ar é complemento essencial a todas as estruturas multidimensionais.

Guardião pode ser sinônimo de equilibrador entre elementos opostos. Afinal, o fogo "essência" não se combina com a água essência. Mas como ar se combina, então transporta em si o calor que transfere à água, e a movimenta (ebulição).

Discutir os múltiplos aspectos dos Tronos unidimensionais é deveras fascinante. E se não nos atermos ao essencial, acabamos por dar início a discussões de fundo filosófico que dariam um livro à parte. E aqui são só comentários!

Por isso vamos aos Tronos multidimensionais, que é onde encontraremos as essências básicas (orixás ancestrais), já amalgamadas e formando hierarquias que atuam no sentido de dar sustentação às evoluções.

21.2 Tronos Multidimensionais

Nos Tronos unidimensionais vimos que os orixás regentes são essências puras que atuam nos seres a partir de irradiações energo-magnéticas puras ou básicas.

Oxalá estimula a fé (crença).
Iemanjá estimula a geração (multiplicação).
Oxum estimula o amor (união).
Xangô estimula a justiça (razão).
Oxóssi estimula a solidariedade (harmonia) e a busca do conhecimento.
Ogum estimula a lealdade (equilíbrio).
Obaluaiê estimula a evolução (estabilização).

"Enfim, procedimentos básicos sustentadores das múltiplas evoluções".

Nos Tronos multidimensionais começam as aberturas para muitas dimensões ao mesmo tempo.

Os Tronos são multilaterais; onde cada lado se abre, projeta-se ou irradia-se para uma dimensão não mais elementar básica.

Nessas dimensões, os seres de polaridades opostas são reunidos, pois uns e outros se equilibrarão energeticamente e se completarão magneticamente.

Os Tronos regentes são responsáveis pela sustentação da harmonia energo-magnética e atuam no sentido de estimularem continuamente, com suas irradiações mentais, a evolução. Mas como nem todos os seres conseguem se manter num mesmo nível vibratório, então aí começa a existir o lado negativo dos Tronos, lados estes que acolherão os seres que não evoluírem.

No lado negativo descarregam seus emocionais e neles permanecem até que estejam aptos a retornarem ao lado positivo.

Esses Tronos estimulam em vários sentidos ao mesmo tempo, pois enquanto recebem energias vibratórias das sete dimensões básicas, as amalgamam e as irradiam através do mistério que são em si mesmos.

São Tronos planetários que atuam unicamente por meio de vibrações mentais, pelas quais fluem emanações energéticas, umas gerais, pois chegam a todos os seres regidos por eles, e outras parciais, direcionadas aos múltiplos níveis ou estágios evolutivos.

As gerais são irradiadas através das correntes planetárias.

As parciais chegam aos Tronos regentes assentados ou aos orixás regentes, que são os senhores dos Degraus planetários formados por Degraus localizados.

Os Degraus localizados atuam diretamente com os seres, instruindo-os, direcionando-os, estimulando-os ou retardando-os, para que o conjunto (reino elementar natural) não venha a desarmonizar-se dentro de uma dimensão específica, onde muitas evoluções acontecem ao mesmo tempo.

Ou, por acaso, vocês imaginam que é só no plano material que muitas espécies convivem, umas "servindo" às outras?

Nossa dimensão material é riquíssima em espécies, mas outras tão exuberantes existem, e até algumas são muito mais que a nossa "terra".

Os Tronos multidimensionais são telas energo-magnéticas planetárias voltadas para a manutenção do equilíbrio e da harmonia. Logo, quando acontece um excesso ou acúmulo de energias em um reino básico, essas telas as retiram (absorvem) e as enviam (irradiam) para outros onde possam estar em deficiência. E quando não, as transferem para seu outro lado, onde estimularão a evolução ou serão anuladas.

Poderíamos comparar a função desses Tronos, só para efeito de comparação, com a digestão. Ainda que em ordem inversa, pois na digestão o ser ingere amálgamas energéticos (alimentos), que durante o processo digestivo vão sendo partidos até que tenhamos lipídeos, protídeos, álcool, etc, que servirão para funções básicas na química celular.

Nos pontos de forças onde os Tronos estão "assentados", os excessos são enviados aos seus lados opostos (polo oposto), onde sofrerão uma "digestão" magnética que fracionará todo o acúmulo. E aí, já com todas as energias desamalgamadas, as enviam às correntes planetárias.

Comentando assim isso pode parecer algo simples. Mas não é!

Então chegamos, até aqui, a mais ou menos isto:

1 — Sete essências básicas, ou sete orixás ancestrais. São os Tronos que formam o Setenário Sagrado e irradiam-se como essências puras através de suas vibrações mentais. São os Tronos unidimensionais. Os orixás são indiferenciados. São os formadores da Coroa Planetária.

2 — Tronos multidimensionais, que estão, de um lado captando essas essências básicas, e de outro as estão irradiando para várias ou muitas dimensões, onde as evoluções se processam. São os orixás naturais. Nesses Tronos seus aspectos mentais já começam a diferenciar-se e fica mais fácil caracterizá-los, pois, por analogia, podemos chamar de Iemanjá o Trono cujo ponto de forças, ao se projetar para a nossa dimensão "humana", suas irradiações nos chegam por meio do mar (água).

Nesse ponto já nominamos não mais como orixás essênciais (essências puras), mas sim de orixás naturais, senhores(as) de múltiplas atribuições, que por projeções energo-magnéticas formam hierarquias cujos Tronos regentes são os orixás com funções específicas, já que são mentais de alcance planetário, mas refletores das qualidades dos orixás naturais, estes sim, mentais de alcance multidimensionais.

Sim, enquanto um orixá regente atua em diversos níveis ou graus mediante seus auxiliares, o orixá natural atua em todos os níveis por vibrações gerais e em níveis localizados, quando assim se faz necessário. Atuando em seus regentes localizados, cada um em uma dimensão ou num de seus níveis vibratórios.

Vamos explicar rapidamente para que possam entender o que acabamos de comentar:

Ogum, como já dissemos, é guardião por excelência, que, como mental planetário, atua no sentido de manter o equilíbrio entre as muitas dimensões. Em suas vibrações energo-magnéticas retira acúmulos-excessos localizados numa dimensão ou ponto de forças e os distribui para outras onde estão carentes de energias ou os anula enviando-os para o lado negativo dos pontos de força.

Há um Trono ancestral eólico e há um Trono natural "Ogum", que se projetam e chegam aos Tronos afins assentados em pontos de forças localizados, que chamamos de orixás regentes de níveis vibratórios.

Temos, para cada dimensão, projeções do natural Ogum que atuam em níveis energo-magnéticos onde estágios da evolução se processam.

São os reinos básicos, mistos ou multienergéticos.

Os básicos são unipolares.

Os mistos são bipolares.

E os multi são de polaridades mistas. Nós, os humanos, somos assim, de polaridades mistas (positiva, neutra, negativa). Mas outras dimensões também têm essa polaridade mista.

Com isso em mente, vamos ao nosso exemplo:

Uma das projeções de Ogum que atua como regente guardião nos domínios do mar na dimensão humana, nós o chamamos de senhor Ogum Beira-Mar.

Ele atua como orixá guardião numa faixa ou nível energo-magnético de bipolaridade (terra-água).

Mas existem mais dois orixás que são projeções do natural Ogum para o mistério Iemanjá: Ogum Marinho e Ogum Sete Ondas.

Observem que todos têm algo em comum: o mar!

Mas um é Beira-Mar (água-terra); outro é Marinho (água-cristais) e outro é Sete Ondas (ar-água).

Cada uma dessas três projeções do mistério Ogum para o mistério Iemanjá localiza-se em um nível energo-magnético, e se abrem para faixas específicas de atuação, pois se no lado humano todos estão voltados para a Dimensão humana, no lado natural abrem-se para dimensões elementares.

E os três ocupam Degraus multidimensionais, pois não estão assentados em uma única dimensão, mas em faixas vibratórias ou níveis energo-magnéticos diferentes.

Uma ciência ainda não revelada ao plano material nos mostra que estes orixás são os responsáveis por reinos naturais onde estágios da evolução mais ou menos no mesmo nível que a do estágio humano se processam, mas sem que ocorra o ciclo reencarnacionista. São evoluções naturais.

Isso é confuso?

Não, nem tanto. Afinal, os orixás regentes de níveis também são mistérios parciais dos mistérios naturais.

É certo que na atual literatura instrutiva do Ritual de Umbanda Sagrada classificam o senhor Ogum Beira-Mar unicamente como Ogum de Iemanjá. Mas muitas outras atribuições ele tem.

Mas isso se deve a dois fatores:

1º — Limitar ao máximo o número de nomes para simplificar o ritual e torná-lo mais facilmente assimilável pelos seus praticantes.

2º — Inexistir uma literatura científica ou mais profunda sobre o mistério "orixás", pois o legado africano recorria, e parte ainda recorre, às lendas como meio de divulgação do ancestral culto dos orixás naturais.

Mas agora, no terceiro milênio, e com a propagação aberta da Umbanda em todos os níveis da sociedade, um conhecimento mais científico se faz necessário.

E foi essa a missão que nós, os M..L.. do Ritual de Umbanda Sagrada, recebemos: trazer para o plano material todo um conhecimento que "abre" os mistérios naturais, regidos pelos orixás.

Muitos conhecimentos fundamentais os mestres instrutores têm já fixados no plano material através de seus médiuns dedicados ao estudo mais profundo dos orixás. E porque esses conhecimentos têm despertado os umbandistas para a grandeza dos orixás, os regente acharam que era chegado o momento de abrirem um pouco mais os conhecimentos sobre os Tronos celestiais (orixás).

Até aqui abordamos os Tronos essenciais e os naturais. Mas daqui para a frente trataremos dos localizados, que estes sim, são tronos simbólicos, pois são projeções dos orixás naturais para dimensões, e nos níveis onde atuam se localizaram reinos habitados por milhões e às vezes bilhões de seres que seguem suas evoluções de forma natural. Mas, que por se processarem em paralelos com a nossa, são nossos afins em outras dimensões da vida.

21.3 Tronos Localizados

Pai Benedito de Aruanda

Os Tronos são seres responsáveis pelas múltiplas evoluções que se processam em paralelo e são mistérios da criação que identificamos como orixás, pois são os senhores do alto, condutores de todos os processos.

Não nos preocupamos muito com os seus nomes, uma vez que nem sempre os nomes refletem o ser responsável por um processo evolutivo, e mesmo um único estágio.

Temos, aqui no astral, nossa própria nomenclatura, mas que não pode ser revelada em sua totalidade ao meio material, pois velam por outros estágios e outros seres, além dos "humanos' que já abordamos.

Tudo o que aqui estamos comentando já foi do conhecimento dos humanos, mas foi recolhido pela Lei; muitos, vitimados por desequilíbrios emocionais, racionais ou mesmo consciênciais (mentes viciadas), deram mau uso ao imenso poder das energias que os mistérios, quando ativados, irradiam.

A Lei é perfeita e tudo é pensado por ela, já que o despertar da consciência num ser implica em confiar-lhe processos antes recolhidos e procedimentos antes nunca vivenciados.

A função do estágio humano da evolução tem por função dotar o ser de uma faculdade única: o livre-arbítrio!

Não pensem vocês que os encantados da natureza que se manifestam nos Rituais de Umbanda Sagrada têm o livre-arbítrio que têm um espírito Caboclo, Preto-Velho ou Exu. Enquanto estes são guiados pelas suas consciências que lhes "diz" como proceder diante dos muitos casos que seus médiuns lhes colocam, os encantados, não o são.

Eles são portadores naturais dos mistérios dos orixás maiores (regentes naturais) e não atuam com o livre-arbítrio, em momento algum.

Suas atuações são de natureza mental, energética e energo-magnética. E o procedimento de uma encantada de "Oxum" das Cachoeiras" será o de todas, sem exceção!

Atentem para isso, senão nunca entenderão os orixás.

Muitos escrevem tanto a respeito dos orixás, mas nada informam sobre essa sua natureza.

Perdem-se tentando mostrar que conhecem suas "comidas", "bebidas", cores, otás, nomes, etc.

A Umbanda é simbólica e está assentada em hierarquias de ação de trabalhos que atendem por nomes simbólicos.

Agora, esses nomes simbólicos não surgiram por acaso ou porque são "bonitinhos".

Não, não é não!

Cada nome simbólico, seja de Caboclo, Preto-Velho, Criança, ou Exu, que a bem da verdade, diga-se, são pronunciados e grafados na língua portuguesa, está ligado a um "Trono Localizado", que é um mistério em si mesmo e dá sustentação total às hierarquias a ele ligadas.

Tomemos o mistério "Sete Penas" e o desdobraremos!

Teremos as hierarquias (linhas de Caboclos e Caboclas). Assim:

Sete Penas Azuis;
Sete Penas Verdes;
Sete Penas Roxas;
Sete Penas Douradas;
Sete Penas Brancas;
Sete Penas Amarelas;
Sete Penas Vermelhas.

Temos aí as cores do arco-íris, não?

Mas ao par de uma hierarquia (Sete Penas) existem suas derivadas, que são as outras sete hierarquias, cada uma com uma cor simbólica.

E cada uma delas se multiplica por outras que dela derivam porque são hierarquias afins, cujo identificador é a cor da pena que seus membros ostentam.

Temos os Caboclos Sete Penas Brancas, mas também os Caboclos Pena Branca.

Até aqui temos visto nomes portugueses cujo simbolismo é bem visual:

Pena = saber
Branca = pureza

    Pena = Oxóssi
    Branca = Oxalá

Saber = doutrina
Pureza = verdade

Oxóssi = matas (conhecimento)
Oxalá = cristais (religiosidade)

Paremos por aqui na interpretação do nome simbólico "em português" de uma hierarquia extremamente ativa e disseminada dentro das tendas de Umbanda, e vamos à sua interpretação sintética:

"Um Caboclo Pena Branca é um espírito que está ligado ao orixá Oxóssi, mas atua sob a irradiação de Oxalá, e que tem como uma de suas atribuições velar pela pureza da doutrina dentro do Ritual de Umbanda Sagrada".

Oxóssi o sustenta pois é um "Caboclo Pena". Mas por ser Branca a sua cor, então na irradiação de Oxalá é que ele atua. E onde ele estiver, irá cuidar (velar) pela "pureza".

Essa pureza é ampla e não se limita unicamente à doutrina. Logo, a pureza da fé, do amor, do conhecimento, dos procedimentos, etc. são suas atribuições. Assim temos:

qualidades: as de Oxóssi (pena);
atributos: os de Oxalá (branca);
atribuições: doutrinador (verdade).

Vejam que tomamos o nome simbólico, em português, de uma linha de Caboclos por demais conhecida e muito estimada pelos médiuns umbandistas.

Em momento algum o Caboclo deixou de estar relacionando com os orixás Oxóssi e Oxalá. Mas, na luz da razão e do saber, não confundimos a mente de ninguém lançando-o em um emaranhado de nomes indecifráveis ao intelecto habituado à terminologia portuguesa, certo?

E, caso quiséssemos transpor essa mesma hierarquia para o panteão grego com seus Deuses (orixás) também nos seria fácil, pois lá encontramos uma divindade responsável pela pureza (Apolo).

A analogia é visível, e se aqui a ela recorremos, é para que entendam que quando falamos em religião natural estamos nos referindo a "Tronos regentes" que assumem nomes simbólicos e simbolizadores de suas qualidades, atributos e atribuições, que se manifestam a cada povo, cultura e época, com as mesmas características.

Podem assumir outros nomes e outras aparências, mas a "essência" será sempre a mesma.

Procurem na cultura e na religião hindu e Divindades análogas lá encontrarão.

Procurem na cultura e religião japonesa, persa, egípcia, judaica, ou mesmo na cristã, e Divindades análogas encontrarão.

Isso é o que há.

Quanto ao resto, são só interpretações pessoais de mistérios que se manifestam a todos, o tempo todo, e durante todos os tempos (eras).

Se assim acontece, isso se deve ao fato de que são "Tronos regentes" que velam pelos muitos processos ou estágios das evoluções.

O mais intelectualizado dos seres não conseguirá ser diferente na sua dialética eivada de termos incompreensíveis à maioria dos médiuns umbandistas, que aquele humilde e iletrado "pai-de-santo" que define Oxóssi como "o caçador", e Oxalá como o "senhor da fé".

Escrevam volumes e mais volumes sobre Oxóssi, e ele continuará sendo o caçador, pois um doutrinador de espíritos ele é... e ponto final.

Ou não é essa uma das principais atribuições dos vigorosos Caboclos dentro das tendas de Umbanda?

Tudo se sintetiza e de maneira simples nos é mostrado, ainda que os mentais hiperintelectualizados tentem esmiuçar os mistérios a partir de seus conceitos pessoais de como deve ser o orixá Oxóssi, e o expliquem com suas dialéticas fundamentadas no vasto conhecimento já acumulado.

Oxóssi continuará sendo o "caçador" e Oxalá sempre será o "Senhor da Fé".

O resto é puro abstracionismo ou desconhecimento de causa e de interpretação das lendas populares ou dos mitos religiosos.

A Umbanda está fundamentada em hierarquias cujos nomes são simbolizadores de qualidades, atributos e atribuições... assentadas em "Tronos localizados" que dão sustentação magnética, energética, vibratória, irradiante, mental e magística.

Vamos aos Tronos localizados:

Cachoeiras
Pedreiras
Montanhas
Campos
Matas
Rios
Lagoas
Mar
Cemitérios
Caminhos

Não nos alonguemos mais para explicar o que é um Trono localizado.

1 — Cachoeiras — Oxum é o mistério regente.
2 — Montanhas — Xangô é o mistério regente.
3 — Matas — Oxóssi é o mistério regente.
4 — Mar — Iemanjá é o mistério regente.
5 — Caminhos — Ogum é o mistério regente.
6 — Cemitérios — Obaluaiê é o mistério regente.
7 — Campos — Oxalá é o mistério regente.
8 — Lagoas — Nanã Buruquê é o mistério regente.
9 — Pedreiras — Iansã é o mistério regente.

Mas se essa classificação é genérica, no entanto uma outra existe e está oculta aos umbandistas, pois regem a evolução de outros seres (elementares, naturais, etc.)

Então nos limitaremos a uma abordagem superficial dos Tronos localizados para não confundirmos ainda mais o meio umbandista.

Comecemos pelas cachoeiras:

Cachoeiras

O Orixá Ancestral Mineral projeta-se e surge o Orixá Natural Oxum.

Oxum possui muitos pontos de forças localizados cujos regente locais são responsáveis por reinos elementares minerais e reinos naturais. Cada reino possui um trono Oxum a regê-lo e sustentá-lo em suas necessidades básicas.

Nesses reinos muitas evoluções se processam simultaneamente. Mas a que aqui nos interessa é a dos seres encantados Oxum, que por serem portadoras naturais de qualidades, atribuições de seus Tronos regentes e evoluírem em paralelo à dimensão humana, em seus lados voltados para o plano material, auxiliam-nos em nossas evoluções.

Então, o mistério Oxum localizado na natureza planetária nos chega por meio dos pontos de forças localizados nas cachoeiras.

Aí temos as Oxuns das cachoeiras que, por serem portadoras naturais do mistério natural Oxum, atuam no Ritual de Umbanda Sagrada de duas maneiras:

Indireta = É o Orixá Oxum natural nos guiando mentalmente e nos sustentando em nossos trabalhos espirituais, assim como, nos fornecendo todo um campo energo-magnético para que dentro de seus limites realizemos movimentações de energias. Esse campo são as cachoeiras, e os orixás ali atuantes são as Oxuns naturais.

Direita = As hierarquias espirituais erigidas sob a irradiação do mistério Oxum, e que por ele são sustentadas, atuam no plano material auxiliando os médiuns, incorporando neles, consultando os frequentadores das tendas, etc.

Esses são os guias espirituais que se apresentam com nomes simbólicos, tais como: Caboclos(as) das Cachoeiras; Sete Cachoeiras; Sete Correntes; Guaracy, etc.

Cada nome simbólico está ligado a um Trono Oxum, que rege todo um reino natural e que possui suas hierarquias naturais a auxiliá-lo na sustentação das evoluções que em seus domínios se processam.

Agora, se temos encantados(as) do mistério Oxum, então isso tem de ser interpretado corretamente, senão de nada nos adiantará comentarmos os Tronos:

Todos os médiuns filhos do Orixá Oxum vieram da dimensão natural regida pelo Orixá Oxum e têm recebido o amparo dos encantados de Oxum durante suas múltiplas encarnações dentro do ciclo reencarnacionista. E continuarão a receber essas irradiações enquanto durarem seus estágios humanos da evolução.

Logo, os filhos(as) de Oxum, não tenham dúvidas, já foram "naturais" regidos pelo mistério Oxum antes de terem adentrado em seus estágios humanos da evolução.

Essa é a verdade sobre nós, os espíritos "hoje" humanos. Um dia já fomos seres que evoluíam naturalmente e vivíamos sob a irradiação direta dos orixás naturais e éramos regidos pelos seus Tronos localizados, que são os regentes dos reinos onde as evoluções se processam.

Muitas hipóteses já foram "idealizadas" para se explicar a origem dos espíritos humanos. Mas nenhuma, apesar de brilhantes, resvalou na verdadeira origem: todos nós, os hoje espíritos humanos, um dia já fomos seres que evoluíam naturalmente.

Talvez isso elucide o mito Adão e Eva, expulsos do paraíso, onde nada lhes faltava, pois tudo lhes franqueava o Criador.

Eu mesmo, Benedito de Aruanda, que já desencarnei há vários séculos, deixei alguma coisa acerca disso escrita aí no plano material que, se não é uma verdadeira comédia sobre as coisas divinas, no entanto é uma divina comédia. Mas... deixa estar!

O fato é que o Trono Oxum localizado nas cachoeiras, e cujo lado voltado para o plano material auxilia os espíritos encarnados a evoluírem, é um mistério tão antigo que através dos tempos veio assumindo nomes os mais diversos. E se na Umbanda tem o nome de Orixá Oxum, é porque foi do culto aos orixás que surgiu o Ritual de Umbanda... e não o contrário, como alguns autores umbandistas desejam incutir na mente dos adeptos dos orixás.

Tanto faz existir a Umbanda como não, e os orixás continuarão a existir e a influenciar a evolução humana, ainda que sob outros nomes eles se manifestem.

Agora... sem os orixás... um Ritual de Umbanda nunca será possível.

Afinal, "Apolo" já cumpriu sua função junto a outras divindades gregas, e o mestre Jesus cumpre a sua junto aos cristãos. E, caso não saibam, são mistérios do mistério de Oxalá, que é o "Orixá" Natural Ancestral planetário multidimensional assentado no Trono cristalino, que ao irradiar-se continuamente projeta-se naturalmente através de vibrações de fé.

Assim, o Trono Oxum projeta-se para a dimensão material através das cachoeiras, onde tem seu santuário natural que dispensa imagens, mas não a fé de seus filhos, filhas e crentes naturais que lá a reverenciam e dela recebem irradiações altamente vibrantes, energizantes e magnetizadoras.

Isso é um Trono localizado.

O mistério mineral o identificamos por analogia com o orixá natural Oxum, que também é responsável pelo magnetismo que atrai espíritos de sexos opostos, mas de magnetismos afins que se ligam, casam-se e geram filhos(as), dando continuidade ao ciclo reencarnacionista.

Esse é um dos mistérios do mistério Oxum.

Mas muitos outros são identificáveis, caso estudemos suas encantadas naturais.

Passemos a outro Trono, o da justiça, para concluirmos este capítulo.

Xangô é identificado como o Senhor da Justiça dentro do Ritual de Umbanda Sagrada.

O Trono planetário que atua mentalmente em todas as dimensões da vida, sempre velando pelo equilíbrio mental, também é identificado com o fogo.

Mas um Trono planetário, ao projetar-se mentalmente, chega-nos em vários níveis e de muitas maneiras.

Logo, o Senhor da "Razão" e da "Justiça" também é o Senhor do "Fogo Purificador".

Como orixá natural, o Trono Xangô projeta-se em todas as dimensões e nelas possui Tronos localizados que, em seus lados voltados para a dimensão humana, encontramos vários "Xangôs".

Xangô de Pedra Negra,
Xangô das Pedreiras,
Xangô da Terra,
Xangô das Sete Montanhas,
Xangô do Tempo (raios),
Xangô das Cachoeiras,
Xangô da Pedra Branca, etc.

Cada um desses Tronos Xangô são Tronos localizados que regem os "procedimentos" dos seres em evolução dentro dos domínios ou reinos regidos por seres encantados em níveis diversos de evolução.

Os naturais Xangô são os responsáveis pelos equilíbrios mentais e atuam até certo ponto como verdadeiros juízes ou... legisladores, pois têm por função manter os processos evolucionistas e impedir extrapolações de funções entre os Tronos naturais localizados.

Observem que citamos vários Tronos localizados do orixá natural Xangô, que é uma projeção mental do regente planetário que rege a dimensão original ígnea.

Esses orixás, dentro do Ritual de Umbanda Sagrada, cada um deles, possuem hierarquias naturais (encantados) e espirituais (espíritos humanos), todos atuando no sentido de limitar as ações ou de estimulá-las, mas sempre guiados pelo senso de justiça... divina.

Os filhos de Xangô, não tenham dúvidas, um dia já viveram sob a irradiação direta do orixá natural Xangô, e evoluíram naturalmente em algum domínio ou reino regido por um de seus Tronos localizados.

Uma observação: é comum os "pais e mães no Santo" identificarem o orixá ancestral de seus filhos a partir das datas de seu nascimento. Mas isso não é correto, pois um regente ancestral natural não muda a cada encarnação.

O orixá ancestral é sempre o mesmo.

Já a data de nascimento indica a irradiação planetária que predominava no momento do nascimento de alguém.

Um ser regido pelo fogo (Xangô) pode nascer em um dia regido por Iemanjá (água), que continuará a ter uma natureza íntima ígnea. Apenas o elemento água servirá como atenuador de sua "incandescência"... e nada mais.

Orixá regente ancestral é sempre o mesmo, "o ancestral".

Orixá regente de uma encarnação é o de "frente".

Orixá equilibrador é um "oposto" ao de frente.

Mas... misturaram tantas coisas no decorrer dos milênios, que por bem anualmente olham a data do nascimento de alguém e já dizem:

"Você é filho de tal orixá!" Paciência.

Afinal, abstracionismo é o meio mais fácil de se solucionar processos identificadores de uma verdadeira origem elemental básica, muito complicados para o atual estágio do Ritual de Umbanda Sagrada.

Numerólogos, teólogos, astrólogos, quiromantes, cartomantes, advinhos, etc...etc..., todos querem influir na Umbanda... e marcarem suas presenças.

Logo... paciência, não?

Mas não se preocupem porque há uma deficiência em estabelecer-se as origens de ser; no entanto o Ritual de Umbanda permite que cada um vá estabelecendo ligações múltiplas com seus orixás afins, e assim, inconscientemente, muitos vão sendo atraídos onde um dia, há muito tempo, neles já estagiaram.

Bem, não vamos esmiuçar todos os Tronos localizados, porque nesses comentários a nossa intenção é apenas expandir o campo de pesquisas e meditações dos encarnados.

Esperamos que tenham entendido que os Tronos localizados são os responsáveis diretos pelos estágios, níveis e reinos onde a evolução se processa.

Quando falamos em reino, estamos nos referindo ao plano específico dentro de toda uma dimensão que muitos outros reinos possui.

Quando falamos em domínio, referimos-nos ao campo de atuação dos Tronos. Uns atuam por meio da fé, outros do amor, outros por meio da razão, outros da geração, etc.

Quando falamos em níveis, queremos dizer estágios da evolução.

21.4 Tronos Minerais

Com. Pai Benedito de Aruanda.

Já comentamos, superficialmente, os Tronos localizados e suas funções.

Agora vamos comentá-los mais profundamente, abordando, daqui em diante, os tipos de Tronos (mistérios) que formam os Degraus naturais onde estão assentadas tanto as hierarquias naturais (encantados) quanto as hierarquias humanas (espíritos).

Os Tronos minerais, como já dissemos, são projeções do mental planetário "Oxum", que é o orixá ancestral regente da dimensão básica mineral.

Cada Trono mineral é um mistério em si mesmo, pois através dele o orixá ancestral Oxum projeta-se e torna-se "visível" aos seres que evoluem sob sua irradiação mental planetária e vibrações energo-magnéticas.

Vocês já viram na tabela periódica o nome de elementos químicos, não?

Lá, cada um tem sua massa, e é classificado segundo uma "convenção" humana para que todos falassem a mesma "língua" química, certo?

Pois aqui, para comentarmos os Tronos minerais, todos regidos pelo mistério Oxum, temos de ordenar os Tronos, senão não é possível nos fazer compreensíveis.

Já comentamos que muitos dos nomes que provieram da "mãe África" são afins, pois se referem aos mesmos mistérios (Trono natural).

Então não vamos nos fixar neles, mas sim em nomes simbólicos "portugueses" que revelarão as qualidades, os atributos e atribuições dos Tronos minerais.

Comecemos por dizer que os minerais são parte do alimento dos seres humanos, dos animais e dos vegetais.

Por animais entendam mamíferos, aves, peixes, etc.

Por vegetais entendam também as subespécies, tais como: fungos ou algas, já que as ciências humanas estão se apurando a tal ponto que já conseguem visualizar distinções básicas e funcionais em microorganismos ou microvidas. E isso já era mais que necessário.

Logo, o mistério Oxum, "mineral" por excelência e regente natural de 77 dimensões minerais, todas elas habitadas por seres, possui muitos Tronos localizados, e muitos Degraus específicos responsáveis pela condução desses seres, pois se o mental Oxum atua no nível planetário e abrange a "todos" os seres viventes com suas vitalizadoras vibrações energo-magnéticas, também atua "individualmente" sobre a evolução que se processa nas dimensões trienergéticas ou mais, onde seus reinos naturais estão assentados e são regidos pelos Tronos localizados, que no Ritual de Umbanda recebem o nome de orixás.

Orixás localizados são os refletores parciais de projeções planetárias dos orixás ancestrais.

E esses orixás regentes projetam-se nos Tronos locais (específicos) que existem em cada um dos níveis evolutivos.

Como nós aqui abordamos o Trono Oxum, mineral por excelência, então vamos a eles, os Tronos locais:

Cada orixá tem hierarquias naturais (Degraus) que o auxilia na execução de suas atribuições.

Esses Degraus são multidimensionais e atuam com alguns lados voltados para a dimensão humana e outros para as dimensões naturais. Mas todos estão voltados para alguma das dimensões elementares puras (originais).

Assim explicado, então que fique entendido que o "Trono Oxum" é mineral "puro", mas que em suas "faces" voltadas para a dimensão humana manifesta-se através das "cachoeiras" e "fontes" naturais cujas águas são "minerais".

Em hipótese nenhuma o Trono Oxum interfere em algum ponto com o "Trono Iemanjá". E se alguns autores umbandistas colocam Oxum como uma "Cabocla" de Iemanjá, devem ter suas razões, que aqui não vamos discutir.

Razões são para serem aceitas ou refutadas, e nós, Pai Benedito de Aruanda, que somos graus de Oxum, a essas refutamos, mas não polenizamos, já que percebemos que a intenção de quem assim procede é a de "racionalizar" as linhas de Umbanda e juntar os muitos orixás em sete linhas, atitude louvável em face da bagunça generalizada que semearam no plano material quanto aos muitos "orixás".

E, se a Sagrada Oxum não se incomodou quando a classificaram como Cabocla de Iemanjá, então é sinal de que ela aceitou essa "racionalização". E ponto final.

Mas como o nosso objetivo é outro, então vamos aos Tronos minerais:
- Trono Oxum das Cachoeiras;
- Trono Oxum das Fontes;
- Trono Oxum do Ouro;
- Trono Oxum da Prata;
- Trono Oxum do Ar (arco-íris);
- Trono Oxum das Pedras (minerais cristalinas);
- Trono Oxum do Coração.

Interpretemos estes Tronos:

1— **Trono Oxum das Cachoeiras**: é um Trono trienergético, cujo fundamento básico é mineral-aquático.

O mistério "Oxum", através desse Trono localizado, absorve do plano material energias mistas (aquáticas, aéreas, terrenas) e as distribui aos reinos naturais habitados por seres naturais cujas evoluções se processam em dimensões paralelas à humana.

Esses seres são os encantados de Oxum e muitos deles, atuando no lado voltado para a dimensão humana, são as Oxuns que baixam nas tendas de Umbanda ou roças do Candomblé quando o Orixá Oxum é invocada por meio dos toques e cantos litúrgicos afins.

Essas Oxuns são as "Orixás Menores" e, apesar de serem portadoras de qualidades e atributos afins com o orixá natural Oxum, têm atribuições limitadas na dimensão humana.

Por serem seres cujas evoluções não adentram no ciclo humano (reencarnacionista), não estão sujeitos às nossas vicissitudes humanas.

Ódio, ira, inveja, sabedoria, etc. não são conhecidos por elas. E, por causa disso, se seus médiuns incorporantes vibram tais sentimentos negativos, tentam anular neles esse negativismo. Mas, caso não lhes seja possível, então se afastam e recolhem-se por completo nos seus pontos de forças naturais, ficando no aguardo de uma retificação emocional, consciencial e mental de seu médium, que, com certeza, ocorrerá futuramente.

A maioria das encantadas de Oxum que "baixam" nos médiuns são das cachoeiras, e só raramente alguma encantada do Trono do ouro o faz.

Mas o Trono das Cachoeiras também controla o fluxo energético irradiado pelas "quedas" d'água, e que é absorvido e irradiado na dimensão mineral, proporcionando fluidez nas correntes energéticas minerais.

2 — **Trono das "Fontes"**: É um Trono que tem por atribuição irrigar com água (energias fluídicas aquáticas) a dimensão elementar "terra-água", regida pelo orixá "Nanã Buroquê", que em verdade é a senhora do "Áxé" bipolar energo-magnético que decanta as águas (emocionais) revoltas (humanos).

As encantadas do Trono Oxum das Fontes nunca incorporam. Mas sempre que acontecem nas tendas as manifestações de Crianças (erês ou ibejis), lá estão elas a vigiar as manifestações dos naturais "infantis" (ibejis), ou dos erês (espíritos humanos).

Sim, ibejis são encantados da natureza, e eles são os espíritos que baixam nos médiuns durante as festas de Cosme e Damião ou em consultas regulares.

As encantadas do Trono das Fontes são inspiradoras da fé, e quando têm algum "protegido" (a) no plano material, estes (as) tornam-se ótimos (as) benzedoras de crianças, por causa do imenso amor que irradiam para os encantados pequeninos.

Tudo isso são mistérios do Orixá Natural Oxum, a orixá maior, que tanto os praticantes do ritual africano quanto os do Ritual de Umbanda desconhecem.

Os primeiros porque se apegam em lendas "fechadas", e os segundos porque não atentam para o simbolismo das "Caboclas de Oxum" que incorporam durante os trabalhos práticos.

"Aqui abrimos parênteses para ensinarmos um procedimento curador nos domínios do "Trono das Fontes", e se isso aqui fazemos, é porque nos foi exigido pela nossa amada mamãe Oxum das fontes cristalinas: quando uma mamãe sentir que o seu filhinho(a) estiver com algum "encosto", quebranto, mau-olhado, lombrigas agitadas, assustado, com vômitos após o aleitamento, e com o sono trocado, basta ir até uma fonte natural cristalina própria para consumo humano levando uma garrafa para colher água.

Mas antes deve acender uma vela azul e outra branca, oferecendo-a à senhora Oxum das Águas Cristalinas para que cure seu filho(a).

Após este pedido, colher um pouco da água cristalina e banhar a coroa da criança (alto da cabeça) e dizer: Com o axé da Senhora Oxum das fontes cristalinas da água da vida te purifico".

Quanto à água colhida na garrafa, chegando em casa deve coá-la e dá-la à criança de tempo em tempo, dizendo: Beba o axé da vida que é bálsamo natural e sagrado".

Só não tornem um procedimento o que é um ato de fé e de amor em uma panaceia ou em um fugir dos deveres de mãe, que sempre devem estar atentas quanto à saúde e bem-estar de seus filhinhos(as).

Afinal, essa "simpatia" não se aplica a doenças infecto-contagiosas, certo? E muitas vezes a "insônia" dos bebês deve-se a doenças bem conhecidas e fáceis de serem curadas pelos pediatras, que não entendem de axés divinos, mas conhecem e identificam muito bem as doenças infantis, assim como as mães relapsas.

As bênçãos do Trono Oxum das Fontes Cristalinas a todas as "criancinhas"!

Nós, os "negos" Benedito de Aruanda somos, todos nós, regidos pelo mistério e Trono Oxum das Fontes Cristalinas, que é uma das orixás intermediárias para a linha de Oxalá e Nanã Buroquê.

3 — **Trono Oxum do "Ouro"**: É um Trono que tem por atribuição enviar continuamente para o plano material um imenso fluxo energético que ativa a produção de hormônios. Todos os hormônios, certo?

Esse fluxo "dourado" flui por meio do "prana", e tanto é absorvido pelos "animais" quanto pelos vegetais, peixes, répteis, etc. Neste mistério energo-magnético regido pelo Trono Mineral Oxum do Ouro está o fundamento onde se assenta a forte sexualidade atribuída ao orixá Oxum.

O "mineral" ouro também estimula a sexualidade caso o usem junto ao vosso corpo, assim como ajuda a regular o emocional muito "sensível", baixando as vibrações. O cobre também tem qualidades do ouro.

Mas o fato é que o Trono Mineral Oxum do Ouro rege todo um fluxo energético que provém de uma dimensão elementar "aurífera" pura, e ao misturar-se ao prana é absorvido principalmente pelo chacra básico, e em menor quantidade pelo chacra umbilical.

Observem que sem recorrermos à nomenclatura africana estamos revelando mistérios que até os mais profundos conhecedores do ritual africano do culto aos orixás desconhecem seus fundamentos e axés energéticos.

Se aqui o fazemos, é porque fomos instruídos por nossa regente natural, a orixá Oxum, senhora de todos os axés minerais, inclusive o das águas cristalinas e do "ouro", energia pura.

Já recomendamos para as fontes as velas azuis e brancas. E para o Trono Oxum do Ouro, as amarelas são as recomendadas.

Logo, parem com vossas discordâncias quanto à cor de Oxum, pois ela irradia o "Arco-íris Sagrado" que é composto de 77 cores originais puras, e que não são as refletidas pelo arco-íris que se forma com as gotículas suspensas no ar. Estas apenas estão entre as 77.

4 — **Trono Oxum da Prata**: É um Trono mineral lunar, ou seja, atua preferencialmente à noite e rege a geração.

Essa geração, entendam, é o crescimento dos corpos no plano material, que acontecem durante a fase crescente da lua, e atingem seu apogeu na lua cheia, mas estacionam na lua minguante.

Portanto, o mistério Oxum da Prata deve ser invocado em seu apogeu energético (lua cheia), somente.

E para quem aprecia adornos de prata, saibam que na lua nova são neutros, na lua crescente são condensadores de energias, na lua cheia são irradiadores de energias e na minguante são absorvedores de energias... humanas inclusive.

Logo, evitem a prata na lua minguante.

E se tiverem um pouco de paciência verão que é na lua minguante que a prata menos brilha... ou se torna mais opaca.

Uma outra observação: a prata atua como inibidora hormonal, é bloqueadora da sexualidade.

Mais não revelamos, pois temos limites a respeitar na abordagem dos mistérios naturais.

5 — **Trono Oxum do Ar**: Tem por atribuição inundar o plano material e espiritual com irradiações energéticas "minerais".

Por isso dissemos que também é o "Arco-íris mineral", porque esses Tronos irradiam fluxos multicoloridos que vão se espalhando e se integrando ao prana, tornando-o multicolorido.

O chacra coronário é o principal absorvente dessas energias minerais puras.

Observem que aqui falamos de energias elementais, que não têm como ser comparadas às energias irradiadas pelos minerais do plano material.

Se nos fosse possível uma mensuração, diríamos que eles estão para os átomos assim como estão para o sol. Nessa proporção, certo?

O Trono Oxum do Arco-íris é mineral por excelência e são raríssimos os médiuns que têm uma de suas encantadas naturais como sua Oxum pessoal. São lindíssimas de se ver, quando nos são mostradas, e por uma dádiva de Oxalá, nosso médium psicográfo é protegido de um Trono Mineral do arco-íris sagrado, e a nós ela já não se oculta.... muito.

Mas, se assim procedem, acreditem-nos, é porque a simples visão de uma encantada do Arco-íris sagrado nos emocionaliza tanto que nossos olhos começam a verter tantas lágrimas que até parecem fontes de lágrimas de amor.

Afinal, o mistério Oxum é o amor por excelência!

6 — Trono Mineral Oxum das Pedras: É o Trono regente dos axés das pedras, que nada mais são que irradiadores de energias minerais.

Lendas são lendas, mas se as conhecermos em suas origens e mistérios que ocultam, com certeza diríamos que esse Trono mineral é a Oxum das lendas que arrebatou o coração de Xangô, Ogum, Exu... e de todos os orixás.

Se nos permitimos esse comentário, só o fazemos para observar que esse Trono Mineral Oxum é o responsável pelas intermediações com os orixás regentes de domínios ou reinos elementares onde as evoluções naturais se processam.

As encantadas do Trono Mineral das Pedras, cobertas por suas vestes vistosas e enfeitadas com pedras multicoloridas são também portadoras de "respeitáveis" espadas "ancestrais" e velam todos os Tronos minerais "Oxum".

São as únicas Oxuns a portarem espadas simbólicas ancestrais... e regem todas as hierarquias de ação e trabalhos que atuam na Umbanda Sagrada que são formados por espíritos femininos.

Caboclas ou Bombogiras regidas pelo mistério "Oxum" atuam amparadas por essas encantadas que dizem ser ciumentas, mas na verdade são, e como são!, aguerridas na defesa de seus filhos(as) ou dos pontos de forças sob sua guarda.

São "despachadas" e "expeditas" no cumprimento de suas atribuições junto aos outros orixás regentes de Tronos localizados.

Muito pouco já foi escrito a respeito do verdadeiros mistérios dos "orixás". E muito menos a respeito do mistério Tronos Negativos.

Mas aqui adiantamos que as Bombogiras das "cachoeiras" são as mais temidas pelo astral negativo. As únicas que a elas se comparam são as elementais ígneas da orixá Iansã... das pedreiras!, cujo Trono Ígneo não é desafiado pelos negativos senhores dos embaixos das grandes religiões abstratas.

Os famosos "demônios" cristãos, islâmicos ou hebreus fogem mais delas que o diabo da cruz, se é que isso acontece, certo?

Mas o fato é que as hirarquias espirituais humanas ligadas às "cachoeiras" têm no Trono mineral das pedras suas defesas naturais.

São ciumentas essas encantadoras encantadas de Oxum? pergunto eu, Benedito de Aruanda, M...L...

De jeito nenhum! — responde-me uma que tem por dever e atribuição observar tudo o que aqui revelo ao plano material, para acrescentar: somos só um pouco possessivas... e nada mais, completa ela candidamente!

7 — Trono Oxum do "Coração": É por excelência o Trono responsável pelo amor.

Atuam através do emocional humano e desbloqueiam os sentidos do amor obstruídos por mágoas, desilusões ou desencantos amorosos... em todos os níveis e sentidos.

Não vão pensar que o amor a que nos referimos é só o dos casais.

O amor se manifesta em todos os sentidos e através do emocional humano esse Trono desobstrui os canais da fé amorosa, do prazer no aprendizado, na alegria da música, etc.

Por isso chamamos esse Trono mineral de Trono Oxum do Coração.

O axé é o amor puro e as encantadas desse Trono mineral muitas vezes assumem (plasmam) aparências de espíritos humanos para melhor atuarem junto aos encarnados.

Através desse Trono mineral, as energias minerais são lançadas no prana, em um nível vibratório tal que o chacra do coração, emocional por excelência, as absorve em abundância quando vibramos sentimentos de amor, humildade, caridade e compreensão, e não as absorve caso os sentimentos sejam os opostos negativos.

Observação: No Trono Mineral do Ar, revelamos que é responsável pela intermediação nas manifestações divinatórias (oráculos, búzios, etc.), mas se nada comentamos, é porque é assunto interditado ao plano material. Ifá não se revela de jeito nenhum.

Logo, fiquem com as lendas, pois muito podem descobrir a partir de suas corretas interpretações.

Agora passemos aos desdobramentos dos Tronos minerais que acontecem nas hierarquias humanas erigidas em paralelo às naturais que servem aos regentes planetários:

Trono Oxum das Cachoeiras

Hierarquias masculinas: Caboclas, Pretos-Velhos, Exus, Erês masc.
Hierarquias femininas: Caboclos, Pretas-Velhas, Bombogiras, Erês fem.

O Trono mineral Oxum das Cachoeiras tem atualmente (1996), a servi-lo no Ritual de Umbanda Sagrada:

Vinte e uma linhas de Caboclos,
Dezessete linhas de Caboclas,
Treze linhas de Pretos-Velhos
Dezesseis linhas de Pretas-Velhas,
Quartoze linhas de Exus,
Dezenove linhas de Bombogiras,
Treze linhas de Erês masculinos,
Nove linhas de Erês femininos.

Cada uma dessas linhas é uma hierarquia já assentada à direita ou à esquerda do Degrau das Sete-Cachoeiras, cujo Trono regente é a senhora Oxum das Cachoeiras.

Cada hierarquia é identificada por um nome simbólico cujos fundamentos energo-magnéticos são correspondentes aos mistérios ocultos do Trono mineral Oxum das Cachoeiras.

A formação dessas linhas de ação e trabalhos, todas elas em acordo com o Ritual de Umbanda Sagrada, fundamentadas na "Tradição Ancestral", foi iniciada no ano de 1869 d.C, e envolvem muitos milhares de espíritos humanos afins com o mistério maior Oxum, em cuja tela mental planetária refletem todas as ações e trabalhos realizados pelos espíritos ligados ao Trono das Cachoeiras.

Existem linhas de Caboclas que agregaram às suas falanges de "ação e reação" dezenas de milhares de espíritos femininos. Por isso, não existe um número fixo ou limitador dos membros de uma hierarquia.

Só os Caboclos e Caboclas "Lírio" Azul chegam a quase 300 mil espíritos incorporados às suas falanges de ação e trabalhos.

— Acham muito?

— Pois saibam que o Trono Oxum das Fontes possui uma linha de Caboclas com mais de um milhão de espíritos femininos incorporados a ela. "São as Caboclas Guaracy".

Esses mistérios, infelizmente, os "escritores" umbandistas desconhecem e não propagam aos adeptos do Ritual de Umbanda Sagrada.

Mas saibam que o Ritual de Umbanda é uma ação iniciada pela Tradição Natural que visa a recompor todo um ritual voltado em sua vertente humana para o resgate de espíritos afins com os Tronos naturais, tal como se era feito em outras eras, em que as divindades maiores se mostravam a todos nos seus pontos de forças naturais.

Nós, Benedito de Aruanda, M..L..., estamos aqui, contribuindo para o despertar dessa "consciência" que, se compreendida em sua plenitude, com certeza libertará os encarnados das garras do fabulismo, do ilusionismo, do magismo, do fetichismo e da ignorância que tem paralisado a tantos e por tanto tempo nos limites restritos das religiões abstratas.

Outra não é nossa intenção, assim como outra não foi a recomendação que recebemos dos sagrados regentes naturais: "Libertem os espíritos humanos das garras dos abstracionistas, dos mentalistas e dos ilusionistas"!.

Revelar aqui o mistério "Trono" na forma mais simples que nos é possível faz parte desse esforço intentado por muitos mentores inspiradores de médiuns escritores umbandistas.

Mas, infelizmente, muitos não dão o devido valor às mensagens recebidas, ou mesmo, às muitas tentativas de fixá-las durante os trabalhos espirituais, pois a maioria dos filhos-de-fé "apreciam" muito mais os feitos miraculosos dos guias espirituais que de suas doutrinadoras mensagens. Paciência, certo?

Trono mineral Oxum das Fontes

Hierarquias:
Dezessete linhas de Caboclos,
Dezesseis linhas de Caboclas,
Quatorze linhas de Pretos-Velhos,
Dezenove linhas de Pretas-Velhas,
Quatorze linhas de Erês masculinos,
Dezesseis linhas de Eres femininos,
Vinte e uma linhas de Exus,
Vinte e três linhas de Bombogiras.

Trono mineral Oxum do Ouro

Hierarquias
Dezenove linhas de Caboclos,
Vinte e oito linhas de Caboclas,
Sessenta e duas linhas de Pretos-Velhos,
Sessenta e sete linhas de Pretas-Velhas,
Vinte e duas linhas de Erês masculinos,
Vinte e oito linhas de Erês femininos,
Setenta e duas linhas de Exus,
Setenta e sete linhas de Bombogiras.

Trono mineral Oxum da Prata

Hierarquias
Três linhas de Caboclos,
Três linhas de Caboclas,
Seis linhas de Pretos-Velhos,
Seis linhas de Pretas-Velhas,
Oito linhas de Erês masculinos,
Oito linhas de Erês femininos,
Setenta e sete linhas de Exus,
Setenta e sete linhas de Bombogiras.

Trono mineral Oxum do Ar (Arco-íris Sagrado)!

Hierarquias
Setenta e sete linhas de Caboclos,
Setenta e sete linhas de Caboclas,
Setenta e sete linhas de Pretos-Velhos,
Setenta e sete linhas de Pretas-Velhas,
Setenta e sete linhas de Erês masculinos,
Setenta e sete linhas de Erês femininos,
Setenta e sete linhas de Exus,
Setenta e sete linhas de Bombogiras.

Trono mineral Oxum das Pedras

Hierarquias
Setenta e sete linhas de Caboclos,
Setenta e sete linhas de Caboclas,
Setenta e sete linhas de Pretos-Velhos,
Setenta e sete linhas de Pretas-Velhas,
Setenta e sete linhas de Erês masculinos,
Setenta e sete linhas de Erês femininos,
Setenta e sete linhas de Exus,
Setenta e sete linhas de Bombogiras.

Trono mineral Oxum do Coração

Hierarquias
Trezentas e trinta e três linhas de Caboclas,
Duzentas e dezoito linhas de Caboclos,
Trezentas e trinta e três linhas de Bombogiras,
Setenta e sete linhas de Pretos-Velhos,
Setenta e sete linhas de Pretas-Velhas,
Setenta e sete linhas de Erês masculinos,
Setenta e sete linhas de Erês femininos,
Duzentas e dezoito linhas de Exus.

Aí temos todas as hierarquias humanas erigidas em paralelo com as hierarquias naturais regidas pelo orixá maior, ancestral, planetário e "natural" "Oxum", que nos desculpem os ignorantes, não é e nunca foi uma "Cabocla" de Iemanjá.

Oxum é essência mineral;
Oxum é regente planetária;
Oxum é Trono celestial;
Oxum é Trono ancestral;
Oxum é mistério divino do Setenário Sagrado:

Água = Iemanjá
Terra = Obaluaiê
Fogo = Xangô
Ar = Ogum
Vegetal = Oxóssi
Cristalino = Oxalá
Mineral = Oxum

A chegada a esses nomes "africanos" se processou por comparatividade de qualidades, atributos e atribuições, assim como por revelação direta dos próprios orixás sagrados.

É certo que outros nomes podem ser adaptados a esses "elementos-essências" puras, mas dentro do Ritual de Umbanda Sagrada, Ogum, Oxóssi e Xangô, que são guardiões das essências, assumiram no plano material o grau de senhores dos mistérios. Mas, mesmo que saibamos que são só os seus guardiões, também nos atemos à lógica natural: adaptar e simplificar o Ritual de Umbanda Sagrada de forma tal que, dentro dele, os mentalistas e abstracionistas não venham a torná-lo incompreensível ou inaceitável à "maioria".

É certo também que onde quer que aconteça uma manifestação realizada em nome da Umbanda, lá estará um espírito humano incorporado a alguma de suas hierarquias. E se não estiver incorporando, estará vigiando os espíritos ainda não agregados, mas que se manifestam como se tal já fossem. E mais dia ou menos dia, colhido por uma das sete telas planetárias, com certeza será.

"Tudo é questão de tempo e "Tempo" o Ritual de Umbanda Sagrada também tem!"

Por isso entendam que Tronos celestiais são regentes de "todas" as evoluções que nesse abençoado planeta se processam, todas em paralelo umas às outras.

Entendam também que nunca aconteceu uma "revolta" de anjos contra Deus, ou uma queda dos espíritos.

Isso tudo é uma ilusão dos criacionistas mentalistas petrificados nos conceitos dúbios das religiões abstratas, que por não saberem explicar as "dificuldades" do ciclo reencarnacionista da evolução preferem criar fantásticas e mirabolantes "histórias" que começam por negar o que mais apregoam: Deus onipotente, onisciente, onipresente e oniquerente.

Uns atribuem tanto poder ao "diabo" que se lhes dermos créditos, acabamos por duvidar de Deus, etc.

Outros, já incrustados dentro da Umbanda, começam a pecar pelos mesmos vícios e métodos: atribuem a "Exu" qualidades que só a Deus pertencem.

E por aí vai o abstracionismo que interpreta uma lenda, lhe dá vida, a enriquece com seu intelectualismo e a divulga com a verdade última e inquestionável.

Inferno é um "estado" dos espíritos desequilibrados mentalmente, emocionalmente e energeticamente.

E céu, oras!. É o estado natural dos espíritos humanos conscientes e concientizados!

Essas linhas ligadas aos Tronos minerais são, cada uma delas, uma linha de ação nas esferas espirituais e de trabalhos no plano material.

Nem todas já estão completas, pois para ser considerada como tal, é preciso que todos os seus graus positivos e negativos estejam ocupados por espíritos humanos.

Uma linha de ação e trabalho é formada por um(a) hierarca detentor(a) de um grau em um Degrau, e portador de um mistério ligado ao seu Trono regente.

Os Tronos são ocupados pelos orixás regentes, os Degraus são ocupados por hierarcas da tradição natural. Logo, se no Ritual de Umbanda "baixa" um Caboclo Sete Pedras, saibam que há toda uma linha de ação e trabalhos regidos por um hierarca que atende pelo nome simbólico de Senhor Caboclo Sete Pedras.

Mas, esse mesmo hierarca, por ser um portador natural do mistério das Sete Pedras, ocupa um grau natural do Degrau Ancestral das Sete Pedras, cujo regente natural outra não é senão a senhora Oxum das Pedras.

Ela é irradiadora para a dimensão humana (matéria-espírito) desse mistério da orixá natural Oxum (orixá maior). Como ela é um Trono mineral (divindade da essência mineral) irradiadora do mistério das Sete Pedras, então é em seus domínios energo-magnéticos que o senhor Caboclo das Sete Pedras está assentado e fundamentado.

Uma observação:

Com certeza vocês pensavam que o "mistério" Sete Pedras pertencia ao Orixá Xangô, certo?

Saibam que o mistério Sete Pedras é um dos mistérios da senhora Oxum, a orixá natural e "maior". Já o Trono Mineral das Pedras, regido pela senhora Oxum das Pedras, é irradiador para os Tronos naturais regidos pelo mistério Xangô.

Muitos desconhecem o mistério "Trono" e as hierarquias de ação e trabalhos sustentados por eles.

Afinal, uma "firmeza" de um Caboclo Sete Pedras tem de ser feita nos domínios energo-magnéticos do Orixá Oxum, e não nos do senhor Xangô.

Mas, em virtude da falta desses conhecimentos para os médiuns, os orixás relevam e dão tempo ao tempo para que um ritual sagrado tão "rico" em mistérios como é o Ritual de Umbanda venha a se estruturar também no plano material.

Um Caboclo Sete Pedras pode atuar na irradiação de senhor Xangô. Mas seus fundamentos estão assentados em um grau à direita do Trono mineral Oxum das pedras.

Muitos são os mistérios do Ritual de Umbanda Sagrada. E "Tronos" é o fundamentador de muitos deles.

Existe uma dimensão elementar básica ígnea.

Existe um mistério divino que nominamos de Iá-Ag-iim-yê ou senhor do Fogo Vivo.

Existe um Guardião deste mistério que chamamos de Ag-iim-Ior--Hesh-yê, que outro não é senão o senhor Ogum-yê do Ritual de Umbanda Sagrada.

Ior-Hesh-yê é o Guardião deste mistério, pois é "ar", e tanto pode intensificar esse fogo vivo como pode diminuí-lo. Ou não é isso que acontece com as chamas do fogo material: só há combustão caso exista oxigênio?

Oxigênio não é o fogo, mas tão somente seu sustentador.

O mistério "Guardião" inicia-se nessa comparação com as chamas materiais: o ar as limita, as sufoca ou as estimula.

Um "guardião" tem também o seguinte poder: ele pode limitar a ação de uma essência, pode intensificá-lo ou pode até anulá-la, tudo depende de quais são suas necessidades imediatas.

Logo, Ogum é orixá "manipulador" do fogo, mas sua essência é eólica.

O mesmo ocorre com Oxóssi: sua natureza é eólica, mas como guardião da dimensão e reinos vegetais, ele é um manipulador natural dos mistérios vegetais.

Além do mais, o ar é por onde as essências fluem naturalmente. E por meio de Oxóssi as essências vegetais fluem.

Muitos mistérios ainda aguardam o momento mais propício para se revelarem.

E com certeza chegarão, pois se a nós foi confiada a missão de trazer para o plano material alguns comentários a respeito dos orixás sagrados, outros Mestres da Luz também têm missões semelhantes, abordando estes ou outros aspectos "ocultos" do Ritual de Umbanda Sagrada.

Esperamos que médiuns cônscios de seus deveres desenvolvam em seus grupos de estudos pesquisas profundas junto aos seus mentores acerca do que estamos comentando, pois nosso objetivo não é lhes apresentar uma "obra acabada", uma "codificação", pois no Ritual de Umbanda Sagrada nada é estático. Nele a própria evolução se processa, é célebre.

Logo, não parem onde paramos!

Desenvolvam pequenos grupos fechados de estudos e pesquisas acerca dos nossos comentários, e muito mais vossos mentores, num nível particular, vos revelarão, dando-lhes subsídios preciosíssimos para melhor atuarem nos domínios dos Tronos naturais, os orixás sagrados.

Saibam que, para a dimensão humana, só esses sete Tronos de Oxum estão voltados e abertos ao conhecimento, aos trabalhos e às ações espirituais. Logo, tenha o nome africano que queiram por aí nominá-las, só sete Oxuns minerais, cada um atuado num nível mental e num grau energo-magnético, à vossa disposição estão.

Mas quanto às linhas de ação e trabalhos, os números que aqui demos referem-se apenas até o dia de hoje: 18-7-96 d.C., pois amanhã outra ou mais uma poderá estar se iniciando em um desses sete níveis Oxum. Ou alguma, já estabelecida, pode simplesmente ser absorvida pelo Trono e não mais se manifestar na dimensão humana.

Mistério é isso: surge, cumpre sua missão, seja ela redentora, doutrinadora, regeneradora, saneadora, consoladora, etc. e depois recolhe-se em si mesmo e não mais é visto no meio humano.

Afinal, outra não tem sido a missão de todas as religiões já surgidas no plano material: vêm, cumprem suas missões e recolhem-se, ficando no aguardo de uma nova missão.

Se dúvidas tiverem, consultem "guias de lei" dessas linhas, ou mesmo, vossos mentores.

Recomendamos isso, pois só assim os médiuns de Umbanda deixarão de desaprender. Pois é melhor nada saberem do que aprenderem com quem nada sabe, mas imagina-se um profundo conhecedor dos mistérios do Ritual de Umbanda Sagrada.

21.5 Tronos Cristalinos

Com. Pai Benedito de Aruanda, M...L..., e Kepler, M..L...L...C...

Abro este comentário com uma mensagem a mim irradiada mentalmente pela sagrada Cabocla Indaiá, que assim que comecei a comentar sua posição dentro das hierarquias do Ritual de Umbanda Sagrada, já captou meu comentário "pessoal" em sua tela refletora, e deu-me retorno imediato:

"Amado irmão de lei e de vida, Benedito de Aruanda, M..L..., captei sua fixação no plano material do meu correto grau de auxiliar do sagrado Ogum Yara para os domínios de nossa amada e sagrada mãe Iemanjá.

Tinha de ser um irmão de lei para repor verdades e antes que certas inverdades assumam em definitivo características que só às verdades pertencem. Porque sei que limites rígidos tens que respeitar quanto ao que fixa no plano material, recorro a ti para fixares que o Trono Indaiá é o trigésimo terceiro à direita do Trono mineral Oxum das Cachoeiras. Informo-o também que o trono negativo correspondente ao que ocupo, e que está assentado à esquerda do Trono mineral Oxum das Cachoeiras, é ocupado pela senhora Bombogira "Sete Potes", nome este que simboliza as "águas" que deixaram de seguir adiante, ou os espíritos regidos pelo mistério Oxum que "estacionaram".

Aproveito a bondade e atenção para comigo, meu grau e minhas atribuições. Que abençoado sejas sempre por assim serdes! Cobro-lhe a abertura do meu mistério ao nosso amado "Niyê He". Afinal, bem sabes que o "trigésimo terceiro" mistério a mim, pela nossa amada mãe Oxum, foi confiado e por mim foi em "definitivo" incorporado, certo?".

Cabocla Indaiá, M. L. C.

Bem sei que nossa amada e querida irmã de coração "Iim-Dab-Iá", portadora de uma missão sagrada regida pelos orixás naturais, ficou feliz quando fixei seu verdadeiro grau e atribuições dentro do Ritual de Umbanda Sagrada... Mas, quanto à abertura de seu mistério, bem, prefiro dar tempo ao tempo, e que o próprio "Tempo" faça isso, irmã de lei e de vida!

Mas, voltando aos Tronos cristalinos, não vamos nos repetir, certo?

Já os fixamos como domínio do sagrado Oxalá, que é essência cristalina.

Ainda que os cristais "gemológicos" sirvam de parâmetros para situarmos os Tronos cristalinos, recurso este que usamos para fixarmos os Tronos minerais, no entanto é bom que entendam que minérios ou cristais materializados são apenas a densificação e concretização atômica de elementos soltos na natureza.

Saibam também que as essências básicas ou originais formam dimensões infinitas porque são imensuráveis. Elas não são como a superfície do planeta, que pode ser medida.

Uma dimensão não tem começo, limites ou fim. E se em uma delas adentrarmos, podemos escolher uma direção, seguir por ela por todo o sempre e nunca sairemos dela nem chegaremos ao seu fim.

O mesmo mistério é observado na dimensão material humana: partam de qualquer ponto do planeta Terra rumo ao espaço sideral em linha reta, e jamais chegarão aos "limites" do Universo.

Comecemos por repetir que as essências são tão sutis que, se as compararmos com o ar respirado pelos encarnados, seus elementos formadores estão para o átomo assim como estes estão para o sistema solar. Ponto final!.

— É uma névoa?
— Não.
— É uma fumaça?
— Não?
— O que são, então, as essências?
— Essências são mistérios de Deus, que, ao se combinarem, vão formando amálgamas, que, ao se densificarem por atrações energo-magnéticas, vão formando "plasmas" que, por sua vez, ao se amalgamarem vão formando substâncias etéreas, que ao se amalgamarem vão formando dimensões que abrigam infinitas criações e criaturas.

Mais concisos que isso não nos é possível ser para explicarmos o que são essências puras, ou originais, ou divinas.

Assim como alguns átomos se combinam e outros não, o mesmo ocorre com as essências.

E quando ocorre essa não combinação, então o criador (Deus) recorre a uma essência neutra que atua como catalizadora por excelência, juntando as duas essências que se repelem naturalmente, pois são magneticamente opostas.

Outra não é a função do nêutron nos núcleos atômicos. Ou algum cientista já meditou sobre isso?

Mentalizemos um átomo:

1º — O seu núcleo.
2º — Sua eletrosfera.
3º — Um átomo completo.

Aí temos um amálgama energético tão maravilhoso que nos é impossível não ver nele a ordenação divina.

No seu núcleo, formado por prótons e nêutrons, está uma estrutura que, se não sofrer uma ação externa (bombardeio nuclear), nunca se desequilibrará (desfará).

Quanto à eletrosfera, bem, dependendo de reações espontâneas, podem sofrer alterações. Agora, se isso é verdade, o núcleo é o formador por prótons e nêutrons, o elo forte que sustenta sua coesão são os nêutrons, pois atuam como uma "cola" que retém os prótons agregados em uma formação rígida e imutável. E para que fixem bem isso, saibam que os nêutrons são estruturas "cristalinas".

É isso mesmo. A essência pura "cristalina", passando por muitas combinações, ao chegar à sua "concretização" no plano material, onde a encontramos em "gemas" preciosas ou nos "quartzos", se mostra aos nossos olhos humanos como uma estrutura perfeita, coesa, imutável, indestrutível em condições ambientais naturais. E "atraentes", certo?

Uma rocha cristalina é eterna, caso ninguém a submeta a agentes ou reagentes externos.

Após sua formação e "cristalização", uma estrutura cristalina não mais se altera, e os outros elementos "naturais" encontrados na natureza não as destroem.

O sol projeta (irradia) raios "retos" em todas as direções. Os raios projetados na direção do planeta Terra atravessam o "vácuo" e nos chegam na forma de "calor", não?

Esse calor não seria absorvido pela água, terra, ar, vegetal ou mineral caso esses não contivessem a essência cristalina concretizada em "nêutrons".

Se vemos a água, os minerais, os vegetais, a terra e os cristais, isso se deve ao fato de os nêutrons absorverem a luz solar e, após um certo acúmulo, a refletirem, proporcionando-nos a visão das "formas".

Vemos uma forma (matéria) em sua cor "natural" unicamente porque a disposição "neutrônica" no núcleo atômico dessa matéria irradia num certo grau a luz que absorveu.

Em estudos profundos no Magno Colégio dos Magos, assentado na 5ª esfera ascendente (da Luz), descobrimos cada ângulo que os raios são refletidos ou irradiados.

Suponhamos que o círculo a seguir seja um nêutron e que os traços que dele saem são suas reflexões ou projeções irradiantes de energias (Luz), cada uma em um grau próprio.

1º Prateado cintilante
2º Azul cintilante
3º Alaranjado denso
4º Amarelo cintilante
5º Verde denso
6º Vermelho (rubro) denso
7º Violeta translúcido

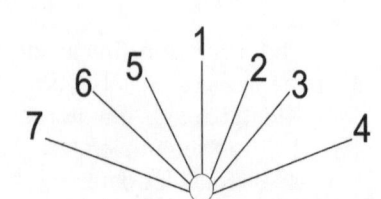

Cintilante = reflexão difusa
Translúcido = reflexão esparsa
Denso = Reflexão concentrada

Obs: isso conseguimos recorrendo a "aparelhos" desconhecidos das ciências do plano material.

No entanto, conseguimos visualizar muitas cores em nosso espectrômetro, certo?

Isso só conseguimos após isolarmos os fatores que formam os nêutrons dos núcleos atômicos e submetê-los às irradiações solares.

E, ao estudarmos a formação dos "nêutrons" no núcleo atômico, vimos que suas disposições obedecem às formações atômicas "cristalográficas", já classificadas no meio material pelos cientistas que estudaram e pesquisaram as formações dos minerais.

Pela disposição dos nêutrons nos núcleos atômicos ocorrem refrações de uma cor ou de outra ou de várias ao mesmo tempo.

Se uma gema reflete uma cor cintilante, é porque a disposição dos nêutrons está assim fixada no núcleo atômico:

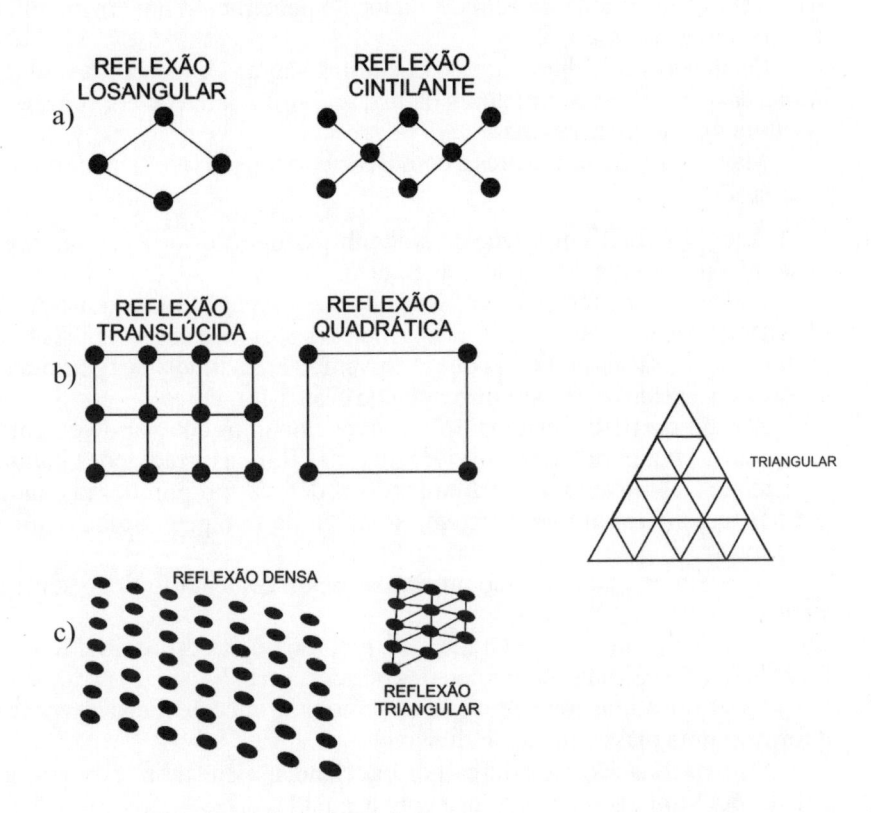

a) REFLEXÃO LOSANGULAR / REFLEXÃO CINTILANTE

b) REFLEXÃO TRANSLÚCIDA / REFLEXÃO QUADRÁTICA / TRIANGULAR

c) REFLEXÃO DENSA / REFLEXÃO TRIANGULAR

Observação: Isso "dentro" do núcleo atômico, certo?

E a distribuição dos próprios átomos obedecem a disposições similares, dando às rochas aparências análogas ao seu núcleo, onde os nêutrons darão condições próprias para a reflexão das cores.

É certo que as inclusões darão a cor específica de cada rocha. Mas a reflexão dos raios solares serão os nêutrons.

Observação do A.M.: nas gemas, os metais cromo, ferro, cobre, manganês, níquel, cobalto, evanadio absorvem certos comprimentos de onda da luz branca e assim causam colorações. Quem desejar se aprofundar no assunto, recorra aos livros: "*Gemas do mundo*", de Walter Schumann, editado por Ao Livro Técnico S/A — Ind. e Com., e *Geologia Geral*, de José Henrique Popp, editado por Livros Técnicos e Científicos Editora Ltda., aos quais recorri quando fiz o curso de gemologia, ministrado pela A.B.G.M (Associação Brasileira de Gemologia e Mineralogia).

Mas observem com atenção a colocação que aqui está acontecendo, pois os Mestres da Luz estão abordando num outro nível, que não é o material, e quando usam o termo reflexão, querem dizer isto: o nêutron capta a luz e, após fixá-la, a irradia. Não sendo a mesma coisa que a refração que ocorre com a quebra da velocidade da luz ao penetrar em um "meio" mais denso (gemas ou água).

Os mestres nos dizem que os nêutrons são absorvedores das ondas luminosas e posteriores refletores da luz, que sofre deflação em função da estrutura ou hábito das gemas.

Mas deixo para os mestres a colocação correta, pois eles sim dominam esse assunto."

Aqui, após essa colocação do médium-psicógrafo, que a achou necessário, reassumo a condução do comentário.

De fato, só recorremos à comparação com a cristalografia porque nas estruturas das gemas, ou mesmo rochas não gemológicas, os nêutrons, estabilizadores por excelência, são as partículas que absorvem as luzes irradiantes permitindo que as visualizemos como se convencionou chamá-las: cores.

A essência pura e original que convencionamos chamar de essência cristalina é "luz pura", que no nível material flui nas irradiações solares ou estelares, como queiram, e guardando as devidas proporções já citadas por nós (essência: : átomo: : sistema solar); tudo se repete, desde o micro até o macro.

Se estamos sendo um tanto técnicos nesse comentário, logo saberão a razão.

Bem, voltando ao "fio da meada", recordo que as estruturas "neutrônicas" estão localizadas no núcleo dos átomos, certo?

Essas estruturas impedem que os prótons se encostem uns aos outros e formem uma massa única e indivisível.

Os nêutrons são isoladores por excelência, além de absorverem as irradiações luminosas e posteriormente irradiá-las.

Todas as irradiações só começam após os nêutrons terem absorvido até sua "capacidade limite". E isto ocorre numa fração de tempo impossível de ser quantificada.

Assim, que fique entendido que os nêutrons são fundamentais na coesão dos núcleos atômicos porque os prótons, partículas energo-magnéticas por excelência, tendem a se fundir por causa das afinidades magnéticas.

Também são tão fundamentais para a fluidez das substâncias quanto aos elétrons o são para sua maleabilidade.

Nessas três "qualidades" de um átomo, encontramos o "triângulo" da Umbanda: orixás ancestral, regente e neutralizador.

Ancestral — origem do hoje, espírito humano.

Regente — aquele que rege a atual encarnação de um médium.

Neutralizador — aquele que neutraliza a influência predominante do ancestral e o equilibra, permitindo que o regente, que é seu oposto vibratório, cumpra sua missão junto ao médium.

Próton — orixá ancestral
Elétron — orixá regente
Nêutron — orixá equilibrador ou "juntó"

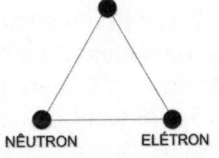

Nós, adentrando nas dimensões cristalinas mistas, nos aprofundamos muito mais nessa linha de pesquisas e descobrimos muitas outras coisas que aqui não nos é permitido revelar.

Aqui encerro minha contribuição ao irmão Benedito de Aruanda.

Ass. Képler, M.. L..

Bem, após essa contribuição valiosa de nosso amado mestre Képler que, diga-se, poderia, se permitido pela lei lhe fosse, revolucionar as ciências físicas no plano material, eu, Benedito de Aruanda, volto a comentar os Tronos cristalinos.

Aqui mestre Képler só comentou sussintamente, pois a lei que nos rege impõe limites rigorosíssimos às revelações, ou mesmo ao comentarmos o que já é conhecimento fixado nas ciências do plano material. E não tenham dúvidas de que ele é atuante discreto junto a alguns cientistas proeminentes na atualidade das ciências materiais quer sejam físicas, químicas ou biológicas, pois os "microcosmos" são sua especialização, e sua "visão" cristalina está tão apurada que átomos mais densos ele já os estuda unicamente com ela: sua visão "natural".

Mas isso é tudo o que sobre meu amado irmão mestre Képler posso dizer. Portanto, espero que tenham entendido o que ele comentou: A luz só nos é visível porque uma essência cristalina a recolhe, concentra e a torna "visível" aos nossos olhos.

Por visível entendam suportável, certo?
Afinal, se aí no plano material vocês expuserem vossos olhos à luz direta do sol, cegos ficarão. E aqui no lado espiritual o mesmo conosco ocorrerá, caso fixarmos nossos olhos espirituais a certas "Fontes Naturais" de luzes multicoloridas.
Essas fontes naturais podem ser divindades planetárias, ou mesmo, as localizadas, pois são tão irradiantes que não suportamos uma visão direta por muito tempo.
Observem que não estou falando de espíritos humanos, mas sim de divindades regentes.
Alguns irmãos nossos que se fixaram por muito tempo em divindades acabaram ficando quase sem a visão. E outros, chegaram a ficar cegos por um bom tempo (muitos anos).
Saibam que não são poucas as divindades que conhecemos ou que influem direta ou indiretamente em nossas vidas, ações e trabalhos coordenados pela lei e pela vida.
Essas divindades são verdadeiras estrelas vivas a iluminar nossas vidas, nosso amor, fé, raciocínio, saber, razão, conhecimentos e caminhos que trilhamos, sempre orientados por elas, as divindades celestiais.
Se comento isso é porque, se na matéria são os nêutrons que são microcristais, que refletem a luz, no plano espiritual é uma partícula neutra que reflete todas as "luzes", quer sejam elas de natureza viva (animada por uma alma) ou estáticas (fontes de energias naturais).
A essência cristalina, em seus muitos níveis de fixação, tem sempre esta qualidade por excelência: absorver a luz, padronizando-a para o meio-ambiente, refletindo e dando "forma" às coisas (criações e criaturas).
Onde houver uma condensação (forma), lá está um amálgama cristalino delimitando sua aparência e tornando-a visível aos nossos olhos.
Essa essência cristalina, como já comentamos no princípio, é a formadora do corpo espiritual que reveste o corpo energético dos seres em estágios humanos da evolução.
Nestas coisas vamos vendo a perfeição divina de Deus, o nosso criador. E isso só nos estimula ainda mais a adorá-Lo o tempo todo, pois contemplando a própria tinta com que o nosso médium fixa nossas inspirações em uma folha de papel, mestre Kepler, ainda ao meu lado, me diz: "Irmão Benedito, a formação ou estrutura cristalina dessa tinta azul obedece à formação densa que comentei linhas atrás. E isto faz com que ela não seja irradiante, pois o seu alcance de projeção colorida da luz que os nêutrons captam é "micrômetra".
Magnífico o nosso Divino Criador, não?
Encantador é o nosso irmão Kepler, pois estar ao lado dele é postar-se diante de uma fonte viva de conhecimentos cristalinos.
Ou será ele uma fonte cristalina de conhecimentos vivos?

Ou será ele um ser cristalino que é para nós uma fonte viva de conhecimentos divinos?

Saibam que para mim ele é mais um desses magníficos e celestiais mistérios que Deus nos enviou para que, num *continuum*, alavanquem a evolução da humanidade.

Porque, como eu estava comentando, há uma dimensão pura ou original totalmente formada pela essência cristalina, refletora por excelência da Luz Divina. Ela é tão irradiante que só podemos avistá-la se cobrir-mos nossos olhos espirituais com um plasma vegetal, "filtrador" da iridicência lá existente.

Esse plasma vegetal, à medida que o cristalino dos nossos olhos vai se habituando à multiplicidade de cores, vai se desfazendo e se dilui totalmente quando já não ficamos mais "ofuscados" com a luminosidade lá existente.

Quando retornamos à dimensão espiritual, quem olha nos nossos olhos os veem como se eles fossem gemas cristalinas. Os de nosso irmão Kepler parecem dois lindos diamantes multicoloridos, de tão brilhantes e irradiantes que são, sabem?

Observem que me permito falar sobre ele para que vocês possam fixar o máximo possível o que é a essência cristalina.

Nessa dimensão cristalina pura vivem centibilhões de seres, se é que assim posso definir o infinito número de seres que nela vivem.

Eles não possuem uma forma semelhante à humana, mas sim são "inteligências" irradiantes que conosco se comunicam mentalmente.

Não têm uma forma definida porque nossa grosseira visão não consegue delimitar suas "formas". Mas irmão Kléper está me dizendo que ele consegue visualizar "humanamente" como são os nossos irmãos(ãs) cristalinos. E, segundo ele, são tão belos quanto nossos irmãos das outras dimensões "essenciais", ou os naturais.

Mas a beleza não deve ser entendida segundo os padrões materiais, que são puramente estéticos. Aqui, quando falamos em beleza, ela é sinônimo de sentimentos nobres ou virtuosos, que tornam delicadas as "feições" e cristalinas as irradiações.

Bom, após um pouco de "abrangência", vamos dar início à sintetização dos Tronos cristalinos.

Comentamos que o nêutron é o fixador e irradiador da luz, correto?

Já o próton é energia estável concentrada, pois sua formação energo-magnética é concentradora, e os elétrons, que são partículas instáveis por formação e natureza, são absorvedores e movimentadores de luz e energia.

Então vamos estabelecer aqui, só a título de informação, sete tipos de telas planetárias que encontram seus fundamentos nos próprios orixás ancestrais:

a) Essências:

Essência cristalina fixa a luz — fé (crença);
Essência vegetal fixa a reprodução;
Essência mineral fixa a energia;
Essência ígnea fixa o calor;
Essência eólica fixa o som;
Essência telúrica fixa o magnetismo;
Essência aquática fixa a geração.

b) Telas:

Tela cristalina reflete as mentalizações, pensamentos;
Tela vegetal reflete a atividade, diversidade;
Tela mineral reflete a irradiação, energização;
Tela ígnea reflete a purificação, aperfeiçoamento;
Tela eólica reflete a movimentação, comunicação;
Tela teuírica reflete a estabilização, formação;
Tela aquática reflete a união, multiplicação.

Logo, osTronos cristalinos são regidos pelo orixá ancestral Oxalá.

A fé é um atributo regido por Oxalá, e na sua tela planetária (mental multidimensional) são captadas todas as vibrações mentais de sentimentos religiosos, assim como essa mesma tela vibra continuamente irradiações de fé, estimulando todos os seres a voltarem, direcionarem, seus pensamentos para o "alto" (Deus).

Esta é a função dos Tronos cristalinos: "estimular a fé em todos os níveis conscienciais, nas múltiplas dimensões da vida e em todos os seres viventes".

Cada orixá, através de suas hierarquias naturais e Tronos multidimensionais, atua em um dos sete sentidos principais, mas em níveis diversos atuam em todos os sete sentidos.

Mas naquele onde um predomina, então sua principal atribuição destaca-se. E Oxalá destaca-se nas qualidades, atributos e atribuições religiosos (dom da fé).

Seus Tronos cristalinos são, todos eles, multidimensionais e abarcam, cada um em seu nível, todas as dimensões da vida onde as evoluções se processam.

Para o lado humano seus Tronos têm voltados 21 faces ou lados.

Sete estão voltados para os sete níveis da luz, sete para o nível regente (matéria-espíritos) e sete para os sete níveis das trevas.

níveis superiores — positivo - alto - luz
níveis regentes — neutro - meio - matéria
níveis inferiores — negativo - embaixo - trevas

Nos níveis superiores, cada um dos sete Tronos cristalinos de Oxalá são irradiadores de vibrações de fé e estimuladores de religiosidade.

Nos níveis regentes, cada um dos sete Tronos cristalinos atuam no sentido de despertar a consciência virtuosa.

Nos níveis inferiores, cada um deles atua no sentido de retificarem as consciências desvirtuadas.

Os Tronos cristalinos do alto são identificados por nós como Tronos da Luz Cristalina ou Celestiais.

Os Tronos cristalinos do meio nós o identificamos simbolicamente como Tronos Humanos ou Virtuosos.

Os Tronos cristalinos do embaixo nós os identificamos como Tronos da Luz Negra ou Cósmicos.

Os do alto são energo-magneticamente positivos e multicoloridos.

Os do meio são neutros e refletem as sete cores.

Os do embaixo são negativos e absorvem as sete cores.

Nas linhas de ação e trabalhos espirituais, todos os nomes simbólicos que têm o número sete como seu identificador pertencem ou estão atuando na irradiação do orixá Oxalá.

Seus Tronos para o meio são direcionadores da evolução, e se assumem em seus nomes simbólicos as qualidades de outros orixás, isso se deve ao fato de ser na irradiação deles que o ser está evoluindo. Assim:

— Sete Coroas estão revelando uma analogia com o Trono Cristalino dos Sete Sentidos (virtudes).

— Sete Lanças estão revelando uma analogia com o Trono Cristalino dos Sete Caminhos.

— Sete Portas estão revelando uma analogia com o Trono das Sete Passagens (níveis conscienciais).

— Essa linha de interpretação dos nomes simbólicos é muito importante, senão acabarão por cair nas classificações espúrias que fixaram nos livros de Umbanda, mas que não estão corretas porque lhes faltam o conhecimento dos Tronos regentes e suas funções, assim como não atinam com os mistérios ocultados por traz dos nomes simbólicos.

Um ou outro escritor umbandista já vislumbrou algo nos nomes simbólicos, mas por desconhecer o funcionamento dos mistérios, acabou afastando-se.... e perdendo-se.

Tomemos a linha das Sete Coroas para exemplo:

Existe um Trono cristalino que atua nos sete sentidos, irradiando continuamente a fé. As Sete Coroas são um Degrau desse Trono celestial e possuem linhas de Caboclos e Caboclas, de Exus e Bombogiras, todos atuando nos "trabalhos" de Umbanda.

Mas esse mesmo Degrau, atuando na irradiação de Obaluaiê tem, analogicamente, um outro nome simbólico: Exus Sete Caveiras, pois sentidos, ali, assumem a configuração de "cabeças". Mas como são do "cemitério", nada mais lógico que serem sete caveiras.

Se interpretados não foram os nomes simbólicos, nunca se chegará ao orixá regente de um mistério.

Só para elucidação do simbolismo, tomemos uma outra linha de ação e trabalho do orixá Oxalá: os Exus Quebra-Tudo.

Essa linha "Quebra-Tudo", no cemitério, dá origem aos "Quebra-Ossos"; nas pedreiras são os "Quebra-Pedras"; no mar são os "Quebra-Ondas"; nas matas são os "Quebra-Galhos"; nos caminhos são os "Quebra-Ferro", numa alusão às estradas de "ferro", que Ogum rege; no tempo, são os "Quebra-Raios", etc.

Agora vamos aos nomes simbólicos dos Tronos cristalinos de Oxalá. No alto temos:

Trono da Luz Cristalina (Arco-íris Celestial) = equilíbrio.
Trono da Luz Dourada (Trono do Saber Religioso) = fé.
Trono da Luz Verde (Trono da Vida) = geração.
Trono da Luz Rosa (Trono da Pureza) = humildade.
Trono da Luz Azul (Trono do Amor) = união.
Trono da Luz Violeta (Trono da Consciência) = evolução.
Trono da Luz Prateada (Trono da Justiça) = razão.
No meio temos:

Trono da Estrela (pentagonal).

Trono do Triângulo (triangular).

Trono do Tempo (espiral circular).

Trono dos Sete Caminhos (multidirecional).

Trono das Sete Cruzes (cruzado).

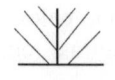

Trono da Evolução (sete vias).

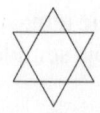

Trono da Justiça (duplo triângulo, ou lozangular).

Nos inferiores temos:
Trono da Luz Negra (ilusão da consciência).
Trono da Luz Vermelha (paixão).
Trono da Luz Roxa (paralisação evolutiva).
Trono das Trevas (ignorância).
Trono da Morte (descrença ou ateísmo).
Trono dos Desejos (emoções).
Trono Cósmico (desequilíbrio).

Aí temos os 21 Tronos cristalinos de Oxalá.

Esses Tronos são, todos eles, refletores do Orixá Ancestral Oxalá e seus ocupantes são, em verdade, arcanjos celestiais multidimensionais e extraplanetários porque alcançam até outros orbes em suas volições celestiais.

Observem que, nos três níveis, eles estão distribuídos, mas atuam de tal forma coordenados, que basta um espírito ou ser natural elevar-se ou regredir para deixar de estar sob a irradiação de um, e ascender ou cair na de outro, pois em outro nível vibratório já se encontra.

Os do meio (espírito-matéria) estimulam a fé e a elevação virtuosa dos seres, os do alto estimulam sentimentos de religiosidade, e os de baixo atuam no sentido de anularem as vibrações contrárias à fé, anulando até a consciência dos seres, se preciso for.

Por isso as "trevas" são os que são: um inferno humano habitado por seres desumanos.

Os Tronos cristalinos são, por causa de suas formações "neutrônicas", refletores da Luz (Oxalá) e enviam ou retiram a luz de todos os outros Tronos regidos pelos outros orixás.

Se a fé está sendo estimulada em um Trono localizado, suas irradiações luminosas expandem-se, mas, se a fé está sendo desestimulada, elas se apagam. E isso serve de balizador para os regentes assentados neles, que detectam imediatamente qualquer queda religiosa que ocorra dentro de seus "limites".

Muito mais poderíamos comentar aqui, mas acreditamos que já dá para desenvolver novos conhecimentos com o que aqui revelamos.

21.6 Tronos Energéticos

Os Tronos energéticos são irradiadores para as outras dimensões, de padrões energéticos só existentes no plano material.

Eles captam padrões específicos de energias e as enviam às outras dimensões, onde são absorvidas por Tronos localizados e distribuídas aos seres sustentados por eles.

As energias aqui têm características muito específicas porque são "ondas estimuladoras", e não como possam interpretar o termo energia, pois outro assim não temos na língua portuguesa.

Suponham o seguinte: se um ser está doente em um hospital e o médico indica, devido à impossibilidade de alimentar-se, que lhe seja ministrado no sangue alguns miligramas de determinada vitamina ou outro composto energético que fortalecerá o organismo debilitado pela doença.

Ao administrar as vitaminas escassas no organismo, o médico está suprindo uma carência que impossibilita o doente de recuperar-se. E casos existem que a inanição deteriora os órgãos responsáveis por funções essenciais ao ser, levando-o à morte.

Bem, os Tronos energéticos são Tronos "medicinais" que recolhem do plano material certas energias que, após serem transformadas em "ondas estimuladoras", são enviadas (irradiadas) a seres, reinos ou mesmo dimensões carentes.

Tomemos outro exemplo para que fixem bem o que são os Tronos energéticos:

A laranja é fixadora da vitamina C em seu suco ácido. E enquanto não exposta ao ar (aberta) tem vitamina C concentrada no seu suco que, ao ingerirmos, libera em nosso aparelho digestivo as "vitaminas C", que serão absorvidas no caso de nosso organismo estar carente.

Mas, em caso de gripe, os médicos receitam doses maciças de vitamina C, que energizarão o organismo e ajudarão na recuperação do doente.

Ingerir o suco de uma laranja é a absorção natural da vitamina C. Mas ingerir comprimidos de vitamina C não é natural, mas sim, emergencial.

A laranja é igual às energias colhidas por essa categoria de Tronos no plano da matéria (dimensão física humana). Os Tronos as diluem e delas retiram o exato padrão energético que precisam e devolvem o resto à dimensão física humana, onde serão incorporadas.

Nós, ao chuparmos uma laranja, só absorvemos o seu suco e jogamos fora o bagaço. E mesmo o suco, quase todo ele formado por "ácidos", também será lançado fora pelo nosso corpo e somente absorvemos as vitaminas que estivermos carentes.

E o mesmo os Tronos energéticos fazem com as energias que colhem no plano material onde são tão abundantes quanto "misturadas" entre si:

Quando respiramos, o oxigênio que absorvemos é muito se comparado com o que usamos realmente, assim como com os outros gases que junto com ele chega aos nossos pulmões, que têm funções específicas de armazená-los e devolvê-los à atmosfera, senão nos "envenenamos", certo?

Os Tronos energéticos são mais ou menos assim: pulmões que absorvem muitos tipos de energias num só amálgama energético. Absorvem-nos, captam o padrão que precisam e devolvem ao plano material o que será nocivo, caso fique acumulando-se no seu interior.

Os Tronos energéticos são como corações-pulmões que, integrados, oxigenizam as células, mantendo vivo todo o organismo.

Bom, já os idealizamos a vocês e esperamos que entendam suas funções, tão essenciais à "saúde" dos seres que vivem em outras dimensões.

Os Tronos, como já dissemos, são o que são: "Tronos". E seus ocupantes, ou a parte pensante deles, são seres que chamamos de "Tronos" porque são mistérios em si mesmos, responsáveis pela evolução das espécies.

Os Tronos energéticos são ocupados ou regidos por seres celestiais que chamamos de medicinais, os quais atuam no sentido de "curar" os seres deficientes, energizando-os através de ondas vibratórias energizadoras.

Nós não vamos nomeá-los, mas alguns deles costumam ser invocados para outras funções, pois têm atribuições análogas às dos orixás voltados para a "cura" dos espíritos enfermos. Assain e Omolu são exemplos análogos, pois são Tronos medicinais humanizados.

Com isso explicado, esperamos que fique entendido que, na natureza, tudo está interligado e cada Trono tem um campo bem definido a sustentar, pois a evolução não acontece só na dimensão humana onde nós, os espíritos, vivemos e evoluímos.

Há todo um sistema evolucionista homogêneo nos procedimentos que sustentam os seres em seus estágios evolutivos, no qual quando o estudamos descobrimos que não há quebra de continuidade ou diferenças acentuadas no sistema aplicado a nós, aos nossos irmãos naturais ou elementais.

Os Tronos energéticos são seres tão maravilhosos na manipulação das energias, que basta nos aproximarmos de um deles ou de seus graus para sermos reenergizados por eles justamente onde estamos enfermos ou enfraquecidos.

Se a nossa fé está um tanto adormecida, imediatamente eles projetam ondas energéticas que ativam nossa religiosidade e nos sentimos tão fervorosos que passamos a vibrar intensamente as coisas da fé.

O mesmo acontece em todos os outros sentidos, pois eles são isso: Tronos energéticos regidos pelo mistério Oxalá.

21.7 Tronos Elementais

Os Tronos elementais são elementares ou básicos.

Esses Tronos movimentam os elementos e só os encontramos nas dimensões puras ou originais.

Nós, ao estudá-los de perto, com a licença de nossa regente Oxum, ao nos aproximarmos deles fomos possuídos por uma "pureza" que praticamente anulou nosso corpo espiritual. Fomos inundados tão intensamente por suas irradiações elementais puras que começamos a nos sentir como mentes pensantes e nada mais. Aí nos perguntamos: será que não somos só isso mesmo, mentes dotadas da capacidade de pensar, analisar, julgar e decidir por si mesmas?

Os tronos elementares ou básicos têm por função irradiar para as dimensões mistas as energias elementais puras.

Assim temos:

1 — Tronos elementares ígneos;
2 — Tronos elementares aquáticos;
3 — Tronos elementares eólicos;
4 — Tronos elementares telúricos.

Esses Tronos ígneos nós, com nossa visão humana, os vimos como seres "ardentes" que ao se deslocarem deixam uma cauda ígnea para trás que os acompanha em suas volições.

É algo quase indescritível para nós. Mas o fato é que são abrasadores, e quando próximos deles entramos numa vibração tão intensa que parecemos estar em ebulição energética interna.

Os Tronos são os senhores dos estágios da evolução onde os seres são ígneos em todos os aspectos ou sentidos.

Nós dizemos que esse estágio básico é a nossa primeira idade, quando não temos consciência de nada e nos movemos apenas pelos reflexos.

Os seres elementais aproximam-se dos Tronos, absorvem deles seu "alimento" e depois volitam felizes ao redor dos Tronos, numa "dança" feliz onde espargem irradiações lindíssimas.

Uns irradiam luzes azuis, outros douradas, outros róseas, outros esverdeadas, etc...

E os Tronos os contemplam com o mesmo amor que só um pai ou mãe amantíssimos de seu bebezinho irradiam.

Quem já contemplou o olhar embevecido e enlevado da mãe amorosa ao contemplar seu bebezinho enquanto o amamenta pode ter uma ideia aproximada de como esses Tronos olham para seus "filhinhos" puros.

Os Tronos elementares são, a nosso ver e julgamento, o próprio instinto maternal elevado a uma potenciação divina, e encantam-nos fazendo com que desejemos nos aproximar deles, como filhos carentes de suas irradiações de amor maternal.

Eu, Benedito de Aruanda, M...L...., guardo até hoje recordações tão fortes de quando visitei a dimensão original ou elementar básica, conduzido por uma Encantada mineral à dimensão ígnea.

Ao aproximar-me de um Trono, todo o meu ser entrou em intensa vibração e chorei, de tanto amor que aquela "mãe" ígnea me envolveu.

Ela estendeu suas ígneas mãos e acariciou minhas faces com tanta ternura que desejei aconchegar-me em seus braços, tal como os bebezinhos gostam que suas mães façam com eles. E ela envolveu-me com um abraço maternal que abrasou todo o meu ser imortal, quando então pude sentir todo o amor que ela vibra. Pude também, a partir daí, ter uma ideia do quão intenso é o amor de Deus por nós, Seus filhos.

Afinal, se um de Seus Tronos, que não é Deus, envolveu-me tão intensamente e me levou a uma vibração única até então para mim, só de imaginar o quão intenso é o amor de Deus por nós, já me enche os olhos de lágrimas. Devo dizer que "adotei" aquela mãe ígnea como mais uma entre as muitas que andei adotando nessa minha jornada de retorno ao "pai eterno" e mesmo agora, quando aqui no plano matéria-espírito inspiro meu médium psicógrafo, fixo minha visão na dimensão ígnea original e a vejo contemplando-me a distância. E, expandindo minha visão cristalina, a vejo enviando, pelo cordão de amor que nos une, um fluxo de seu incandescente amor a mais esse seu filho. E se não me apoiar no magnetismo terreno de meu médium, serei puxado por ela, que está vibrando de alegria por, finalmente, eu estar fixando no plano material um conhecimento único sobre os Tronos Regentes da Natureza.

Daqui, do plano onde me encontro neste momento, posso assistir às volições de seus filhos elementais ao seu redor. Minha mãe ígnea esparge chamas de amor e alegria por mais esse seu filho que tem combatido a ignorância acerca dos estágios da evolução dos seres, ou a ignorância sobre os Tronos sustentadores dos muitos estágios da vida.

Bem, voltando à "terra", o que tenho a dizer é que os Tronos elementares são irradiadores dos orixás "essenciais" que formam o Setenário Sagrado, ao qual repito mais uma vez, pois nunca é demais por causa da confusão que fazem com as Sete Linhas de Umbanda.

Uns escrevem uma coisa vaga, outro uma coisa incorreta, e outros, falsidades.

O fato é que as sete linhas são as sete vibrações originais ou sete essências (cristalinas, vegetal, mineral, ígnea, aquática, eólica e telúrica).

Muitos são os orixás que se humanizaram porque eram, e são, Tronos voltados para a dimensão humana na qual amparam os seres e sustentam o estágio humano da evolução.

Sete linhas de Umbanda são isso:

Linha Cristalina
Linha Mineral
Linha Vegetal
Linha Ígnea
Linha Aérea
Linha Telúrica
Linha Aquática

Em cada uma dessas linhas, na origem, temos os Tronos elementares a irradiar o "fluxo essencial" que chega até nós quando recebemos a irradiação de um encantado que "baixa" em um centro de Umbanda ou Candomblé, pois não há quebra de continuidade na linha condutora da essência original irradiada pelos Tronos elementares.

298   *Doutrina e Teologia de Umbanda Sagrada*

1-1 ESSENCIAS DO SETENÁRIO SAGRADO OU COROA DIVINA
CRISTALINO | MINERAL | VEGETAL | FOGO | AR | TERRA | ÁGUA

1-2 ORIXÁS ANCESTRAIS OU ELEMENTAIS ESSENCIAIS

1-3 ORIXÁS NATURAIS
OXALÁ | OXUM | OXÓSSI | XANGÔ | OGUM | OBALUAÊ | IEMANJÁ

ORIXÁS MANIFESTADORES DE XANGÔ

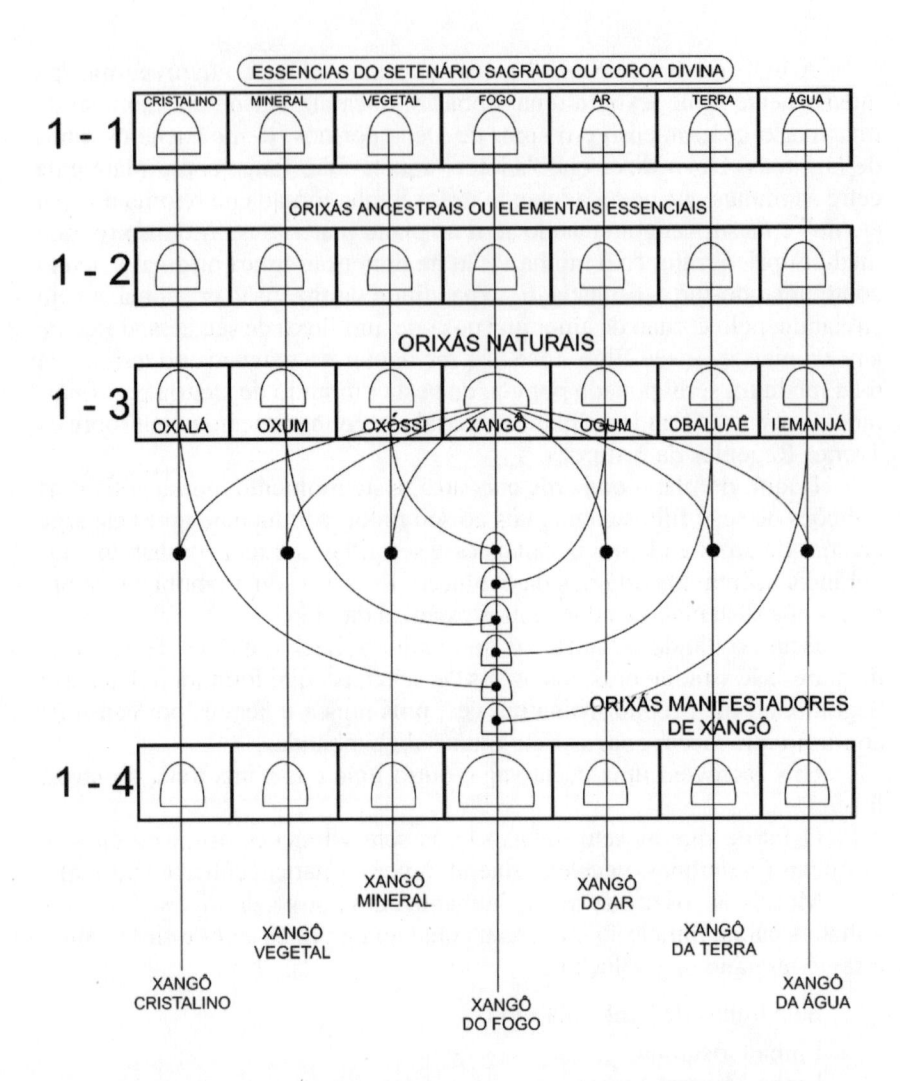

1-4

XANGÔ CRISTALINO
XANGÔ VEGETAL
XANGÔ MINERAL
XANGÔ DO FOGO
XANGÔ DO AR
XANGÔ DA TERRA
XANGÔ DA ÁGUA

Em 1-1 temos a Coroa Divina ou o Setenário Sagrado, que é uma projeção de Deus para o todo planetário.

Em 1-2 temos a projeção do Setenário que forma as dimensões elementares ou essenciais, que são onde vivem os seres puros ou originais.

Em 1-3 temos o início, o entrecruzamento, que não grafamos, mas apenas mostramos que um orixá natural já irradia para os níveis dos outros e também recebe irradiações.

No caso, Xangô se mantém em Xangô do Fogo, mas já incorpora em seus níveis vibratórios uma dupla polaridade, onde o fogo se mantém com a essência básica e a incorporação permite a ação de outros Tronos nos seus domínios ígneos.

Em 1-4 temos os orixás auxiliares de Xangô já assentados nos domínios dos outros orixás naturais, pois os entrecruzamentos se fecham.

Quando um Xangô nos recepciona em seu trono, somos abrasados por sua irradiação incandescente, tal como eu fui quando estive com minha mãe ígnea, como já relatei.

O senhor Xangô da Terra atua como irradiador ígneo para os domínios do senhor Obaluaiê. Mas ele incorporou ao seu trono a essência terna; no entanto, continua abrasador. E para quem não sabe, Exu Brasa é o seu guardião para as "matas" a partir de sua esquerda, enquanto o Exu do Fogo é seu guardião para o "embaixo", pois se mantém fogo "puro", mas cósmico ou "consumista".

E quando um natural de Xangô baixa em seu "filho" em um centro, ele o abrasa (aquece todo).

Este encantado ou "ser natural" de Xangô é portador e irradiador da essência ígnea, ainda que outras já tenham incorporado, pois já não é um ser elementar, mas sim um natural (da natureza) que vive e evolui numa dimensão fora por várias ou todas as essências. Tudo depende de seu estágio na evolução natural, pois em cada estágio mais uma essência é incorporada ao ser natural (encantados da natureza).

Bem, eu me afastei um pouco dos Tronos elementares, mas foi preciso porque só assim poderia demonstrar-lhes como é o desdobramento energético dos Tronos puros, ou elementares, ou básicos.

Agora, essa linha direta da essência Fogo, quando chega no nível orixá natural, abre-se em dois polos: positivo e negativo ou masculino e feminino, porque aqui são sinônimos.

Até o orixá ancestral não existe diferenças, porque são a coroa natural regente das dimensões naturais.

Mas os orixás naturais já se abrem em dois polos.

É como abordamos a essência ígnea, e comentei sobre minha "mãe ígnea", então há um "pai ígneo" também, que por analogia o chama de Sr. Xangô Ancestral.

Assim, neste exato ponto da hierarquia ígnea surgem mistérios magníficos, divinos mesmo, pois a mãe ígnea se projeta e nos dá um Trono ígneo feminino e que é par do Trono ou orixá natural Xangô.

Então temos, por identificação analógica, a Senhora Niguê, ou Orixá do Fogo, Trono feminino por excelência é cósmico nos atributos e atribuições, pois rege Tronos regentes de níveis, que são portadores dessa natureza ígnea possessiva ou "consumista". Esse mistério ígneo feminino tem um de seus tronos fixados no plano material ou humanizado em sua vertente humana, que conhecemos parcialmente como a "deusa" Kali dos Hindus.

Essa "deusa" é absorvente, porque seu Trono atrai as vibrações ígneas viciadas irradiadas pelos seres humanos e as consome nas suas chamas devoradoras das energias viciadas.

Alguns a chamam de Fogo da Destruição, pois consome os vícios. E outros a chamam de Fogo da Purificação, pois no calor de seu fogo cósmico aperfeiçoa os espíritos viciados.

Enfim, tudo é questão de conhecer e interpretar corretamente o mistério que um Trono é em si mesmo.

Até onde nos foi possível e permitido estudar o Trono Niguê, descobrimos que todas as Bombogiras do fogo são regidas por esse Trono. E quem já "cruzou" com uma dessas naturais portadoras do mistério Fogo Cósmico, nos diz que realmente elas são fogo puro e puro fogo, que são "atraentes", magneticamente falando. E "consumidoras", igneamente falando. Interpretem como quiserem, mas que são um "apaixonante" mistério, isso são!

Bem, voltando aos Tronos elementares, o fato é que são essências puras sustentadoras da base de todas as hierarquias que vão se desdobrando, se entrecruzando e sustentando as evoluções das espécies em seus vários estágios.

Temos os Tronos ígneos, os Tronos aquáticos, os Tronos eólicos e os Tronos telúricos, todos atuando nas dimensões básicas por onde um dia, num passado já imemorável, estagiamos e fomos sustentados por uma abrasadora mãe e um caloroso pai, Tronos excelsos por excelência divina. Ou por Trono de outras essências básicas.

Na "raiz" de todos os mistérios "Orixás" estão os Tronos elementares. E se ao plano material chegam com atribuições múltiplas, é porque são regentes dos orixás naturais ou Tronos regentes da natureza.

Afinal, já viram que Xangô natural se multiplicou por sete, um para cada uma das outras essências e estes multiplicam-se por outro tanto em cada nível. E como sete são os níveis, daí em diante é melhor parar, senão o número será enorme.

Mas todos conservarão a sua essência "raiz", básica ou elemental original.

Sim, porque costumam confundir reino elementar com reino natural.

No reino elemental os seres que nele vivem são originais ou essências puras.

Já no reino natural, o ser é mais evoluído e já incorporou à sua essência básica outra ou outras essências, que o densificaram energeticamente e o expandiram magneticamente, permitindo-lhe até incorporar em um ser humano durante uma engira, quando os encantados da natureza se manifestam nos seus filhos-de-fé.

Muitos, ou a maioria, não entendem por que em um centro espírita as incorporações se processam tão passivas e nas tendas de Umbanda e Candomblé elas sempre são ativas.

Acontece que os espíritos humanos que incorporam nas "mesas kardecistas" são "altos" na luminosidade, mas de baixa vibração, quase a mesma que a dos seus médiuns encarnados.

Já os encantados, e mesmo os Caboclos e Caboclas que já viveram na "carne", são altamente brilhantes, luminosos e são irradiantes, magneticamente falando, pois estão em constante contato com os pontos de forças, onde os Tronos estão assentados ou se manifestam. E os sobrecarregam magnética e energeticamente.

Só com o contínuo incorporar é que eles vão adaptando suas vibrações às dos seus médiuns. Assim como os cantos vibrantes e o som dos atabaques ativam o emocional dos médiuns, elevando suas vibrações e facilitando a incorporação.

O próprio som dos cantos e atabaques alteram a vibração do éter condensado para que haja a manifestação dos orixás, e o torna vibratoriamente afim com o éter existente nas dimensões naturais onde vivem os encantados.

Há toda uma base científica sustentando os cantos e atabaques nos rituais de Umbanda e Candomblé, os quais dispensam as tolas interpretações correntes no plano material.

Palmas, cantos, batidas de tambor, tudo cria uma sonoridade altamente vibratória que movimenta todo o éter local. Assim como ativa o emocional e apassiva o mental consciente do médium, e com isso facilita a incorporação.

Já vimos os escritos de alguém que diz que as palmas, os cantos vibrantes e o atabaque "arrebentam", isso mesmo, arrebentam o médium, pois o desarmoniza todo, psíquica e energeticamente.

É pura ignorância de um falso conhecedor do magnetismo humano, e melhor teria feito se tivesse se calado em vez de fixar tal coisa no papel. Ou, então, que fosse pregar suas teorias nos silenciosos e mentalistas centros espíritas, onde até as preces têm de ser silenciosas senão afastam os "irmãos de Luz"!!!

Luz e vibração são afins. Alta energização e forte magnetismo também são.

Logo, canto litúrgico afim com o magnetismo dos espíritos ou encantados só propiciam um campo mais amplo pelo qual irradiam suas energias e expandem suas luminosidades.

E tanto isso é verdade que, quando os guias-chefes de trabalho veem que o campo onde estão atuando está sobrecarregado de energias negativas, ordenam que as curimbas cantem pontos altamente vibrantes e acompanhadas pelos atabaques, quando os guias incorporados giram (dançam) e espargem energias positivas, irradiantes e anuladoras do negativismo acumulado no éter local.

Isso é ciência, e como tal deve ser entendida e estudada.

Além do mais, é impossível a um guia espiritual ou um ser encantado ficar estático, como se estivesse imóvel.

Isso não acontece porque seu magnetismo é afim com o ponto de forças onde está "assentado", e a ligação com o mistério que o sustenta, e que por ele flui, o faz vibrar intensamente, pois se sobrecarrega continuamente com as energias que os Tronos estão lhe enviando.

Às vezes, quando dão consultas, costumam girar uma volta em si mesmo para espargirem as energias acumuladas, vindas dos Tronos. Giram para a direita.

Quando giram para a esquerda, estão "abrindo" o seu campo próprio, sobrecarregado com as energias retiradas dos consulentes ou acumuladas no éter à sua volta.

Isso, os cantos, o estalar de dedos, os colares de cristais ou contas, o fumo, os incensos, as velas votivas aos axés assentados, etc..., tudo é ciência que, quando devidamente estudada, mostrará a riqueza dos rituais religiosos sustentados pelos Tronos naturais, os senhores das "naturezas": os nossos amados orixás.

Bem, comentar os Tronos elementares me levou a outros comentários das coisas básicas do Ritual de Umbanda Sagrada, pois uma coisa puxa a outra, automaticamente.

Mas o importante é que saibam que sete Tronos essenciais existem. E eles, dentro das dimensões elementares, vibram tão intensamente que suas hierarquias nelas atuando são irradiadores de elementos puros, pois provêm de uma só essência. Mas nos sete níveis existentes mesmo dentro de uma dimensão original ou elementar, os tronos ígneos por exemplo, uns irradiam o "fervor" religioso, outros o "calor" do amor, outros o abrasão da lei, etc. Assim absorvem tantas vibrações virtuosas que começam a irradiá-las. Quando já vivenciaram intensamente os sentimentos virtuosos originais e tornam-se seus irradiadores, aí são atraídos naturalmente para dimensões bipolares, onde absorverão outro padrão vibratório de sua essência original, e também de um padrão específico de outra essência original, tornando-o mais denso, energeticamente.

Nessas dimensões, quem sustenta ali as evoluções são os Tronos bienergéticos ou bipolares. Mas isso é assunto para outros comentários.

Com. pai Benedito de Aruanda, M...L...

21. 8 Tronos Espirituais ou Espiritualizados

Tronos são o que são: Tronos!

Mas há toda uma hierarquia erigida em paralelo com a que é formada pelos Tronos naturais, que para nós é tão importante, pois é formada pelos tronos "humanizados".

Esses Tronos espirituais têm atuado intensamente na evolução dos espíritos humanos, que não comentá-los é falar meia-verdade ou omitir-me sobre a verdade.

O fato é que de tempos em tempos desce à matéria um Trono celestial e toda a sua hierarquia, formada por Tronos regentes de Degraus responsáveis por reinos naturais, ou mesmo níveis evolutivos dentro de uma faixa específica de uma dimensão.

Quando isso acontece, o Trono celestial que encarnou deixa seu assento (Trono energo-magnético) vago até que esteja apto a reassentar-se, conscientemente venha a estar.

Mas quando um Trono celestial encana e se humaniza, deixa de ser um ser natural e passa a ser um ser espiritual portador de um mistério celestial.

Tanto ele quanto todos os seus Tronos auxiliares regentes de Degraus (níveis energo-magnéticos por onde os mistérios do Trono celestial fluem), assim como os Tronos graus (auxiliares e formadores dos subníveis dos Degraus), também encarnam e trazem consigo milhões de seres naturais que estão adentrando no ciclo reencarnacionista ou estágio humano da evolução.

Nada acontece por acaso, e essa espiritualização de Tronos celestiais, seus Degraus, seus graus e os seres naturais regidos pelo mistério senhor do Trono celestial em questão, atende a uma necessidade do próprio todo planetário, que tem de manter o equilíbrio energo-magnético em todas as dimensões, assim como tem de alterar alguns níveis religiosos no plano material.

Então todo o lado ou vertente humana de um Trono, que já se "relacionava" com a dimensão humana, pois atuava por cima ou em paralelo a ela, estimulando a evolução e a ascensão, encarna e estimula diretamente toda uma sociedade mais ou menos esgotada em suas alternativas racionais, religiosas, emocionais, etc.

Sempre que isto acontece surge uma nova religião ou civilização na face da Terra. Umas expandem-se tanto que se tornam planetárias, outras conservam-se dentro de limites continentais, ou mesmo, regionais.

Geralmente os Tronos que adentram no estágio humano da evolução, quando o fazem, seus Degraus já encarnaram e estão todos "humanizados" e espiritualizados, pois suas memórias ancestrais foram adormecidas ao encarnarem.

Assim, quando o Trono celestial encarna, já encontra todo um grupo de seres humanos mais ou menos afim com o que ele irá "semear".

Assim tem sido no decorrer dos tempos e em todas as eras desse nosso abençoado planeta.

Muitos tentam desvendar o mistério das divindades naturais cantadas nos mitos e lendas. Mas ninguém as tem explicado de maneira satisfatória, pois lhes falta o conhecimento anterior às suas "humanizações".

O fato é que se recorrerem aos livros sobre antigas religiões ou mesmo aos livros de mitologia, encontrarão centenas ou milhares de nomes humanos de divindades naturais humanizadas.

Por trás das alegorias ou dos mitos e lendas, verdades estão ocultadas ou inexplicadas.

Afinal, mesmo a herança Divina das religiões africanas que deram origem ao Ritual de Umbanda não está devidamente decodificada. Então o que dizer sobre divindades surgidas em eras anteriores, ou na atual, quando nem a escrita existia e em mitos sobrenaturais se transformaram todas as divindades humanizadas?

As transmissões orais, por mais que tentassem conservá-las isentas de criações mentais humanas, não conseguiam.

A própria Bíblia Sagrada traz em seu bojo vários mitos incorporados pelos antigos hebreus à sua tradição religiosa, tão antiga quanto a atual era humana.

"Saibam que esse nosso planeta abençoado já teve outras civilizações tão ou mais evoluídas que a atual. Mas, em outros sentidos, a evolução aconteceu".

Bem, o fato é que muitas divindades que nos chegam através dos escritos antigos pertenceram a outras eras, pois resistiram às transformações, uma vez que teriam de continuar amparando no ciclo reencarnacionalista seus naturais afins que foram espiritualizados. E só se recolheram quando, ou todos ascenderam ou se petrificaram nas esferas negativas, ou outras divindades os assumiu, incorporando algumas atribuições ou atributos da divindade que deveria deixar de ser cultuada no plano material para que uma renovação acontecesse no aspecto religioso, social, cultural e emocional.

Assim tem sido, e assim sempre será.

A lei maior não estabelece um prazo fixo para que um Trono celestial humanizado cumpra sua missão na dimensão humana. Mas no plano material não ultrapassam mais de sete milênios como divindades principais de um povo, ou mesmo em uma era, que dura no mínimo 21 mil e no máximo 77 mil anos solares.

O estudo das eras no Magno Colégio dos Magos nos indica isso sobre os ciclos ou eras.

O fato é que, adentrando na "nossa" religião, o Ritual de Umbanda Sagrada, vamos encontrar várias divindades. Umas predominantes em uma região da África e outras em outras regiões, formando um panteão genuinamente africano e único, pois todo ele está assentado nos orixás naturais, que não perderam o elo original que os ligam à natureza. Eles nunca foram recolhidos aos templos, como fizeram os egípcios, persas, gregos e outros povos.

Essa manutenção de suas qualidades originais permitiu fixá-los tão facilmente no inconsciente coletivo místico já existente no astral "brasileiro".

Índios adoradores da natureza, negros cultuadores e brancos supersticiosos formavam uma coletividade mística por excelência. Coletividade esta que não só absorveu os orixás como os incorporou aos mitos mais antigos por aqui conhecidos.

Nesse amálgama religioso, os orixás, Tronos regentes por excelência divina, a tudo contemplavam, aguardando o momento ideal para se fixarem de forma definitiva como divindades regentes. E reuniram em torno de seus pontos de forças todos os Tronos naturais de suas hierarquias celestiais que no passado já haviam se espiritualizado.

Por espiritualizados entendam Degraus cujas vertentes ou lados voltados para a dimensão humana haviam adentrado no ciclo reencarnacionista e dado início a religiões humanas.

Vamos nomear só alguns desses Tronos espiritualizados para que possam entender nosso comentário:

- Trono das Sete Estrelas — Oxalá
- Trono das Sete Espadas — Ogum
- Trono das Sete Montanhas — Xangô
- Trono das Sete Pedras — Oxum
- Trono das Sete Portas — Obaluaiê
- Trono das Sete Flechas — Oxóssi
- Trono dos Sete Raios — Iansã
- Trono das Sete Cruzes — Oxalá
- Trono da Fertilidade — Ogum
- Trono da Fecundidade — Oxum
- Trono da Geração — Iemanja

Enfim, são tantos os Tronos celestiais cujas vertentes humanas já foram espiritualizadas que nos é impossível relacionar todos.

Mas saibam que todos eles estão ativos e atuando na dimensão humana, pois junto com os seus regentes espiritualizaram-se bilhões de seres naturais que foram conduzidos ao ciclo reencarnacionista ou estágio humano da evolução.

E nenhum se recolherá em definitivo enquanto espíritos a eles ligados estiverem reencarnando, ou paralisados nas esferas negativas.

Há todo um mistério divino sobre esse aspecto dos Tronos espiritualizados que não podemos abordar. Mas o fato é que todos esses Tronos, e os aqui não citados, foram espiritualizados, pois suas vertentes voltadas para a dimensão humana foram humanizadas e espiritualizadas, assumindo características humanas.

Para entenderem como uma religião absorve partes ainda humanas de outras, basta atentarem para o que acontece no Ritual de Umbanda Sagrada: O Trono Sete Espadas rege as linhas de Caboclos e Exus Sete Espadas, que são espíritos humanos atuando nas sete linhas (cristalina, mineral, vegetal, ígnea, eólica, aquática e telúrica), mas regidos pelo mistério Ogum.

Um Caboclo Sete Espadas, que é um espírito humano, ainda conserva em sua natureza íntima a essência Ogum que flui em todos os níveis energo-magnéticos (religiosos) e conscienciais.

A Umbanda é regida pelo alto, pelo Setenário Sagrado, Ogum é uma essência dele, que um dia humanizou o Degrau das "Sete Espadas da Coroa Divina".

Essa humanização e espiritualização dos seres que eram regidos pelo mistério "Sete Espadas da Coroa Divina" alavancou em determinada época da humanidade o sentido da "Lei" e despertou nos seres humanos uma necessidade de "ordenar" as coisas.

Foram milhões e milhões de espíritos que entraram na grande corrente reencarnatória da evolução, que traziam em suas naturezas uma centelha, que quando ativada pelo mental Ogum, buscariam ordenar o conhecimento, a fé, a lei, a justiça, etc. E ativados, cada um ao seu tempo e lugar, não tenham dúvidas, eles foram; e bem ou mal, ordenaram as coisas às suas voltas.

A identificação de Ogum com o soldado, ou mesmo o exército, não é casual. Existe uma correspondência no modo de atuar do senhor Ogum, e o papel ordenador dos exércitos na história da humanidade.

Em um nível supra-humano, Ogum atua com o ordenador das sociedades, recorrendo até à força, se preciso for, já que por natureza o ser humano é avesso a submeter-se à hierarquização de sua vida.

Assim, Ogum "humanizou-se" como o senhor da guerra, senhor dos exércitos, senhor da lei e da ordem, senhor das fronteiras entre luz e trevas, senhor dos caminhos, senhor das encruzilhadas, etc.

E Ogum Sete Espadas é o regente celestial a quem os membros do Degrau das Sete Espadas da Coroa Divina prestam conta de seus atos.

Esse Degrau, após ordenar com suas legiões naturais espiritualizadas o meio material humano, recolheu-se ao lado espiritual e deu início à ordenação no meio espiritual, onde seus Tronos-graus se espalharam, atuando nos muitos níveis energo-magnéticos e conscienciais.

Uns atuaram, e ainda atuam, como cercadores de espíritos rebelados contra a ordenação divina das coisas. Outros têm atuado na ordenação pelo alto ou à direita.

Mas todos são regidos pelo Trono essencial Ogum, guardião da Coroa Divina e ordenador de todos os processos energo-magnéticos (religiosos).

Onde excessos estão sendo cometidos em nome de Deus, Ogum atua com intensidade para repor cada um no seu devido lugar, nem que tenha de enviar às trevas os espíritos dos refratários ou rebelados.

Então está mais ou menos explicado, o mistério das Sete Espadas de Defesa da Coroa Divina é um Trono-Degrau do mistério essencial Ogum, que foi espiritualizado. Seus membros encarnaram, deixando de ser naturais e tornando-se espíritos humanos!

Como o Degrau abriu-se para o lado humano e seu Trono regente encarnou, juntamente com toda uma legião incontável de auxiliares regidos pelo mistério Ogum, então, quando os senhores do alto idealizaram o Ritual de Umbanda Sagrado, Ogum, numa volição planetária, arregimentou para a nova religião todos os seus Tronos-Degraus, que passaram a atuar como ordenadores dos processos energo-magnéticos que a formaram.

Ogum na Umbanda é o senhor das demandas. É aquele que interfere onde excessos estão sendo cometidos por espíritos humanos.

O Degrau das Sete Espadas de Defesa da Coroa Divina, num "toque de reunir" do general da Umbanda, recolheu em todos os níveis e energo-magnéticos membros afins e o hieraquizou de alto a baixo, começando o alto com o senhor Ogum Sete Espadas e fechando no embaixo com o Senhor Ogum Mege (da Terra).

Sim, porque o Senhor Ogum Mege é um Ogum todo voltado para o combate aos excessos cometidos por espíritos rebelados caídos nas trevas.

Alguns já descreveram o senhor Ogum Mege como um "esqueleto uniformizado" que, montado em um cavalo branco, ronda os cemitérios.

Em uma alegoria isso é corretíssimo, pois no simbolismo as caveiras habitam os cemitérios. E em uma analogia simplista, no embaixo do campo-santo estão os caídos, ou mortos para a vida.

Temos de interpretar as alegorias, senão caímos num folclorismo até infantil.

Mas o fato é que o Senhor Ogum Mege é Trono regente de Ogum para os domínios regidos pelo orixá Omolu, que, este sim, rege todo o embaixo do campo-santo.

E se no alto está o Senhor Ogum Sete Espadas da Coroa Divina assentado na hierarquia do sagrado Ogum, no embaixo está o Senhor Ogum Mege Sete Espadas, assentado nos domínios dos Tronos cósmicos Omolu, guardião dos "mortos".

Essa é a interpretação correta do mistério Sete Espadas de Defesa da Coroa Divina.

Esse Trono foi espiritualizado há milhares de anos e tem participado ativamente da evolução humana, pois toda sua hierarquia encarnou e humanizou-se.

O mistério em si ficou semioculto, mas vem fluindo em todas as religiões e épocas. Sempre em ordens iniciáticas ou militares regidas por princípios que estimulam a "defesa", seja ela das sociedades humanas ou das religiões estabelecidas. E porque o mistério Ogum atua através das essências, nem sempre acontece uma identificação perceptível entre o celestial Guardião da Coroa Divina e os humanos guardiões das sociedades humanas.

Mas, cada um atuando em um nível vibratório, todos são estimulados pelo orixá essencial Ogum.

A Umbanda, numa volição espiritual ativada pela Coroa Divina, absorveu milhares de Tronos espiritualizados que hoje, nas esferas superiores, são conhecidos como Tronos espirituais, e se nem todos estão ainda assentados, é porque muitos tornaram-se negativos e assentaram-se em seus polos negativos localizados nas esferas cósmicas. Isso que comentamos, recorrendo a alguns exemplos, são os Tronos espirituais. Em todas as linhas de ação e trabalho do Ritual de Umbanda, são milhares de hierarquias já assentadas, pontificadas por tronos "humanizados".

Alguns assumiram nomes simbólicos afins com os mistérios positivos e outros com os mistérios negativos, mas todos são regidos pelos senhores da natureza, os orixás sagrados.

21.9 Tronos Espirituais Positivos

Já comentamos os Tronos espirituais num aspecto mais amplo. Agora vamos abordá-los a partir de suas polaridades energo-magnéticas, pois só assim esgotaremos o assunto em questão.

Todo Trono regente de Degrau é um ser portador de dupla polaridade energo-magnética, e isso se deve ao fato de que todo Degrau fecha em si mesmo todo um processo energo-magnético (magístico ou religioso), cujo alcance abrange todos os estágios da evolução que acontecem nas muitas dimensões existentes dentro do que chamamos de "o todo planetário".

Estabeleçamos uma hierarquia para que seja mais fácil o entendimento do que estamos comentando:

No topo está o Criador, que se manifesta em tudo e através de todos.

A seguir vêm suas manifestações essenciais que, se para nós são as essências que formam o Setenário Sagrado, para outros planetas ou mesmo dimensões podem ser em maior ou menor número que sete.

Limitar o Criador a sete essências divinas é unicamente um recurso ao qual recorremos, e, todos recorrem, para ordená-Lo a partir de sua criação. Afinal, seria tolice ou infantilidade limitarmos o ilimitado Criador a sete essências básicas.

Mas é preciso ordená-Lo, senão nenhum estudo conseguirá aprofundar-se e alcançar a natureza divina do Criador, que anima tudo que existe.

Assim, as sete essências nos chegam como projeções do Criador, que formam a Coroa Divina, formado por sete orixás essenciais, que por sua vez se individualizam nos sete orixás ancestrais, que se projetam e animam os orixás naturais ou senhores da natureza.

Em 1 temos o criador Ogum.

Em 2 temos os orixás essenciais (Coroa Divina).

Em 3 temos os orixás ancestrais (Setenário Sagrado).

Em 4 temos os orixás naturais (regente da natureza).

Essa hierarquia, que começa no um e chega até o quatro, nós a chamamos de o alto do Altíssimo, pois é impenetrável e impermeável a quaisquer vibrações que não sejam as suas.

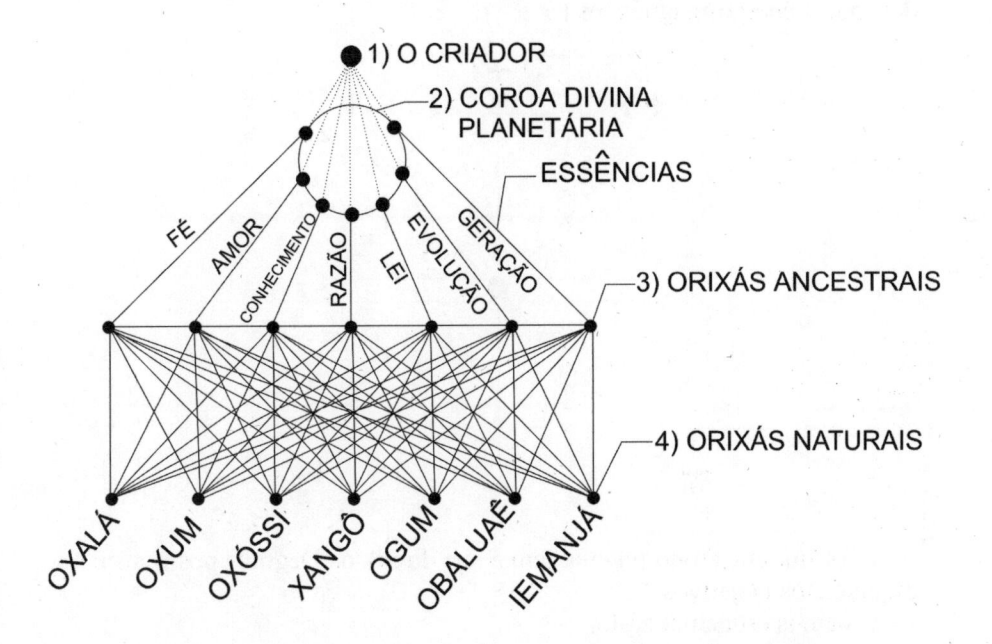

```
                    ● 1) O CRIADOR
                   ╱─ 2) COROA DIVINA
                         PLANETÁRIA
                         ─── ESSÊNCIAS


                                   ── 3) ORIXÁS ANCESTRAIS



                                   ── 4) ORIXÁS NATURAIS


  OXALÁ  OXUM  OXÓSSI  XANGÔ  OGUM  OBALUAÊ  IEMANJÁ
```

Nada nela penetra, pois até o nível quatro só o Criador se manifesta e vibra.

Em 1 temos Ogum (origem).
Em 2 temos sua manifestação (essência).
Em 3 temos sua projeção (sentido).
Em 4 temos sua individualização (dimensionamento).

Tomamos nomes "humanizados" dos orixás naturais mais afins com os regentes naturais. Mas há todo um mistério aí ocultado ou não revelado que impede a nomeação exata dos sete orixás naturais. Mas para nós isso é o bastante, pois a hierarquia está formada e entendida.

Observem que um orixá ancestral projeta-se nos sete orixás naturais. E todos projetam-se, formando o primeiro entrecruzamento ou tela divina onde todas as inibições do Criador refletem, ativando os orixás naturais no sentido de refleti-las nas suas hierarquias assentadas nos muitos níveis vibratórios das dimensões onde as evoluções acontecem.

Então, temos uma coroa, um Setenário e sete orixás naturais, que, a partir do nível 4, dão início à formação de níveis afins com os níveis dos outros orixás naturais.

É a partir daí que surgem os orixás regentes, portadores de mistérios afins com os naturais, refletores dos essenciais.

Os orixás regentes são Tronos cujos magnetismos celestiais possuem dois polos energo-magnéticos (+ e -).

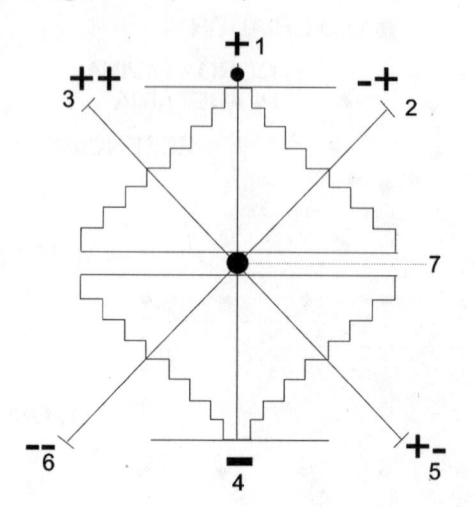

Assim, um Trono regente tem à sua direita os Degraus positivos e à esquerda, os negativos.

Vamos esquematizá-lo:

Na cruz, o alto simboliza a Luz ou o positivo, e o embaixo simboliza as trevas ou o negativo. Já em um Trono, à direita simboliza a Luz e à esquerda, as trevas. Por Luz entendo os lados positivos dos pontos de forças e por negativo os seus lados cósmicos.

Isso, na Umbanda, forma as linhas de ação e trabalho, que nós identificamos por seus nomes simbólicos. Assim, à direita do senhor Ogum Sete Espadas estão assentados os Caboclos Sete Espadas, e à sua esquerda estão os Exus Sete Espadas.

Os Caboclos atuam nos seus pontos positivos e os Exus nos seus pontos negativos. Vamos explicar este Trono simbólico espiritualizado, a partir de seus sinais numerados:

1 — O polo positivo do Trono Ogum Sete Espadas.

2 — Sinais (- +), significando o (-) graus femininos e o (+), positivos. Então este (- +) se interpreta como espíritos femininos atuando na Luz.

3 — Sinais (+ +), significando o (+) que são graus masculinos, e o segundo que são positivos. Então esse (+ +) se interpreta como espíritos masculinos atuando na Luz.

4 — O polo negativo do Trono Ogum Sete Espadas.

5 — Sinais (+ -), significando o primeiro sinal (+) como espíritos masculinos e o segundo sinal (-) como de natureza cósmica (negativa).

6 — Sinais (- -), significando o primeiro sinal como espíritos femininos, e o segundo sinal (-) como de natureza cósmica (negativa).

7 — Posição ocupada no ponto de forças pelo Trono regente do mistério Sete Espadas de Defesa da Coroa Divina (Ogum Sete Espadas).

Aí vem a leitura interpretativa deste Trono celestial: O Trono Ogum Sete Espadas de Defesa da Coroa Divina é bipolar (dupla polaridade), e é formado em sua direita (Luz) de polo positivo por Degraus cujas hierarquias são formadas em paralelas por espíritos masculinos (+ +) e por espíritos femininos (- +) regidos pelo polo energo-magnético positivo. E o lado esquerdo (polo negativo) é formado por Degraus cujas hierarquias correspondentes às da direita seguem a mesma formação (- +) e (- -), encerrando em seu todo o ✕ energo-magnético dos pontos de forças da natureza.

Essa ✕ é a correspondência existente em todos os Tronos celestiais, onde naturezas opostas (macho e fêmea) ou polos opostos (positivo-negativo) equilibram-se possibilitando ao Trono regente (Ogum Sete Espadas) atuar através de seus Degraus em qualquer campo energo-magnético, pois em todos encontra correspondências naturais.

Atentem para ✕ pois só através dele o mistério orixás da Umbanda pode ser explicado, já que para cada orixá masculino, um par vibratório feminino existe, e para cada orixá positivo, um seu par negativo também existe a partir do momento em que as essências começam a sofrer diferenciações.

A separação não acontece senão no nível energo-magnético regido pelos orixás essencial e ancestral, diferenciações não existem.

Assim entendido, pois nesse comentário sobre os Tronos espirituais positivos não vamos abordar o mistério, ✕ apenas o comentaremos rapidamente:

Os Tronos em questão são positivos, pois suas vertentes humanas estão voltadas para as esferas da Luz ou faixas celestiais positivas. Os espíritos que formam as hierarquias dos Degraus são todos eles regidos por mistérios da luz (processos energo-magnéticos positivos).

Assim, na Umbanda, Caboclos e Caboclas regidos pelo mistério Sete Espadas (nosso Trono exemplo) atuam na "direita" (Luz) e só recorrem em suas ações e atuações às irradiações do polo positivo do Trono celestial Ogum Sete Espadas de Defesa da Coroa Divina.

Os Tronos espirituais positivos têm em seus Degraus formadores hierarquias auxiliares para as dimensões elementares básicas e dimensões naturais.

Nas dimensões elementares correspondem-se com os Tronos elementais e nas dimensões naturais a correspondência é com os Tronos naturais, pois todas as dimensões são exigidas em paralelo, e os níveis de uma corresponde ao de todas as outras.

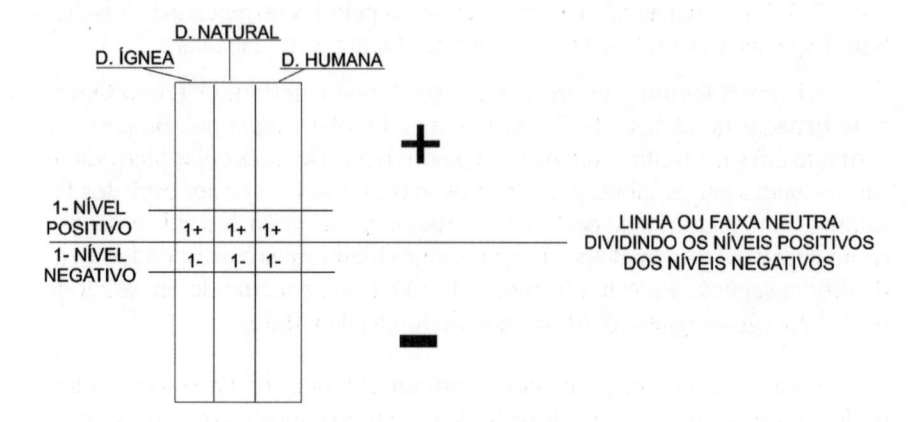

```
         D. NATURAL
  D. ÍGNEA      D. HUMANA

                              +

1- NÍVEL
POSITIVO  1+  1+  1+                    LINHA OU FAIXA NEUTRA
1- NÍVEL                                DIVIDINDO OS NÍVEIS POSITIVOS
NEGATIVO  1-  1-  1-                    DOS NÍVEIS NEGATIVOS

                              ▬
```

Assim, o primeiro nível energo-magnético da dimensão ígnea elementar básica encontra-se paralelo ao primeiro nível das dimensões ígneas naturais e ao primeiro nível da dimensão humana.

Nesta correspondência podemos comparar um espírito humano ainda no primeiro nível com um ser elemental também no primeiro nível evolutivo.

É nessas comparações que o estudo das evoluções se fundamenta e as conseguimos entender razoavelmente, pois encontramos seres evoluindo em outras dimensões que têm pouco poder mental, e outros, já em níveis mais elevados, muito poderosos mentalmente. E o mesmo acontece com os espíritos humanos quando os estudamos: uns têm um poder mental fraquíssimo e outros são muito poderosos mentalmente.

Os níveis evolutivos explicam isso perfeitamente.

Por isso os Tronos espirituais possuem auxiliares para todos os níveis energo-magnéticos, onde evoluções em paralelo à humana acontecem.

Um Trono espiritual positivo tem de ter correspondência com todas as outras dimensões ou suas linhas de forças ativas e passivas não estarão em harmonia e equilíbrio energo-magnético com o regente Trono celestial ao qual está ligado, pois é só um Degrau dele.

O Trono celestial Ogum sete espadas possui em sua direita "humana" sete Degraus masculinos (ativos) e sete degraus femininos (passivos).

Os ativos são os Caboclos Sete Espadas que baixam nos seus médiuns, e os passivos são as Caboclas Sete Espadas, que nunca incorporam. E, se algum o fez, foi muito rapidamente ou no caso de ter que atuar a partir do plano material terra. Mas não é do nosso conhecimento que alguma o tenha feito.

Se assim acontece, é porque só o polo ativo (masculino) do Trono "Ogum Sete Espadas" foi, num passado longínquo, conduzido ao ciclo encarnacionista, tendo todo o polo passivo (feminino) permanecido no ciclo evolucionista natural, que dispensa o corpo físico ou a reencarnação.

E se assim acontece, é porque são o par vibratório positivo correspondente a eles, que muitos chamam de "alma-gêmea".

Essa "alma-gêmea" sustenta energeticamente sua contraparte ou polo ativo adentrado no ciclo humano da evolução.

Há todo um mistério sobre esse assunto, ainda a ser revelado.

Após tudo isso comentado, esperamos que entendam por que o Ritual de Umbanda é todo ele formado por hierarquias com nomes simbólicos reveladores de correspondências com a "natureza".

São Tronos espiritualizados porque suas vertentes humanas tiveram um de seus polos "humanizados" no ciclo reencarnacionista da evolução.

Muitos já explicam a Umbanda simplificada (só a partir do seu lado visível). Mas são inconsistentes ou incompletas essas explicações, pois faltam-lhes o "lado oculto".

É certo que a ninguém é dado o conhecimento total das coisas. Mas abrir o conhecimento é nossa função, e temos tentado ser abrangentes o máximo que permitido nos é ou tem sido.

Saindo um pouco da Umbanda, encontramos em outras religiões Tronos espirituais humanos ou humanizados, pois o Cristo Jesus é um Trono celestial que foi "humanizado" pelo Divino Regente da Coroa Divina (Deus).

O Buda é outro Trono celestial que também foi "humanizado".

Ambos tornaram-se Tronos espirituais positivos, ou da Luz, e têm regido bilhões de espíritos nos seus estágios humanos da evolução.

Tudo isso que acabamos de comentar é ciência espiritual do mais alto nível, descrito aqui da forma mais simples ou compreensível possível para que, a partir destas informações básicas, vocês desenvolvam novos conhecimentos e concepções "humanas" sobre os mistérios divinos.

Saibam que a função básica de todo Trono espiritual positivo é amparar os espíritos e estimulá-los a evoluírem através de irradiações energéticas luminosas que ativam o virtuosismo e a vontade de "religarem-se" às suas origens (Deus) divinas.

Estimulam a fé, o amor, a caridade, a lealdade, a fidelidade, a humildade, a tolerância, etc.

Isso é o que fazem todos os espíritos humanos regidos pelos mistérios dos polos positivos dos Tronos celestiais.

Isso é o que aqui fazemos ao abrir um pouco do "lado oculto" ao conhecimento dos que apreciam os estudos aclareadores daquilo que chamam de ciências ocultas. E se o fazemos didaticamente, é para que sejam conhecimentos básicos ou fundamentais.

21.10 Tronos Neutros

Comentemos rapidamente os Tronos espirituais neutros, pois muito pouco podemos comentar sobre eles, praticamente ocultados pela própria lei dos mistérios.

Tronos neutros são como o próprio nome diz: neutros. Tanto atuam estimulando quanto paralisando. Tanto atuam no campo positivo quanto no negativo. Tanto suprem carências quanto esgotam excessos. Tanto adentram no mental (polo positivo) quanto no emocional (polo negativo) dos espíritos humanos.

Esses Tronos têm por função auxiliarem tanto os Tronos positivos quanto os negativos.

O mistério Exu é um típico Trono neutro, regido no alto pela Luz e no embaixo pelas trevas.

Exu, para que entenda o que estamos comentando, sorri se os tratarmos amigavelmente ou se enfurece quando o destratamos.

Exu, tanto nos auxilia se a ele recorrermos, como nos paralisa se voltado contra nós pela lei ou por algum desafeto.

Exu, no positivo estimula e no negativo paralisa.

Exu, no positivo ativa o mental e no negativo ativa o emocional.

Exu, neutro por excelência, é regido pelo mistério "Trono neutro".

Ele não é bom nem é mal. Apenas é neutro, e responde segundo é invocado.

Exu é instrumento da lei cujo Trono teve sua vertente voltada para a dimensão humana.

Sem conhecer esse mistério "natural" de Exu, jamais conseguirão entendê-lo totalmente.

Bombogira ou pombagira, o mistério em si mesmo, é regida pelos Tronos neutros, que tanto podem atuar positivamente quanto negativamente.

Foi baseado nos Tronos neutros que o Ritual de Umbanda Sagrada incorporou à sua esquerda simbólica o mistério Exu.

Exu não é regido pelo "embaixo" ou inferno. Mas Exu adentra nele e realiza o que lhe foi pedido ou ordenado, pois se voltar seu mistério contra um ser paralisado no polo negativo, o ativa. E se quiser paralisar um ser muito ativo no seu negativismo, também o faz sem muitos problemas.

A ele a Umbanda tem recorrido intensamente para estimular seres paralisados mentalmente ou para paralisar seres emocionalizados.

Foi baseado no mistério Trono neutro que todas as linhas de Exus e Bombogiras foram formadas, pois assim o Ritual de Umbanda não precisaria recorrer ao tão fatídico "inferno" das outras religiões.

Os orixás naturais regem pontos de forças cujos magnetismos atraem naturalmente os seres afins com suas polaridades. E recorrem aos Tronos neutros para direcioná-los em um sentido contrário ao que estão seguindo, caso entrem em desequilíbrio mental ou emocional.

Tronos: Símbolos Sagrados e Pontos de Forças Mentais

O mesmo princípio foi adotado pelo Ritual de Umbanda Sagrada. E todo filho-de-fé, se positivo e equilibrado, assenta-se sob a irradiação do polo positivo (Luz), e se não, então o polo negativo o atrairá e o usará na lei do carma até esgotá-lo energeticamente, emocionalmente e mentalmente, anulando-o em seu polo negativo.

Todo um vasto campo de estudos aí existe para que isso seja melhor compreendido.

Existem muitos Tronos neutros, mas o Ritual de Umbanda os englobou em uma só designação para melhor assimilação ocorrer.

Nos mistérios Exu e Bombogira assentaram-se os Tronos neutros para melhor servirem aos dos orixás naturais, assim como na direita os mistérios Caboclo e Pretos-Velhos foram assentados.

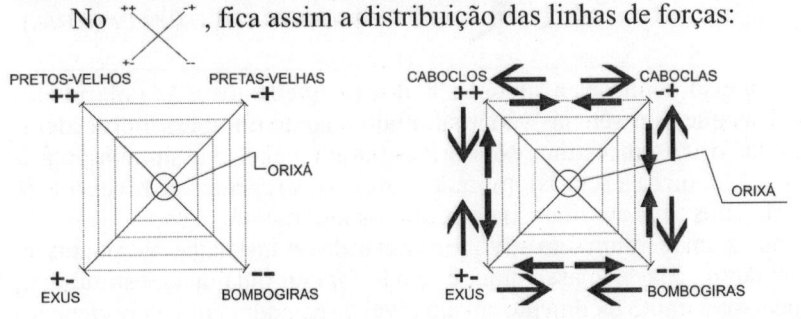

No ⊗, fica assim a distribuição das linhas de forças:

```
PRETOS-VELHOS      PRETAS-VELHAS        CABOCLOS ←→ CABOCLAS
    ++                 -+                  ++         -+
         \\         //                        ↕↕       ↕↕
              ⊗                                  ⊗
             ORIXÁ                              ORIXÁ
         //         \\                        ↕↕       ↕↕
    +-                 --                  +-         --
    EXUS              BOMBOGIRAS           EXUS →  ← BOMBOGIRAS
```

Caboclos e Exus têm correspondências de naturezas (masculinas), mas oposição quanto aos campos onde atuam, pois (+) segundo sinal (+) significa mental e (-) significa emocional.

O mesmo ocorre entre Caboclos e Bombogiras.

Já nas linhas cruzadas, os polos se repelem quanto aos recursos usados, pois um polo é positivo e o outro negativo.

Essa ciência é a mais fascinante que estudamos, pois ela explica o fenômeno das atrações (simpatias) e repulsões (antipatias) naturais que ocorrem no entrecruzamento das linhas de forças e nas suas polaridades opostas ou afins.

Por isso um médium que incorpora um Caboclo de Oxóssi, dificilmente incorpora um Exu das Matas.

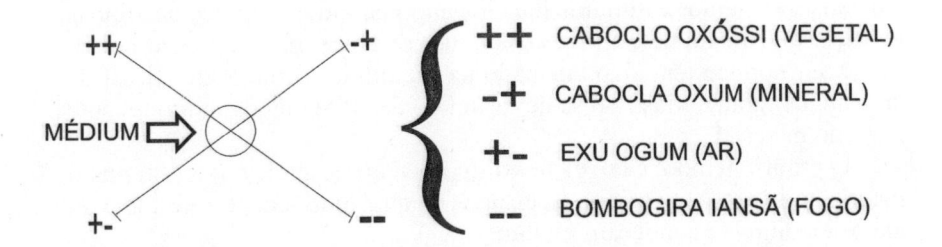

```
     ++           -+        ⎧  ++   CABOCLO OXÓSSI (VEGETAL)
        \\      //          ⎪
MÉDIUM ⇨  ⊗                 ⎨  -+   CABOCLA OXUM (MINERAL)
        //      \\          ⎪  +-   EXU OGUM (AR)
     +-           --        ⎩  --   BOMBOGIRA IANSÃ (FOGO)
```

Ambos os polos (direita e esquerda), atuando em um mesmo médium, paralisariam ou anulariam sua mediunidade.

No X da mediunidade os elementos têm de estar assim distribuídos:

Aí temos um médium extremamente ativo, pois as polaridades estabelecidas o estimulam em todos os sentidos.

Em um médium passivo teríamos algo parecido com esse X:

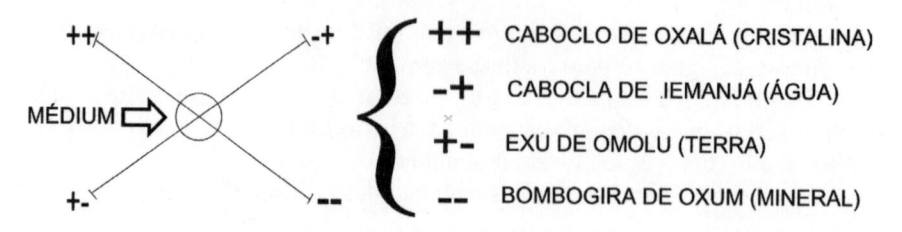

```
  ++\        /-+      ┌  ++   CABOCLO DE OXALÁ (CRISTALINA)
     \      /         │
MÉDIUM ⇨ ⊗           ┤  -+   CABOCLA DE IEMANJÁ (ÁGUA)
     /      \         │  +-   EXU DE OMOLU (TERRA)
  +-/        \--      └  --   BOMBOGIRA DE OXUM (MINERAL)
```

É preciso conhecer a fundo o X dos magnetismos e as polaridades magnéticas que as essências vão assumindo quando ultrapassam (desdém) o nível dos orixás ancestrais. Nos orixás naturais elas já assumem polaridades e o X começa a ser vislumbrado. Nos orixás regentes de níveis ele já é visível, e nos seus auxiliares já o sentimos facilmente.

Nunca um médium será ativo se as polaridades instaladas nas pontas do X se anularem. Elas o apassivarão, e se não for continuamente estimulado, acomodar-se-á muito facilmente em um nível de entendimento (consciencial) que nada mais buscará em termos de crescimento íntimo.

"A lei às vezes estabelece um X apassivador para médiuns que em espírito foram muito ativos."

Nesse caso, ele precisa aquietar-se um pouco na matéria, senão se dispersará muito facilmente e logo buscará "coisas" que não o beneficiarão espiritualmente.

Por isso o mistério Trono neutro é positivo na esquerda dos médiuns.

Se o médium é muito ativo mentalmente, receberá um Exu apassivador. E se for muito ativo emocionalmente, receberá um Caboclo apassivador.

Como Caboclo atua através do mental, e Exu através do emocional. Quando um atua no sentido ativo, o outro atua anulando-o.

Um médium muito ativo mentalmente tende a ser pouco emocionalista, e vice-versa. Logo, ou as polaridades opostas se equilibram ou ele não resistirá a tantos estímulos lhe chegando de todos os polos das linhas de forças que atuam nele através das linhas de forças de seu X mediúnico.

Muito pouco tem sido ensinado na literatura instrutiva do Ritual de Umbanda Sagrada. Mas isso se deve ao fato de ele ser ainda muito recente no plano material.

O próprio tempo, e talvez nossos comentários, ajude a fixar no plano material todo um vasto campo de estudos no qual tudo será pesquisado para que os médiuns se conheçam melhor.

Aí talvez o mistério Trono neutro possa ser aberto e melhor compreendido, assim como o mistério Exu ... esperamos!

21.11 Tronos Negativos

Já comentamos anteriormente que todo ponto de forças possui dois lados: um positivo (Luz) e outro negativo (trevas ou ausência de luz).

Eles formam os pares vibratórios da linha vertical, onde, em (+) está o polo positivo e em (-) está o polo negativo dos orixás naturais.

Os polos positivos são o alto e os negativos são o embaixo dos pontos de forças, mas nesse caso outra é a explicação: o alto é irradiante, e o embaixo é absorvente.

O alto irradia, inundando todos os seres que vivem na "Luz", e o embaixo absorve a irradiação de todos os que vivem nas trevas.

Mas isso só se aplica às esferas humanas habilitadas por espíritos humanos, já que nos pontos de forças outra é a realidade encontrada por nós.

Neles, no lado positivo (de magnetismo positivo) encontramos seres naturais (nossos irmãos que não encarnam), atuando através da irradiação dos Tronos naturais e movimentando processos energo-magnéticos positivos irradiantes.

Já no lado negativo (de magnetismo negativo) encontramos seres naturais (nossos irmãos que não encarnam), atuando por meio da proteção dos Tronos cósmicos e movimentando processos energo-magnéticos negativos (absorventes).

São seres naturais hierarquicamente ligados aos Tronos regentes dos polos, e nenhuma ação é iniciada por eles. Só os Tronos iniciam ou atuam um processo energo-magnético irradiante ou absorvente.

Com isso estamos dizendo que os encantados ou seres naturais (nossos irmãos) não têm o livre-arbítrio ou o direito a iniciativas individuais.

Se alguém for à cachoeira e invocar Oxum, uma encantada dela o recepcionará e receberá tanto a oferenda (velas ou flores) quanto o pedido (solicitação de axé, bênçãos, curas, etc.) e se recolherá assim que o pedinte se for. Então levará tudo ao Trono Oxum a que está ligada, e aí sim a encantada que recepcionou o adepto atuará no sentido de auxiliá-lo.

O mesmo procedimento ocorre quando ao lado negativo do ponto de forças da natureza (cachoeira) regido pelo Trono celestial Oxum é solicitado por um pedinte ou adepto dos orixás.

No instante em que o pedinte ou adepto chegar à cachoeira, todos os seus pensamentos, atos e palavras começarão a repetir na tela Oxum (mineral por excelência divina), mas a ação só será ativada depois de tudo fluir nos níveis hierárquicos. Na natureza, encantado algum assume nada. Tudo tem de refletir na tela planetária e fluir por meio dos Tronos hierarquizados, pois só assim uma resposta (atendimento dos pedidos de ajuda) virá naturalmente e contará com o respaldo do próprio orixá natural (no caso, Oxum), que amparará a ação de suas encantadas o tempo todo e enquanto durar a resposta ao pedido. Isso é hierarquia, e assim se processam as coisas regidas pelos Tronos.

Nas dimensões naturais inexiste o livre-arbítrio e todos, naturalmente, procedem assim.

Não acontece quebra de hierarquia, e tampouco procedimentos individuais que estão em acordo e respaldos por seus superiores ou não ativam nenhum processo energo-magnético.

Mas... se for ordenada a ativação, então tudo fluirá naturalmente.

Assim entendido como as coisas acontecem nos domínios dos orixás naturais, comentemos os Tronos negativos:

Se um pedinte solicitar, ritualmente, ajuda a alguma hierarquia negativa, e for atendido, não tenham dúvidas; poderoso processo energo-magnético será ativado e só será desativado quando atender ao pedido aceito... ou acontecerem de outra linha de forças interferir e desativar o processo ali ativado.

Esse ponto é de difícil compreensão a muitos médiuns ou consulentes das tendas de Umbanda. Por isso vamos dar um exemplo recorrendo a um caso fictício:

Uma mãe de família com vários filhos em tenra idade descobre que a pouca atenção que o marido dedica a ela e aos próprios filhos deve-se ao fato de que ele, o marido, arranjou uma amante.

Após muitas tristezas, mágoas e revolta, uma amiga a aconselha a ir até um terreiro, ou a um médium que realiza consultas individuais em sua própria casa.

A mãe traída revela-lhe seu problema, e o médium, após "ouvir" seu guia, caso não esteja incorporado, recomenda-lhe que vá a um ponto de forças e ative algum mistério cósmico (Exu ou Bombogira) afim com seu problema, ofereça um presente (oferenda ritual) e solicite ajuda para afastar a "intrusa" e reconduzir o marido ao lar.

Esse pedido será atendido sem nenhuma dificuldade, pois o Trono cósmico, punidor por excelência da Lei Maior, não admite que um pai abandone os seus filhos à própria sorte, principalmente estando estes ainda inaptos para se sustentarem.

É certo que às vezes a própria mãe em questão foi a culpada por ele renegá-la a um segundo plano e preferir a companhia da intrusa. Mas uma coisa não justifica a outra.

O Exu ou Bombogira invocado recebe a oferenda, recolhe-se ao seu ponto de forças, e aí, bem... Aí começa a atuar no sentido de afastar a intrusa da vida do marido em questão e tentará reconduzi-lo ao convívio do lar.

A atuação começará sutil e tenderá a intensificar-se caso necessário seja, pois num caso desses são muitos os fatores emocionais ativados tanto por ele quanto por sua amante.

E a atuação dos Tronos negativos é emocional por excelência.

Se os dois trabalham numa mesma empresa, um, ou até os dois, poderão perder o emprego caso só assim deixem de se encontrar todos os dias... e saírem juntos ao final do expediente.

Enfim, mil alternativas terá a entidade atuante para separá-los... e atender ao que foi ordenado pelo Trono negativo a que está hierarquicamente ligada. E recorrerá a todos eles, se necessário for.

Lançarão no desemprego, na perturbação emocional (insônia, dores, etc.) ou até na perturbação mental se só esse recurso restar.

Atentem que, quando um Trono regente ativa uma ação, ela só cessará quando concluir o que a ativou.

A intrusa também será atingida intensamente, caso isso seja necessário. Aí ela poderá solicitar (também ela isso pode fazer caso o marido em questão a tenha seduzido) uma reação em sentido contrário a outro Trono cósmico, que julgando que a esposa traída era a culpada pelo afastamento dele do próprio lar, e aí ... Bem, quem lida com esses casos (pais e mães-de-santo), sabe como terminam.

Às vezes mistérios cósmicos de diferentes finalidades entram em atritos contínuos no astral até que o Alto ordene que cessem com as atuações.

Mas, no final de tudo, um saldo positivo será visível aos olhos da Lei Maior: a intrusa, vítima de sedução, será cautelosa em suas futuras ligações amorosas e deixará de "meter-se" com homens casados; estes, após sofrerem muito, se voltarão para o alto e clamarão pelo auxílio de Deus, que os ajudará; e a esposa traída cuidará muito melhor do seu marido ou do homem que o substituiu.

É certo que aqui simplificamos, e muito, tudo o que aconteceu. Mas está é a regra geral nas atuações dos Tronos negativos, que não se limitam só a esse caso a que recorremos.

Os próprios orixás recorrem aos seus Tronos cósmicos (negativos por excelência divina) para que atuem no sentido de acelerar a evolução de alguém, ou mesmo de retardá-la, caso quem está evoluindo muito rápido esteja deixando para trás espíritos afins.

Foi por causa dessa recorrência dos orixás aos seus Tronos cósmicos que a divindade natural Exu serviu como arquétipo ideal para as linhas de esquerda do Ritual de Umbanda Sagrada.

Exu é só um, e seus encantados naturais são de uma só natureza, cósmica por excelência natural.

Exu, a divindade natural, cultiva em solo africano e único. Na natureza só Exu existe. Exu Cobra, Exu Caveira, Exu Tranca-Ruas, Exu Sete Pontas, etc. etc. etc. são Tronos cósmicos (negativos).

E o mesmo acontece com Bombogiras. Só existe um "tipo" de Bombogira. Mas no Ritual de Umbanda Sagrada são centenas de nomes simbólicos que atuam.

Exu é polo magnético, oposto ao de Oxum.
Essa é a verdade ainda não revelada.
Ogum, no mito africano é guerreiro, mas também é agricultor.
Oxum, no mito africano é esposa, mas também é amante.
As interpretações correntes desses dois mitos, as que temos conhecimento pelo menos, não atentam para a alegoria. Vamos explicá-los:
Ogum é sinônimo de poder e criatividade.
Oxum é sinônimo de concepção e sexualidade.
Exu é sinônimo de força e virilidade.
Bombogira é sinônimo de desejo e sensualidade.
À luz dos mistérios essa é a correta interpretação dessas quatro divindades naturais humanizadas em solo africano há vários milênios.

Exu e Bombogira foram humanizados na mesma época, mas em regiões distintas, e se expandiram juntamente com os povos que os cultuam, e cultuam até hoje numa África devastada e violentada pelo europeu e seus valores antinaturais.

Com o tempo, o poderoso Ogum assumiu feições marciais, pois um de seus mistérios é a proteção dos mistérios da natureza. Sua criatividade fixou-se como a facilidade em obter fartas colheitas.

Com Oxum humanizada, seu mistério maior: o amparo da concepção e irradiação do amor matrimonial foi sendo deturpado pela sobreposição de mitos ou alegorias, e hoje é irreconhecível através dos mitos humanos criados em torno dela, a divindade humanizada.

Com Exu, protetor da fertilidade masculina e da força física, pois uma divindade fálica ele era (e o Exu natural ainda é), muitos outros mitos lhe foram sobrepostos.

Todas as civilizações pré-cristãs tinham em seus panteões naturais divindades ligadas à fertilidade masculina e à fecundidade feminina. Isso é história, e ponto final.

Com Bombogira o mesmo ocorreu, é uma divindade estimuladora da sensualidade feminina que torna a mulher diferente de todas as fêmeas das outras espécies (não humanas).

Nas espécies inferiores, as fêmeas são abundantes na concepção (crias), mas não copulam por prazer e sim por estímulo do corpo biológico e do instinto de perpetuação da espécie.

Já a fêmea humana, consciente das dificuldades da gestação, do parto e da maternidade, se não fossem portadoras do desejo que as estimulam a copular, e do sensualismo, que as induz a se mostrarem atraentes aos seus homens, certamente a espécie humana não teria crescido e se multiplicado tanto, que até contraceptivos tiveram de inventar.

Aí temos outro X natural:

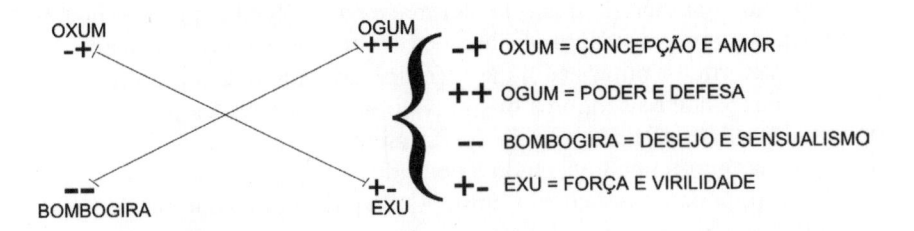

Tronos: Símbolos Sagrados e Pontos de Forças Mentais

```
OXUM            OGUM
 -+              ++      ⎧  -+  OXUM = CONCEPÇÃO E AMOR
                         ⎪
                         ⎨  ++  OGUM = PODER E DEFESA
                         ⎪
                         ⎪  --  BOMBOGIRA = DESEJO E SENSUALISMO
 --              +-      ⎩
BOMBOGIRA       EXU         +-  EXU = FORÇA E VIRILIDADE
```

É certo que não foram os orixás naturais que se humanizaram (encarnaram), para concretizar no plano material tais mitos.

Tronos de suas hierarquias, voltados para a dimensão humana, foram conduzidos ao ciclo reencarnatório e humanizaram tais qualidades arquetipiais, tal como já explicamos com outros Tronos.

É certo que o alto do Altíssimo oculta dos encarnados ou dos rituais mais baixos na espiritualidade a elucidação dos mitos até que surja alguém digno de explicá-los "naturalmente" ao plano material, afinizado com a época em que uma religião precisa deixar de guiar por conceitos abstratos e concepções místicas.

A Umbanda precisa livrar-se dos mitos e dos antinaturais ou abstracionistas que a estão afastando de suas atribuições principais: religam os espíritos com os regentes naturais (os sagrados orixás).

Uma corrente está, ao tentar acabar com os mitos, levando os orixás a um nível tão abstrato, que se pudessem os trancariam a sete chaves e só suas antinaturais concepções prevaleceriam no meio umbandista.

Mas nós, Benedito de Aruanda, M..L.., somos defensores dos processos e procedimentos naturais e nosso médium psicógrafo é "Niye-he" de Ifá.

Niye-he significa mensageiro, e Ifá é o mistério das revelações (o espirito santo cristão), pois no Ritual de Umbanda Sagrada, a trindade é formada por: Olodum (Deus), Oxalá (filho) e Ifá (espírito santo).

Isso está assentado no Ritual de Umbanda Sagrada, mas, infelizmente, é pouco divulgado pelos pais e mães espirituais.

Orixá é mistério da natureza aberto a todos e não "pertence" a ninguém no plano material.

Orixá é mistério divino por excelência, e quem tenta afastá-los da natureza, afastado dela será.

Orixá é Trono da Coroa Divina que se manifesta por meio da natureza, o "corpo concreto de Olorum".

Só no concreto (natureza) as essências são encontradas. No abstrato, só concepções antinaturais se sustentam... Até que feneçam por inconsistência.

Bem, voltando ao "fio da meada", o fato é que, com a incorporação ao arquétipo Exu e Tronos cósmicos dos orixás, no Ritual de Umbanda Sagrada incorporou-o como o ideal para as linhas de esquerda.

O Exu, guardião do mistério da força e da virilidade, quando chegou ao Brasil, já trazia em si tantas atribuições exclusivas dos Tronos cósmicos, que logo se tornou o polarizador das incompletas teogonias que circulavam nas senzalas, onde os senhores misturavam etnias diferentes para impedir que os clãs tribais africanos aqui se refizessem.

Até nas ações negativas tudo é pensado.

Assim, pouco a pouco Exu tornou-se o polarizador natural de todos os Tronos negativos, e se cada orixá (positivo) possui seu oposto cósmico, Exu era todos eles ao mesmo tempo.

Nunca, em toda a história religiosa da humanidade, algo semelhante havia ocorrido: em "Exu" Tronos negativos se polarizaram e começaram a fluir através de seu arquétipo que sobressaiu de maneira tão natural que, quando o Ritual de Umbanda foi idealizado, Exu "assumiu" naturalmente a esquerda.

Um Trono neutro por excelência assentou-se na esquerda do novo ritual, e todos os tronos negativos, pares opostos dos orixás, passaram a responder aos babalaôs e babás por meio de Exu.

Foi cômodo reunir Tronos negativos tão incompreensíveis aos encarnados no mais humano dos Tronos neutros: Exu!

Cada Trono regente de Degrau dos orixás fechou seu polo negativo sob a égide de "Exu", o mais humano dos tronos humanizados.

Afinal, a humanidade tem sete sentidos a estimulá-la, e o sétimo (geração) é o mais assimilável, pois a hereditariedade cria laços mais fortes que a religiosidade.

Assim, Exu ficou sendo o arquétipo ideal por onde todos os Tronos negativos fluíram, e assumiu com Bombogira à esquerda do Ritual de Umbanda Sagrada.

Tronos negativos dos mais diversos Degraus passaram a responder como Exus e facilmente foram assimilados pelos adeptos do culto aos orixás.

Para que se preocupar em estudar o Trono negativo "lodo", se sendo ele conhecido como Exu do todo falava por si mesmo sem nada dizer?

Por que estudar o Trono cósmico "Sete Encruzilhadas", se Exu das Sete Encruzilhadas respondia a tudo?

Mistérios extremamente complexos e de difíceis assimilações pelos espíritos adormecidos no campo carnal foram incorporados com tanta facilidade que surpresos ficaram os idealizadores do Ritual da Umbanda no astral. Exu servia a todos os orixás...E ponto final.

Para que se preocupar com o detalhe de Exu atuar na purificação dos seres bestializados pela devassidão?

Um Exu do Fogo solucionaria essa deficiência.

Por que se preocupar, se Exu estimula a fertilidade e o sétimo Trono negativo da "terra" a paralisa?

Um Exu da Morte resolveria isso.

Tronos: Símbolos Sagrados e Pontos de Forças Mentais 323

Com isto, hoje, sob arquétipo Exu e Bombogira todos os Tronos negativos (cósmicos) os orixás fecham os polos esquerdos no Ritual de Umbanda.
Temos um Caboclo-Coral e um Exu Cobra-Coral.
Temos um Caboclo Sete Espadas e um Exu Sete-Espadas.
Temos um Caboclo Arranca-Toco e um Exu Arranca-Toco.
Temos um Caboclo Sete-Flechas e um Exu Sete-Pontas
Temos um Caboclo Sete Montanhas e um Exu Sete-Montanhas.
Temos um Caboclo Ventania e um Exu Ventania.
Fácil de se entender, pois no X tudo ficou assim:

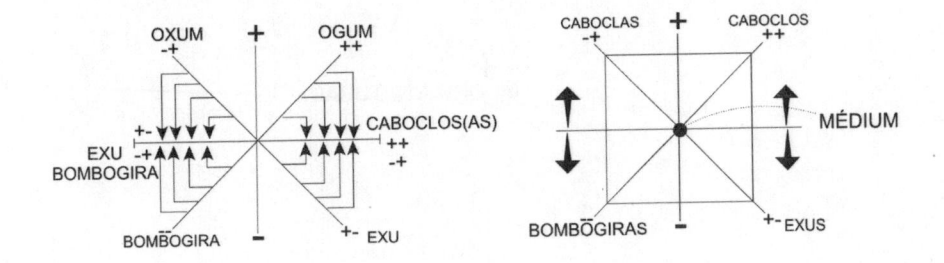

Nas linhas de forças assim ficam as correntes:

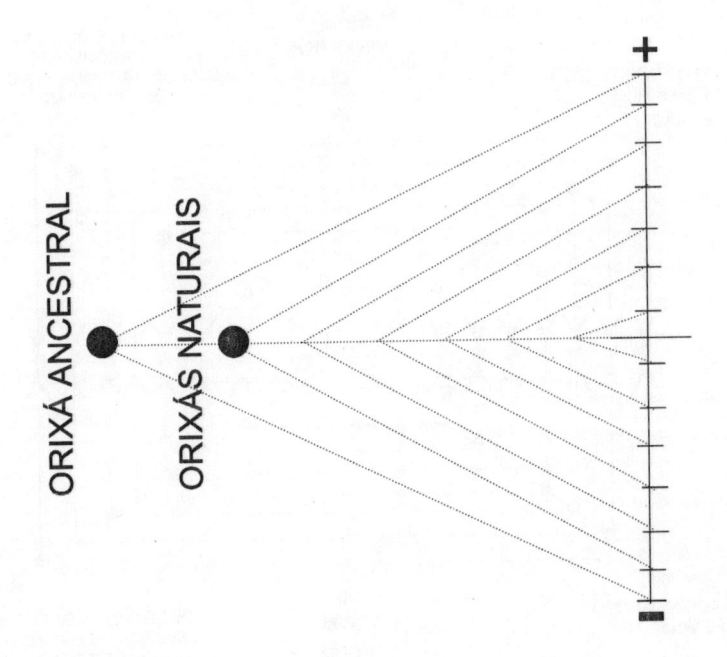

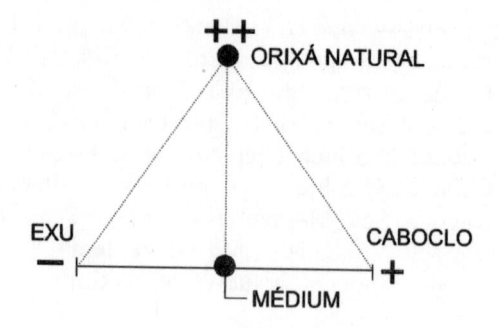

324   *Doutrina e Teologia de Umbanda Sagrada*

++ ORIXÁ NATURAL

EXU —   CABOCLO +

MÉDIUM

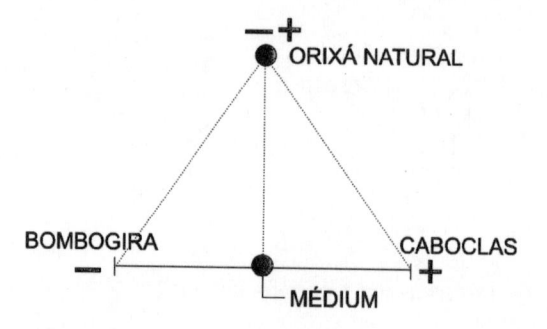

−+ ORIXÁ NATURAL

BOMBOGIRA −   CABOCLAS +

MÉDIUM

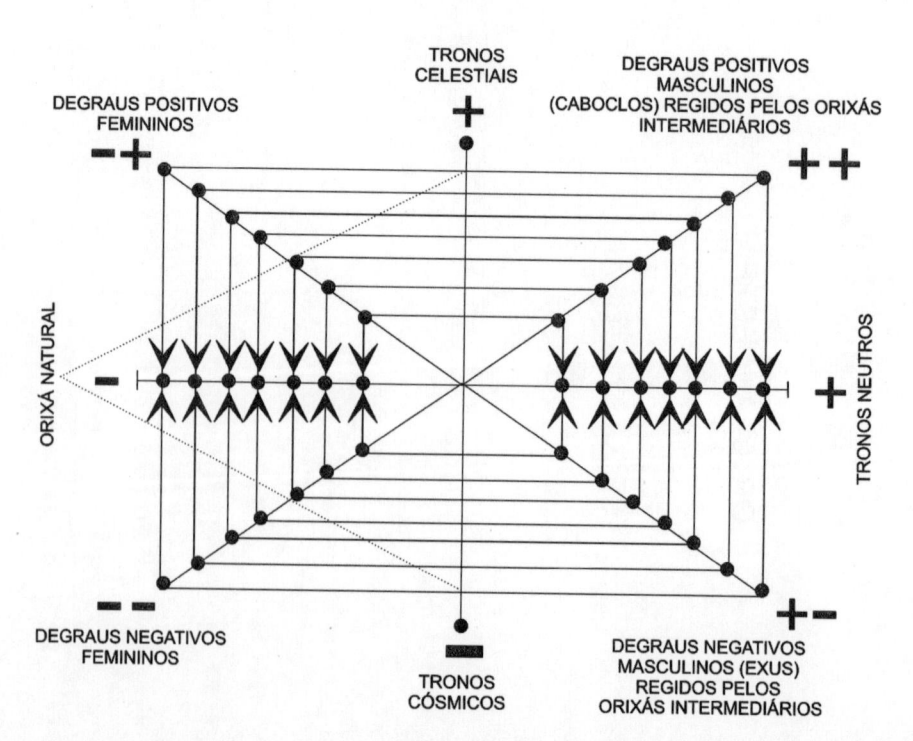

TRONOS CELESTIAIS +

DEGRAUS POSITIVOS FEMININOS −+

DEGRAUS POSITIVOS MASCULINOS (CABOCLOS) REGIDOS PELOS ORIXÁS INTERMEDIÁRIOS ++

ORIXÁ NATURAL −

TRONOS NEUTROS +

DEGRAUS NEGATIVOS FEMININOS −−

TRONOS CÓSMICOS −

DEGRAUS NEGATIVOS MASCULINOS (EXUS) REGIDOS PELOS ORIXÁS INTERMEDIÁRIOS +−

Tronos: Símbolos Sagrados e Pontos de Forças Mentais 325

Com isso que graficamente mostramos, facilita-se a compreensão de um Degrau simbólico atuando no astral do Ritual de Umbanda Sagrada.

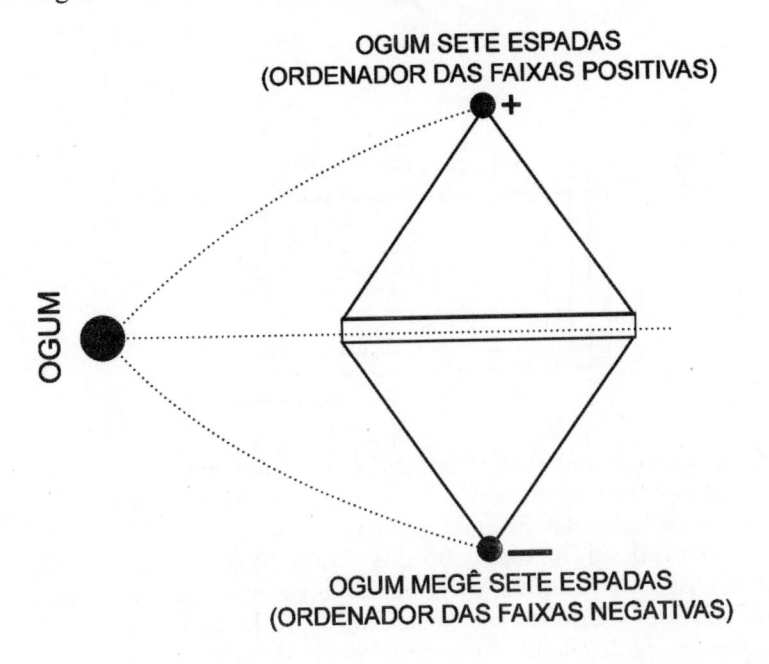

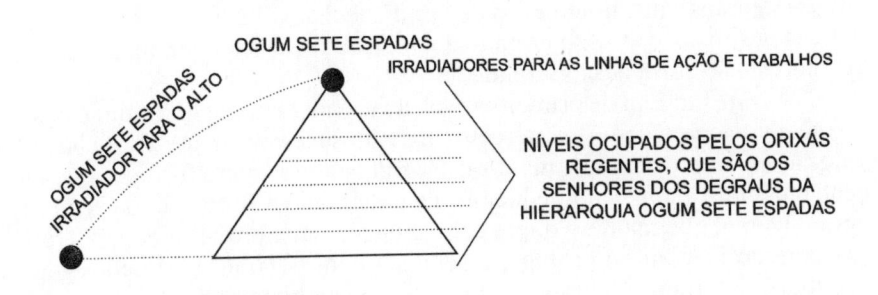

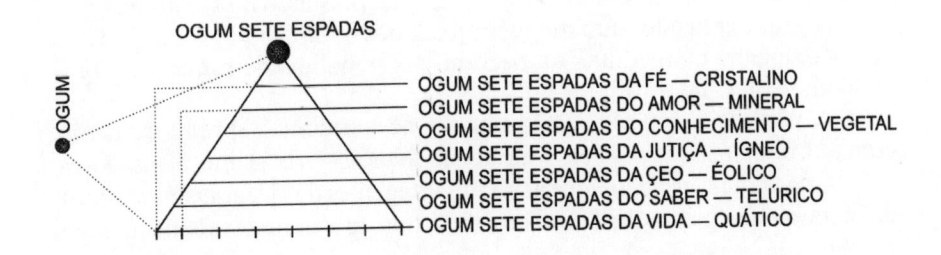

OGUM SETE ESPADAS
(ORDENADOR DAS FAIXAS POSITIVAS)

OGUM

OGUM MEGÊ SETE ESPADAS
(ORDENADOR DAS FAIXAS NEGATIVAS)

OGUM SETE ESPADAS
OGUM SETE ESPADAS IRRADIADOR PARA O ALTO
IRRADIADORES PARA AS LINHAS DE AÇÃO E TRABALHOS
NÍVEIS OCUPADOS PELOS ORIXÁS REGENTES, QUE SÃO OS SENHORES DOS DEGRAUS DA HIERARQUIA OGUM SETE ESPADAS

OGUM SETE ESPADAS

OGUM

- OGUM SETE ESPADAS DA FÉ — CRISTALINO
- OGUM SETE ESPADAS DO AMOR — MINERAL
- OGUM SETE ESPADAS DO CONHECIMENTO — VEGETAL
- OGUM SETE ESPADAS DA JUTIÇA — ÍGNEO
- OGUM SETE ESPADAS DA ÇEO — ÉOLICO
- OGUM SETE ESPADAS DO SABER — TELÚRICO
- OGUM SETE ESPADAS DA VIDA — QUÁTICO

TRONO CÓSMICO

- 1- NÍVEL
- 2- NÍVEL
- 3- NÍVEL
- 4- NÍVEL
- 5- NÍVEL
- 6- NÍVEL
- 7- NÍVEL

BOMBOGIRA — +- — EXU

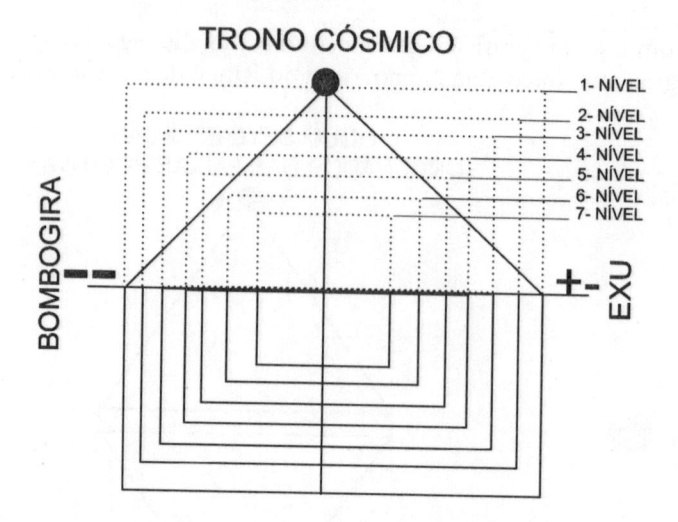

Observem que um Trono cósmico possui sete níveis de atuação, e em cada um deles um Exu guardião está assentado no Trono de um Degrau que, por sua vez, possui sua hierarquia, ação e trabalhos.

Também possui Degraus ocupados por Bombogiras que completam o equilíbrio magnético e fecham as linhas de forças que, em um nível específico, atraem tantos espíritos machos e fêmeas, formando pares vibratórios afins na execução de chamas, ou estimuladores de espíritos paralisados em níveis evolutivos muito baixos.

Um Trono cósmico é sustentador e energo-magnético de Tronos negativos (Degraus) que, nominados de "Exu", fecham por sua vez as linhas de forças positivas, com isso criando a condição ideal para que toda a escala evolutiva não sofra descontinuidade.

Assim, um Exu de primeiro nível, ao acender em sua hierarquia, passa ao segundo nível, depois no terceiro, e assim sucessivamente até alcançam o grau de Exu de sétimo nível ou Exu de sétimo grau cósmico, quando então assume a condição de hierarquia e dá início à formação de seu próprio Degrau, que manterá dupla correspondência: a primeira com o Trono regente do Degrau que o rege, a segunda com o Trono cósmico regente de todos os Tronos-Degraus assentados em sua hierarquia afim com a do orixá do "alto" (+), mas de polaridade oposta, pois atua no negativo.

Assim explicado, que ninguém mais pense ou acredite que os Exus que acompanhe os médiuns ou baixam nos trabalhos de esquerda é uma entidade "solta" no astral.

A verdade é que eles estão ligados na horizontal, direita-esquerda, com os Caboclos, que por sua vez estão ligados aos orixás intermediadores.

E na vertical estão ligados aos Tronos regentes dos Degraus formadores da hierarquia negativa do Trono cósmico, oposto magneticamente ao orixá regente (alto = positivo).

Queremos fechar este comentário dizendo o seguinte:

Na aparência, Exu é agente punidor, mas, na verdade, ele ou atua como agente cármico esgotador de negativismos localizados ou de criador de estímulos negativos que ativam o emocional humano e induz o ser a mover-se em busca do "alto".

Exu o atrai, esgota-o emocionalmente e o agrega à sua falange, onde terá oportunidade de servir a uma das finalidades da Lei nas trevas: redirecionar espíritos que estão caindo (regredindo).

Se seus processos são negativos (violentos), não devem esquecer-se que lidam com espíritos que formam a "escória" das trevas.

22
O Sacerdócio de Umbanda Sagrada

Toda religião tem os seus rituais, os quais só seus sacerdotes podem oficializá-los. E com a Umbanda não é diferente, pois ela tem nos seus Babalorixás e Ialorixás seus sacerdotes oficiais, aceitos pela espiritualidade e tidos como indispensáveis à sua manutenção e expansão doutrinária e religiosa.

A Umbanda forma seus sacerdotes no dia a dia e nas suas próprias práticas religiosas e magísticas, distinguindo-se, nesse aspecto, das outras religiões, que, antes de mais nada, exigem um certo tempo, para só então oficializarem cultos.

Os quadros de sacerdotes de Umbanda Sagrada são formados exclusivamente por pessoas que são médiuns de incorporação e que passaram por um aprendizado ritualístico, religioso e magístico bastante prático, pois, desde o primeiro passo, que é aceitar-se como médium, até alcançar o grau de Babalorixá ou Ialorixá, vivenciou todos os aspectos de sua religião.

O Sacerdote:
• Atua na incorporação;
• Atua no desenvolvimento de novos médiuns;
• Atua em desobsessões;
• Atua nas magias;
• Realiza oferendas;
• Atende consulentes e os auxilia na medida de suas faculdades mediúnicas e no merecimento de cada um;
• Intervém juntos aos orixás, junto à direita e junto à esquerda, sempre em favor dos que o procuram;
• Assume parte dos carmas alheios até diluí-los;

• Acolhe espíritos sofredores, aos quais doutrina e encaminha às moradas espirituais das faixas vibratórias luminosas;
• Está em permanente choque com as hordas de espíritos rebelados contra a Lei Maior;
• Realiza curas espirituais onde a medicina tradicional tem dificuldades;
• Descarrega e cruza (benze) lares, casas comerciais, etc;
• Recebe, fraternalmente, todos os que o procuram, mesmo sabendo que muitos, assim que ficarem bem, nunca mais o procurarão.

Enfim, o sacerdócio de Umbanda Sagrada é riquíssimo em experiências religiosas, magísticas, ritualísticas e humanas.

E, porque é assim, todo sacerdote de Umbanda se forma na prática e no dia a dia.

Mas nem por isso é inferior aos sacerdotes de outras religiões, pois se estes têm toda uma dialética e teoria de como é sua religião, o sacerdote de Umbanda acumula um vasto conhecimento prático, objetivo e funcional, que dispensa a conversão religiosa daqueles que o procuram e aos quais ajuda.

Seu conhecimento prático é fundamentado no seu dom mediúnico e nas suas faculdades religiosas e magísticas, dispensando a filosofia, a dialética e a teoria religiosa, pois para ele tudo se resume nisto: "Se sou médium e sou assistido por meus guias espirituais, então posso ajudar meus semelhantes na solução de seus problemas de ordem material ou espiritual, e isto me basta".

Tem sido assim neste primeiro século de existência da Umbanda e esta formação prática tem sido fundamental para sua manutenção e expansão.

Mas nós vemos Babalorixás e Ialorixás que, ao par dessa formação prática, também se dedicam ao estudo teológico e procuram instruir teoricamente seus médiuns auxiliares, formando um corpo mediúnico bem instruído sobre sua religião, seus rituais e suas práticas.

Isso é positivo e deve ser estimulado, pois uma religião só se perpetua se criar um quadro de sacerdotes muito bem instruídos, que possam disseminá-la mediante o ensino teológico e doutrinário.

Afinal, a religiosidade dos fiéis da Umbanda não deve fundamentar-se só nas suas práticas magísticas ou espirituais.

Portanto, é dever de todo Babalorixá e Ialorixá ter um contínuo aprendizado e um contínuo aperfeiçoamento em suas práticas e rituais, adaptando-os ao tempo em que vivemos, ao qual devemos estar integrados, pois só assim acompanharemos a evolução da humanidade.

O sacerdote de Umbanda tem seus preceitos, aos quais segue religiosamente, e tem toda liberdade quanto à sua vida civil, dissociada de seu grau religioso, mas não de sua religiosidade, pois, onde estiver, lá estará um templo vivo pronto para deixar fluir seu dom e suas faculdades mediúnicas.

Ao sacerdote de Umbanda não é permitida uma conduta contrária aos seus valores religiosos ou às leis vigentes que regulam a sociedade civil, pois ele não é um privilegiado nesse aspecto.

Uma conduta civil ilibada e uma conduta religiosa irrepreensível são condições fundamentais para um bom sacerdócio, pois ser sacerdote de Umbanda significa ser em si o templo vivo onde seus orixás e guias se manifestam, e é a partir dele que atuam de frente na vida de quem o consulta.

Muitos podem ser sacerdotes. Mas, para alguém ser sacerdote na Umbanda, antes tem de ser um "meio" entre os dois planos da vida e tem de ser, em si mesmo, um templo vivo.

22.1 Os Sacramentos da Umbanda

Batismo — Deve ser feito nas primeiras sete semanas após o nascimento;

Confirmação — Quando a criança completar sete anos;

Consagração da Coroa — Quando a criança completar treze anos, pois já tem noção de religiosidade;

Casamento;

Confissão — Uma confissão fundamentada no verdadeiro arrependimento traz alívio a quem fizer e recoloca-o de frente para seu Criador. Traz alívio imediato e o traz de volta ao campo religioso;

Encomenda de Espírito que Desencarnou — Deve ser realizada no momento em que o corpo é sepultado.

Este é o seu procedimento:

Purificação do corpo: como o sacerdote umbandista deve proceder

1 – Purificação do corpo com incenso:

> O sacerdote deve incensar o corpo do falecido, proferindo estas palavras:
>
> Irmão (fulano de tal), neste momento eu incenso seu antigo corpo carnal e peço a Deus que, onde você estiver neste momento, o seu espírito receba este incensamento e seja purificado de todos os resquícios materiais ainda agregados nele, tornando-o mais leve e mais puro, para que você possa alçar seu voo espiritual rumo às esferas superiores da vida.

2 – Purificação do corpo com a água consagrada:

> Irmão (fulano de tal), neste momento eu purifico o seu antigo corpo com a água consagrada, para que, onde você estiver neste momento, o seu espírito receba esta purificação de todos os resquícios materiais ainda agregados nele, tornando-o mais puro, para que você possa alçar seu voo espiritual rumo às esferas superiores da vida.

3 – CRUZAMENTO COM A PEMBA BRANCA CONSAGRADA:

Cruzar a testa, a garganta e as costas das mãos, dizendo estas palavras:

Irmão (fulano de tal), neste momento eu cruzo o seu antigo corpo com a pemba branca consagrada, para que, onde você estiver neste momento, o seu espírito fique livre de todos os resquícios dos cruzamentos materiais ainda agregados nele, desobrigando-o de responder àqueles que fizeram esses cruzamentos em você quando ainda vivia no plano material, e com isso torno-o livre, para que possa alçar seu voo espiritual rumo às esferas superiores.

4 – CRUZAMENTO COM O ÓLEO DE OLIVA CONSAGRADO:

Untar o ori, cruzar a testa, cruzar as costas das mãos e o peito do corpo do falecido, dizendo estas palavras:

Irmão (fulano de tal), neste momento eu unto o seu ori, anulando nele os resquícios das firmezas de forças feitas em sua coroa e retiro dela a mão de quem as fez, purificando o seu espírito e livrando-o de ter de responder aos chamamentos de quem quer que seja e que ainda se sinta seu superior e seu responsável nos assuntos relacionados às suas antigas práticas religiosas, e, com isto, torno-o livre, para que você possa alçar seu voo espiritual rumo às esferas superiores.

5 – ASPERGIR COM ESSÊNCIAS E ÓLEOS AROMÁTICOS:

Aspergir com uma essência aromática, desde a cabeça até os pés, o corpo do falecido.

Borrifar com um óleo aromático, desde a cabeça até os pés, o corpo do falecido.

Durante esses atos devem ser ditas estas palavras:

Irmão (fulano de tal), onde quer que você esteja neste momento, que o seu espírito seja envolvido por esta essência e este óleo, para que assim você possa alçar seu voo espiritual rumo às esferas superiores, envolto numa aura perfumada e com o seu espírito livre de quaisquer resquícios materiais que nele ainda possam ter restado.

Encomenda do Espírito

1 – APRESENTAÇÃO DO FALECIDO:

O próprio sacerdote ministrante ou uma pessoa que conheceu bem o falecido deve, neste momento da cerimônia fúnebre, dizer algumas palavras sobre ele aos presentes.

2 — PALAVRAS ACERCA DA MISSÃO DO ESPÍRITO QUE DESENCARNA:

O sacerdote ministrante deve recitar algum texto escolhido por ele ou recitar, de si mesmo, algumas palavras acerca da missão do espírito que desencarna e do que ele leva para o mundo dos espíritos quando do seu retorno à morada maior.

3 — PRECE AO DIVINO CRIADOR OLORUM (DEUS):

Olorum, Senhor Nosso Deus e nosso Divino Criador, estamos reunidos à volta do corpo carnal do seu filho (citar o nome do falecido), que cumpriu sua passagem pela Terra com fé, amor e confiança, e não esmoreceu em momento algum diante das provações a que se submeteu para que pudesse evoluir e aperfeiçoar ainda mais a sua consciência acerca da Tua grandeza, Senhor Nosso Pai!
Acolha seu espírito que já retornou ao mundo maior onde está a morada dos que O servem com humildade, fé e caridade, Senhor Nosso Pai!
Envolva-o na Tua Luz Divina e ampare-o no Teu amor eterno, Senhor Nosso Pai!

4 — CANTO DE OXALÁ:

O sacerdote ministrante ou a corimba devem puxar um ponto cantado de Oxalá e, após ele terminar, deve dirigir algumas palavras a este Orixá maior na Umbanda, solicitando-lhe que acolha o espírito do falecido, ampare-o e direcione-o às esferas superiores do mundo espiritual.

5 — HINO DA UMBANDA:

O sacerdote ministrante ou a corimba devem cantar o hino da Umbanda em homenagem ao espírito do falecido, que durante a sua passagem pela Terra seguiu a Religião Umbandista.

6 — CANTO DE OBALUAIÊ:

O sacerdote ministrante ou a corimba devem cantar um ponto de Obaluaiê e, após terminar, devem dirigir algumas palavras a este Orixá, que é o Senhor das Almas e do Campo-Santo, para que acolha o espírito do falecido e ampare-o durante o seu transe de passagem do plano material para o plano espiritual, direcionando-o para o seu lugar nas esferas espirituais.

7 — CANTO AO ORIXÁ DE CABEÇA DO FALECIDO:

O sacerdote ministrante deve proferir algumas palavras sobre o orixá de cabeça do falecido, pedindo-lhe que ampare o espírito do seu filho(a) durante seu retorno ao mundo dos espíritos.

8 — DESPEDIDA DOS PRESENTES NA CERIMÔNIA:

Todos os presentes, começando por seus familiares, devem dar a volta no caixão em que está depositado o corpo do falecido, despedindo-se dele e desejando-lhe uma vida luminosa e virtuosa no mundo espiritual.

9 — FECHAMENTO DO CAIXÃO:

O caixão deve ser fechado pela pessoa responsável pela funerária encarregada do seu enterro.

10 — TRANSPORTE DO CORPO AO CEMITÉRIO:

Se esta cerimônia foi realizada no centro onde o falecido frequentava ou em sua casa, o caixão deve ser carregado por seus familiares e amigos até o veículo que o transportará para o cemitério onde deverá ser enterrado. Mas se esta cerimônia for realizada na capela do cemitério onde será enterrado, então o seu transporte deverá ser feito desde a capela até o seu túmulo pelo meio que for recomendado pelos responsáveis pelo cemitério onde ele será enterrado.

11 — ENTERRO DO CORPO:

O caixão, após ser depositado dentro da cova, deve receber uma fina camada de pemba ralada antes que seja coberto de terra.

12 — CRUZAMENTO DA COVA ONDE O FALECIDO FOI ENTERRADO:

Após o túmulo ser coberto de terra e as flores serem depositadas sobre ele, o sacerdote ministrante deve cercá-la com pemba ralada, criando um círculo protetor à sua volta, e deve acender quatro velas brancas, uma acima da cabeça, uma abaixo dos pés, uma do lado direito e outra do lado esquerdo, formando uma cruz, e deve proferir estas palavras:

Divino Criador Olorum, amado pai Obaluaiê, amado pai Omolu, senhores guardiões do Campo-Santo, aqui eu selo e cruzo a cova onde (fulano de tal) teve seu corpo enterrado, impedindo assim que ela venha a ser profanada e impedindo que seu espírito venha a ser perturbado por quaisquer ações que possam ser intentadas contra ele a partir de agora.

Mentor Espiritual: Seiman Hamiser Yê (Ogum Megê Sete Espadas da Lei e da Vida)

Curso Ministrado por Rubens Saraceni

23
Definições e Terminologia

Vamos listar uma série de definições e explicações da terminologia usada na Umbanda, mas que estão deturpadas ou inexplicadas.

Abstracionistas — adeptos de religiões mentalistas.

Caboclos — espíritos humanos reintegrados às hierarquias naturais; "Caboclo" é um grau.

Cadeia Mágica — formação energética sustentada mentalmente e que pode prender e imobilizar um ser ou um ente.

Crianças, Erês ou Ibejis — seres encantados e espíritos que ora atuam nos templos de Candomblé e Umbanda, ora amparam espíritos humanos afins. Atuam plasmados de espíritos infantis.

Criaturas da Natureza — criaturas que habitam as dimensões e as animam em paralelo com todos os outros seres, mas que têm meios próprios e um objetivo final diferente do humano. São regidos pelos querubins, pelos devas, pelos gênios, etc.

Degrau — é um Trono e toda sua Hierarquia, em que cada um dos auxiliares ocupa um grau ou subtrono. Os graus localizam-se à direita e à esquerda do Trono Maior ou Trono Regente do Degrau.

Degrau Celestial — é o Degrau cujo Trono Regente é um Orixá Ancestral Natural, regente de toda uma linha de força.

Degrau Intermediário — é o Degrau cujo Trono Regente é um Orixá assentado em um dos níveis vibratórios de uma linha de força regida por um Orixá Ancestral Natural. Os orixás assentados em seus Tronos Regentes são chamados de Orixás Naturais regentes de níveis intermediários dentro de uma linha de força.

Degraus Localizados — são Degraus cujos orixás assentados em seus tronos são chamados de Orixás Naturais regentes dos subníveis dos níveis intermediários.

Degraus Negativos — são absorvedores das energias irradiadas pelos seres e visam a atraí-los magneticamente e sustentá-los energeticamente, pois eles existem para proteger os seres que não conseguiram se desenvolver em todos os sete sentidos principais, que são: a fé, o amor, a lei, o conhecimento, a razão, o saber e a vida. Aqui, a vida é sinônimo de criatividade. Os Degraus negativos também são chamados de Degraus cósmicos, pois, se por um lado absorvem todos os tipos de energias irradiadas pelos seres, por outro, só irradiam um tipo de energia. É por isso que em seus níveis vibratórios só estão os seres que ainda não conseguem irradiar aquela energia que o Trono Cósmico regente do nível em que está retido irradia, a qual é considerada negativa, pois polariza o ser.

Degraus Positivos — Degraus irradiadores de energias multicoloridas e análogas às que nós, espíritos humanos, irradiamos quando vibramos positivamente. Eles são chamados assim porque estão assentados em níveis vibratórios regidos pelo polo magnético positivo de uma linha de força. Os Degraus positivos também são chamados de Degraus universais, pois irradiam muitos tipos de energia.

Dimensões Cósmicas — são dimensões em que a predominância de um elemento é tão acentuada que os outros elementos só existem como indispensáveis para as funções secundárias dos órgãos dos corpos energéticos.

Dimensões Naturais — são dimensões paralelas à dimensão humana, na qual nós, os espíritos, vivemos. Elas são regidas pelos Sagrados orixás e nelas vivem os seres que não encarnam.

Divindades Celestiais — orixás positivos ou irradiantes.

Divindades Cósmicas — orixás negativos ou concentradores.

Divindades Naturais — orixás.

Domínios — campo abrangido mentalmente por um regente.

Estágio Humano da Evolução — o ser alcança um nível de evolução nas dimensões naturais, onde é conhecido como "Encantado da Natureza". Quando está preparado, é conduzido à dimensão humana, onde inicia o estágio humano da evolução ou o ciclo reencarnatório.

Estágios da Evolução:

1º — Original ou elemento puro.

2º — Dual ou misto: o ser vive numa dimensão formada por dois elementos complementares.

3º — Encantado ou perceptivo: o ser capta três elementos em abundância e apura sua percepção, pois mais quatro elementos sutis impressionam seus sentidos e o estimulam a desenvolver a percepção.

4º — Natural ou consciencial: o ser já desenvolveu a percepção e passa a viver em uma dimensão multicolorida, onde os elementos se amalgamam e dão origem a naturezas semelhantes às que temos no plano material da dimensão humana. Neste estágio, atuam mais intensamente os Orixás Naturais que possuem qualidades que, quando irradiadas, assemelham-se aos elementos. Por isso, na Umbanda, cada orixá é identificado com um elemento da Natureza. Oxóssi é vegetal, Xangô é ígneo, Ogum é eólico, Iemanjá é aquática, Oxum é mineral, Obaluaiê é telúrico e Oxalá é cristalino. Outros orixás também assumem os elementos da natureza com os quais mais se identificam. É por isso que o culto exterior aos orixás é realizado à beira-mar, nas cachoeiras, nos rios, nos mangues, nas matas, nos campos e nos caminhos.

Exu Encantado — ser encantado cósmico em seu 3º estágio da evolução.

Exu Natural — ser natural cósmico em seu 4º estágio da evolução.

Linhas de Ações e Reações — linhas formadas por espíritos humanos integrados às hierarquias de trabalhos da Umbanda. Adotam nomes simbolizadores dos orixás que as regem. Ex.: Caboclos Pena Branca, Sete Pedreiras, etc.; Exu Giramundo, Sete Portas, etc.; Pai João do Cruzeiro, João do Congo, etc.; Pombagira Sete Encruzilhadas, Sete Praias, etc.

Linhas Cruzadas — linhas de ação e reação que se basearam em fundamentos religiosos não apenas dos orixás "africanos". São as linhas de trabalhos da Umbanda, em sua maioria.

Linhas Energéticas — linhas com dupla corrente, em que uma irradia de cima para baixo e outra em sentido contrário, encontrando-se no meio.

Linha de Força — é uma linha vibratória que possui dois polos magnéticos. Estas linhas são regidas por Orixás Naturais, que trazem, em si, condições tão amplas de irradiação energética que as sustentam de ponta a ponta ou de polo a polo. Mas eles formam hierarquias e as distribuem pelos níveis vibratórios.

Linhas Puras — baseadas unicamente nos fundamentos dos orixás africanos. São as linhas do Candomblé, em sua maioria.

Linhas Magnéticas — linhas com dupla polaridade.

Linhas Energéticas e Magnéticas — linhas cujas energias opostas atuam como polos complementares nos processos magísticos, religiosos, evolucionistas, equilibradores, ordenadores, etc. Uma atua no mental racional e outra atua no mental consciencial, ora estimulando os seres, ora paralisando-os para que se reequilibrem e retomem a evolução natural

Mistério — é a manifestação de algum dos sentidos da vida, de forma energética e irradiante. Oxalá é regente da fé e manifesta este mistério na forma de irradiações que estimulam a religiosidade nos seres. Oxum é regente do amor e manifesta esse mistério através de irradiações que estimulam as vibrações de amor que une casais, pais e filhos, irmãos. Ogum irradia energias que estimulam a ordem. Xangô irradia energias que estimulam a justiça. Enfim, mistério é algo que existe por si mesmo e que se irradia continuamente. Para se ter uma ideia mais humana do que seja mistério, compare-o com o dom. Pessoas têm o dom para cantar, ensinar, benzer... Ninguém sabe explicar como surge o dom, mas todos admiram quem possui um dom forte. Quem tem o dom de ensinar está manifestando o mistério do saber. Quem tem o dom de tocar um instrumento musical ou de cantar está manifestando o mistério da harmonia sonora. Quem tem o dom de emitir juízos corretos está manifestando o mistério da justiça. Uns manifestam um mistério através de seu dom natural e outros não manifestam mistério nenhum.

Mistério Negativo — mistério não irradiante, pois sua irradiação é alternada, tal como a respiração, que inspira e expira. Ela irradia e, no instante seguinte, já está absorvendo. Este processo é tão rápido que quem vê um ser portador de um mistério negativo ou cósmico só vê em torno de seu corpo energético uma densa aura monocromática, pois irradia uma só cor, já que todo mistério negativo flui através do polo magnético negativo.

Mistério Positivo — mistério irradiante, cuja irradiação é contínua ou universal.

Naturalistas — adeptos de religiões naturais.

Níveis das Linhas de Força — são níveis onde estão assentados os orixás intermediários. Nos níveis regidos pelo polo positivo, estão assentados os orixás positivos regentes de nível vibratório. Nos níveis negativos, regidos pelo polo negativo, estão assentados os orixás negativos regentes de nível vibratório.

Olorum — o Divino Criador.

Orixás — senhores do alto e regentes planetários.

Orixás Ancestrais — regentes dos seres.

Orixás Essenciais — regentes dos sentidos.

Orixás Naturais — regentes de dimensões.

Orixás Diferenciados — naturezas masculina e feminina.

Orixás Intermediários — regentes de níveis energéticos e magnéticos (faixas vibratórias).

Orixás Encantados — regentes de reinos naturais, nos quais os estágios da evolução se processam.

Orixás Elementais — regentes de dimensões originais ou puras, nos quais só um elemento predomina.

Orixás Universais — regentes dos polos positivos das linhas de forças.

Orixás Cósmicos — regentes dos polos negativos das linhas de forças.

Orixás Positivos — regentes do alto. Irradiam os sete tipos de energia, que são: cristalina, mineral, vegetal, ígnea, eólica, telúrica e aquática. Por irradiarem os sete padrões energéticos, também são chamados de orixás Positivos ou Universais.

Orixás Negativos — regentes do "baixo". Irradiam um só tipo de energia e por isso são chamados de Negativos ou Cósmicos, pois, ao irradiarem um só tipo de energia, os seres que vivem sob suas irradiações energéticas se sobrecarregam de tal maneira que adquirem as qualidades daquele elemento que os está polarizando magnética e momentaneamente.

Orixás Intermediadores — elos (mensageiros) dos orixás intermediários.

Polos Magnéticos — toda linha de força possui dois polos magnéticos: um positivo e um negativo. O polo positivo só irradia, mas irradia todos os tipos de energias. O polo negativo irradia só um tipo de energia, mas absorve todos os outros tipos de energias.

Polos Energéticos e magnéticos — são os chamados polos magnéticos das linhas de forças mistas, cujos polos são opostos energética e magneticamente. Os orixás que ocupam seus polos regentes são opostos em tudo. Quando um é masculino, o outro é feminino. Quando um tem como principal elemento o fogo, o outro tem o ar. Isto porque ambos tanto se anulam como se alimentam do elemento oposto.

Pombagira Encantada — ser encantado cósmico em seu 3º estágio da evolução.

Pombagira Natural — ser natural cósmico em seu 4º estágio da evolução.

Pontos de Força — locais onde, devido aos magnetismos e energias condensadas, os orixás são cultuados na natureza (mar, cachoeiras, pedreiras, matas, etc.).

Pontos de Força Planetários — locais onde existem vórtices gigantescos que alimentam as muitas dimensões da vida no todo planetário. Se positivos, giram em sentido horário; se negativos, giram em sentido anti-horário. Nestes giros planetários estão os fundamentos das magias que movimentam energias positivas ou negativas. Também estão os fundamentos da Umbanda, que gira para a "direita", e da Quimbanda, que gira para a "esquerda".

Processos Energéticos e Magnéticos — são conhecidos, dentro do espaço religioso, como Teurgia (Magia de Deus).

Processos Magnéticos — são conhecidos como Magias (fora do espaço religioso).

Reinos — faixas vibratórias nas quais vivem milhões de seres, regidos por orixás responsáveis por cada uma delas.

Religião Abstrata — religião mentalista, cuja existência é sustentada numa concepção abstrata de como seja Deus: Deus criou o mundo para que o homem dele se servisse. Na religião abstrata, Deus só é cultuado dentro dos templos.

Religião Natural — religião em que Deus é identificado com toda a Sua criação. O Divino Criador, Suas divindades, a Natureza e todas as Suas criações e criaturas formam um todo inseparável, em que são adorados o Criador Olorum e as divindades manifestadoras de Seus Mistérios. Na religião dos orixás, Deus, ou Olorum, criou tudo, mas também está presente em tudo, pois nós O encontramos em Oxum, orixá das cachoeiras que simboliza o Amor; em Xangô, divindade manifestadora da Justiça Divina, e em todos os outros orixás. Na religião natural, o homem é apenas mais um dos beneficiários da Natureza, pois ela também pertence a todas as outras criaturas. Na religião natural, os pontos de força da Natureza — cachoeiras, rios, matas, campos, etc. — são altares naturais e abertos, onde os rituais praticados vibram muito mais, porque são realizados em sintonia vibratória com os elementos da Natureza, que também estão em Deus e são Suas partes concretas e palpáveis.

Sete Linhas Essenciais de Umbanda — Linhas essenciais (indiferenciadas):

Linha Cristalina

Linha Mineral

Linha Vegetal

Linha Ígnea

Linha Eólica

Linha Telúrica

Linha Aquática

Sete Linhas de Umbanda — diferenciadas, pois possuem dois polos, ou dupla polaridade, uma irradiante e outra atrativa. São as linhas energéticas e magnéticas:

Linha Cristalina — fé

Linha Mineral — amor

Linha Vegetal — conhecimento

Linha Ígnea — justiça

Linha Eólica — lei

Linha Telúrica — evolução

Linha Aquática — geração

Nas Sete Linhas de Umbanda estão assentados Orixás Naturais afins com seus polos magnéticos, suas essências originais, seus elementos formadores e suas naturezas (positivas ou negativas, universais ou cósmicas).

Ser — é todo vivente, análogo ao espírito humano, mas que não encarna. Nós, os humanos, também somos seres, mas os entes não são análogos a nós.

Seres Naturais — seres cuja evolução se processa em paralelo com o estágio humano da evolução.

Seres Elementais — seres que vivem nas dimensões unielementais ou puras.

Seres Encantados — seres que vivem nos reinos regidos pelos orixás encantados e que vibram em uma só frequência, com os mesmos sentimentos vibrados pelos orixás ancestrais.

Seres Humanos — seres que alcançaram os graus de "espíritos" e foram conduzidos à dimensão humana da vida, que adentraram no ciclo reencarnacionista e deram início ao "estágio humano" da evolução, em que racionalizarão a consciência e conscientizarão o racional.

Seres da Natureza — seres que vivem em dimensões naturais, nas quais não sofrem alterações climáticas e não estão sujeitos ao dia e à noite, porque o tempo, como o conhecemos, inexiste. Nas dimensões aquáticas, só existem energias aquáticas. Nas ígneas, só existem energias ígneas. Nas mistas, convivem dois ou mais elementos, que dão sustentação ao adensamento dos corpos energéticos dos seres.

Seres Duais ou Bipolares — são os que vibram por meio de seus polos positivo e negativo. Nós somos assim. Quando vibramos positivamente, nossa aura se apresenta multicolorida e irradiante. Ela se torna opaca, cinza, negra, rubra, mostarda... quando estamos vibrando sentimentos negativos, como ódio, ira, inveja, dor, remorso... que ativam nosso polo negativo. Além de não irradiar energia colorida, o ser ainda deixa visível na sua aura o sentimento negativo que está vibrando em seu íntimo.

Seres Elementares — são os que vivem em dimensões cujas energias são elementais e delas se energizam, captando-as por meio dos chacras. Vivem o 2º estágio da evolução.

Seres Encantados — são os que vivem em dimensões paralelas à humana e são mais conhecidos como seres que irradiam as qualidades puras dos orixás Naturais. Vivem o 3º estágio da evolução.

Seres Humanos — somos nós, os encantados, que nos espiritualizamos e iniciamos o ciclo reencarnatório, cuja função é conduzir o ser a um despertar da consciência e a um conhecimento único, pois na dimensão humana existe tudo o que está dividido ou partilhado nas dimensões naturais, paralelas à dimensão em que vivemos. Também estamos vivendo o 4º estágio da evolução, que acontece no mesmo nível vibratório de nossos irmãos naturais.

Seres Naturais — são os que vivem em dimensões paralelas, mas seguem uma evolução que não recorre à encarnação, pois essa evolução se processa num *continuum*. Vivem o 4º estágio da evolução.

Seres Negativos — são os que só vibram por intermédio de seu polo negativo. São absorvedores de energias e possuem uma só cor.

Seres Positivos — são os que só vibram por meio de seus polos positivos. Todos são irradiantes e multicoloridos.

Telas Refletoras Planetárias e Multidimensionais — são telas que não sofrem descontinuidade, pois são formadas por essências. A tela da fé, por exemplo, é chamada de Tela Cristalina, e nela refletem ou ecoam todas as manifestações de fé dos planos material e espiritual humanos ou de dimensões paralelas. Esta tela recolhe todas as manifestações de fé vibradas por todos e as enviam a Oxalá, o regente da fé.

Trevas Humanas — faixas vibratórias negativas da dimensão espiritual humana que não possuem luz e cor. Independem da religião.

Trevas Naturais — faixas vibratórias negativas localizadas no lado negativo dos pontos de força, que equivalem às faixas vibratórias negativas da dimensão humana, na qual ficam os espíritos que se desequilibraram emocionalmente e caíram na escala vibratória humana, cujo centro neutro, ou zero, separa os graus vibratórios positivos dos graus negativos:

+ 1 equivale à 1ª esfera espiritual ascendente, e – 1 equivale à 1ª esfera espiritual descendente.

Tronos — como são conhecidos os sagrados orixás dentro da Hierarquia Divina: arcanjos, tronos, anjos, querubins, serafins, gênios, etc.

Tronos Energéticos — onde se assentam os orixás na Natureza, em seus níveis vibratórios. Cada orixá ocupa um Trono Energético, de onde rege toda a sua hierarquia, em cujos níveis vibratórios estão assentados seus auxiliares. Trono é o ser em si mesmo e Trono Energético é onde o ser está assentado. Esses Tronos podem ser comparados ao trono de um rei medieval, com seus símbolos e insígnias, de onde o rei decidia o destino de seu povo.

Bibliografia

SARACENI, Rubens. *O Código de Umbanda*. São Paulo: Cristalis Editora e Livraria, 1997.
_____. *Gênese Divina de Umbanda Sagrada*. São Paulo: Cristalis Editora e Livraria, 1999.
_____. *O Livro de Exu.* São Paulo: Cristalis Editora e Livraria, 1999.
_____. *Orixás Ancestrais. São Paulo: Madras Editora, 2001.*
_____. Umbanda Sagrada. São Paulo: Madras Editora, 2001.
_____. As Sete Linhas de Umbanda. São Paulo: Madras Editora, 2003.